М.Н. Макова, О.А. У

В МИРЕ ЛЮДЕЙ

Выпуск 1. Письмо. Говорение

**Учебное пособие по подготовке к экзамену
по русскому языку для граждан зарубежных стран
(ТРКИ-2 — ТРКИ-3)**

*Допущено УМО по направлениям педагогического образования
Минобрнауки РФ в качестве учебного пособия
для студентов высших учебных заведений*

Санкт-Петербург
«Златоуст»

2013

УДК 811.161.1

Макова, М.Н., Ускова, О.А.

В мире людей. Вып. 1. Письмо. Говорение : учебное пособие по подготовке к экзамену по русскому языку для граждан зарубежных стран (ТРКИ-2 — ТРКИ-3). — СПб. : Златоуст, 2013. — 288 с.

Makova, M.N., Uskova, O.A.

In the world of people. Vol. 1. Writing. Speaking : a manual of Russian language examination preparing for foreigners (B2–C1). — St. Petersburg : Zlatoust, 2013. — 288 p.

Рецензенты:
доктор филологических наук, профессор *Л.П. Катлинская*
доктор педагогических наук, профессор *Т.В. Васильева*

Зав. редакцией: к.ф.н. *А.В. Голубева*
Редактор: *И.В. Евстратова*
Корректор: *О.С. Капполь*
Оригинал-макет: *Л.О. Пащук*
Обложка: *В.В. Листова*

Данное пособие адресовано студентам-иностранцам, владеющим русским языком в объёме, приближенном к ТРКИ-2 (общее владение). Цель обучения — достижение коммуникативной компетенции заявленного уровня и подготовка к сдаче сертификационных экзаменов ТРКИ-2 / ТРКИ-3 (субтесты «Письмо», «Говорение»), а также активизация лексико-грамматических навыков на материалах аутентичных текстов в пределах тем, общих для данных уровней.

© Макова М.Н., Ускова О.А. (текст), 2013
© ЗАО «Златоуст» (редакционно-издательское оформление, издание, лицензионные права), 2013

ISBN 978-5-86547-612-2

Подготовка оригинал-макета: издательство «Златоуст».
Подписано в печать 15.10.12. Формат 60×90/8. Печ. л. 36. Печать офсетная. Тираж 5000 экз.
Код продукции: ОК 005-93-953005.

Санитарно-эпидемиологическое заключение на продукцию издательства Государственной СЭС РФ
№ 78.01.07.953.П.011312.06.10 от 30.06.2010 г.

Издательство «Златоуст»: 197101, Санкт-Петербург, Каменноостровский пр., д. 24, оф. 24.
Тел.: (+7-812) 346-06-68; факс: (+7-812) 703-11-79; e-mail: sales@zlat.spb.ru; http://www.zlat.spb.ru.

Отпечатано в Китае.
C&C Joint Printing Co. (Beijing), Ltd.

СОДЕРЖАНИЕ

ПРЕДИСЛОВИЕ

Данное пособие адресовано студентам-иностранцам, владеющим русским языком в объеме, приближенном к ТРКИ-2 (общее владение). Цель обучения — достижение уровня коммуникативной компетенции ТРКИ-2 / ТРКИ-3 (B2–C1), включающей такие составляющие, как языковая, дискурсивная, прагматическая, социокультурная.

Пособие предназначено в первую очередь для подготовки к тестированию по данным уровням (субтесты «Письмо», «Говорение»). В то же время его можно использовать в качестве собственно учебного пособия по русскому языку как иностранному (ТРКИ-2/3). Предлагаемые задания предлагаются как для аудиторной, так и для самостоятельной работы и нацелены на активизацию лексико-грамматических навыков на материалах аутентичных текстов в пределах тем, общих для этих уровней.

Пособие представляет собой модульный учебник, материал в котором структурирован по темам, обозначенным в стандартах ТРКИ-2 / ТРКИ-3:

- Человек и его личная жизнь:
  — семья;
  — работа / профессия;
  — свободное время / отдых / увлечения;
  — мужчина и женщина.
- Человек и общество.
- Человек и искусство.
- Человек и наука.

В соответствии с этим выделено 5 разделов (модулей):

1. Мир, в котором мы живём. Проблемы общества (4 темы).
2. Карьера… Работа… Дело всей жизни? Профессиональная деятельность (4 темы).
3. Личная жизнь. Личность в современном мире (5 тем).
4. Наука — прогресс или угроза? Наука и технологии (3 темы).
5. Вечные ценности. Культура в современном обществе (3 темы).

Структура каждого модуля включает в себя несколько логически связанных между собой тем, формирующих социокультурную компетенцию учащегося.

Учебное пособие ориентировано, главным образом, на развитие навыков продуктивных видов речевой деятельности — письма и говорения, задания формулируются в соответствии с аналогичными заданиями Типовых тестов ТРКИ-2 / ТРКИ-3. Пособие позволяет также активизировать навыки чтения неадаптированных текстов (газетно-публицистического стиля), некоторые из которых сопровождаются тестовыми заданиями (ТРКИ-3, задания 1, 2). В оформлении заданий используется цветовое разграничение по видам речевой деятельности.

Формирование языковой компетенции на материалах данного учебного пособия включает в себя несколько этапов: 1) обучение — развитие лексико-грамматических умений и навыков (предтекстовые задания на лексическую и синтаксическую синонимию / антонимию, виды глагола), 2) продукция (задания на использование синонимических / антонимических языковых средств в диалогах), 3) контроль (лексико-грамматические тесты в конце каждой темы).

Отдельно представлены задания на формирование прагматической компетенции (выражение предложенных интенций) и дискурсивной (задания по развитию навыков говорения, отвечающие требованиям ТРКИ-2/3 (отмечена знаком) .

Основой каждой темы является текст, предназначенный для изучающего чтения и выполняющий следующие функции:

- представляет собой образец речевого жанра определённого функционального стиля,
- является источником информации, необходимой для общения в рамках предложенной темы;
- служит базой взаимосвязанного обучения видам речевой деятельности.

Все тексты данного пособия являются аутентичными или частично сокращёнными неадаптированными (с сохранением авторской стилистики).

Внутри каждой темы материал располагается следующим образом:

1) предтекстовые задания на снятие лексико-грамматических и понятийных трудностей;

2) притекстовые (текст и тест или письменное задание), которые снабжены указаниями на соответствующий уровень и субтест (например, ТРКИ-3 / Чтение, задание 1);

3) послетекстовые задания (в соответствии с характером и объёмом заданий, предлагаемых иностранным студентам при сдаче тестов на получение сертификата второго и третьего уровней общего владения русским языком — субтесты «Письмо», «Говорение», частично «Чтение»), направленные на развитие умений и навыков устной и письменной речи;

4) лексико-грамматический тест — задания на систематизацию и активизацию лексических и грамматических навыков на материале наиболее трудных грамматических и лексических явлений системы русского языка (виды глагола, предложно-падежные формы, причастия, деепричастия, однокоренные приставочные глаголы, а также существительные и прилагательные, близкие по смыслу); главным при определении объёма лексической группы был принцип частотности.

Структура некоторых лексико-грамматических тестов включает в себя задания на выявление стилистических особенностей жанров текстов различных функциональных стилей.

Стилистические разделы в качестве дополнительного материала включают разного рода тесты и небольшие тексты, также направленные на повторение лексико-грамматических и функционально-стилевых явлений современного русского языка.

Рекомендации по работе с пособием

Предлагаемое пособие может быть использовано как в качестве основного средства обучения, так и в качестве тренажёра для подготовки к тестированию.

В первом случае целесообразно выполнять задания каждого раздела в предлагаемом порядке. Если же материалы пособия используются для подготовки к сдаче тестов, рекомендуется следующий порядок:

1) «Прочитайте текст и выполните задание после текста»;

2) задания 1–4 (во всех темах);

3) задания, направленные на развитие навыков говорения;

4) задания на развитие навыков письменной речи.

При подготовке к сдаче субтеста «Говорение» целесообразнее начинать с выполнения заданий в диалоговой форме, а затем можно выполнять другие задания. Рекомендации по времени выполнения определённого задания в соответствии с процедурой проведения тестирования отмечены знаком *. Задания лексико-грамматического теста, на проверку понимания текста и определение интенций снабжены ключами.

Желаем вам успехов!

Авторы

1 МИР, В КОТОРОМ МЫ ЖИВЁМ

Проблемы общества

Тема 1.1. **Наш дом: столица или провинция?**

Тема 1.2. **Социальные проблемы**

Тема 1.3. **Российское общество в восприятии иностранцев**

Тема 1.4. **СМИ и Интернет**

НАШ ДОМ: СТОЛИЦА ИЛИ ПРОВИНЦИЯ

Задание 1. **Объясните значение данных слов и словосочетаний, составьте с ними предложения.**

прописка
населённый пункт
переселение
головной офис
благосостояние
привязанность

Задание 2. **Составьте пары из слов, близких по значению.**

1. покинуть
2. обратиться с вопросом
3. переехать
4. опрошенный
5. считать
6. глухое место

а. респондент
б. глушь
в. думать
г. спросить
д. уехать
е. перебраться

Задание 3. **Как вы понимаете данные предложения? Передайте их смысл другими словами.**

1. Для многих городом мечты является Санкт-Петербург. 2. Большинство москвичей не променяет свой город ни на какой другой. 3. Женщины более, чем мужчины, привязаны к Москве. 4. Молодёжь с лёгкостью относится к переселению. 5. В столице все привлекательные места заняты, а Петербург сейчас экономически резко поднимается.

Задание 4. **Прочитайте текст и выполните задание к нему.**

С МЕЧТОЙ ОБ УРЮПИНСКЕ

Почти полтора миллиона москвичей готовы сменить прописку. Городом мечты для большинства из них стал Петербург, а вовсе не Рио-де-Жанейро.

В каких городах страны и мира хотели бы жить москвичи? С таким вопросом специалисты «Ромир Мониторинга» обратились к жителям столицы в возрасте от 18 лет.

84 % москвичей не променяют свой город ни на какой другой населённый пункт в пределах страны. Однако почти каждый двадцатый опрошенный хотел бы жить в Санкт-Петербурге. А 7 % столичных жителей назвали другие города, среди которых чаще упоминаются Хабаровск, Сочи, Нижний Новгород. Но есть и желающие переехать в глушь, в тихое провинциальное местечко.

Что касается выбора на международной арене, то 10 % москвичей с радостью покинули бы столицу, чтобы жить в Западной Европе. Ещё 3 % опрошенных хотели бы уехать в один из городов США или Канады.

Исследование показало, что женщины более привязаны к Москве, нежели мужчины (89 % против 78 %), и чем младше респондент, тем с большей лёгкостью он относится к переселению.

В столице всё тяжелее делать карьеру, привлекательные места в основном заняты, а Питер сейчас резко поднимается экономически, всё больше крупных компаний открывают там свои представительства и даже головные офисы, — объясняет результаты президент «Ромир Мониторинга» Андрей Милехин. К тому же молодёжи кажется, что Петербург ближе к Европе. «Трудолюбивыми» мотивами объясняется и желание москвичей перебраться на Запад, где, как считают респонденты, «созданы лучшие условия для ведения бизнеса и повышения благосостояния».

(по материалам газеты «Труд»)

ЗАДАНИЕ: на основе прочитанного текста составьте письменное сообщение своему знакомому — социологу, интересующемуся, в какой степени москвичи готовы к переезду в какой-либо другой город. При этом:

— укажите источник информации;

— в своём сообщении используйте общепринятые сокращения.

ТРКИ

***Время выполнения задания — 20 минут.**
Объём текста — 60–70 слов.
***ТРКИ-3 / Письмо, задание 2.**

....

....

....

....

....

....

....

....

....

....

....

....

Задание 5. **Вы с друзьями обсуждаете экскурсию, состоявшуюся вчера. Вашему другу экскурсия не понравилась. Примите участие в диалоге. Ваша задача:**

а) Согласитесь с высказанным мнением, используя синонимичные конструкции.

б) Не согласитесь с высказанным мнением, используя антонимы.

— Какая неудачная вчера была экскурсия!
— ....

— Я не увидела ничего интересного!
— ....

— И с экскурсоводом нам не повезло. Было такое чувство, что он не знает, о чём говорить.
— ....

— А автобус какой ужасный был! Вообще, нет слов!
— ....

Задание 6. **Прочитайте предложенные выражения и определите, какие интенции они передают: 1) равнодушие, 2) затруднение с ответом, 3) отказ, 4) несогласие.**

а. Даже не знаю.
Ещё не думал об этом. ☐

б. Ну и что!
Какая разница! ☐

в. Ничего подобного!
Нет, ты не прав(а)! ☐

г. Неохота…
Да ну, не хочется. ☐

Задание 7. **Ваши друзья едут завтра на экскурсию, а вы остаётесь в городе. Примите участие в диалоге. Выразите указанные интенции.**

Отказ:
— Давай поедем завтра на экскурсию!
— ....

Равнодушие:
— А что же ты будешь делать? Все же уедут?
— ....

Несогласие:
— Скажи честно: тебе просто лень вставать!
— ....

Затруднение с ответом:
— Так чем же ты всё-таки займёшься?
— ....

Задание 8. **Вы разговариваете со знакомой, купившей тур по «Золотому кольцу». Теперь она сожалеет об этом. Примите участие в диалоге, возразите своей знакомой и убедите её в правильности сделанного выбора. Приведите свои аргументы. Вы должны использовать разные языковые средства возражения.**

— Купила тур по «Золотому кольцу», а теперь жалею. Что интересного можно увидеть в маленьких городах?
— ....

— В программке тура прочитала, что нужно будет переезжать с места на место почти каждый день!
— ....

— Представляю себе, какие там гостиницы!
— ....

— И никто из подруг со мной не едет, а я никогда ещё не путешествовала с незнакомыми людьми.
— ....

Задание 9. **Вы прочитали в газете объявление:**

ДЕТСКИЙ ОТДЫХ

15 дн. 3–5-разовое питание,
анимация, экскурсионные программы
от 285 евро + а/б

956-34-84
м. «Маяковская»

Болгария
Кипр
Италия
Турция
Испания

Это объявление вас заинтересовало. Позвоните по указанному телефону и расспросите обо всём как можно более подробно, чтобы решить, стоит ли вам обращаться в эту фирму.

***ТРКИ-2 / Говорение, задание 5.**

Задание 10. **Вы — директор туристической фирмы, на имя которого клиенты написали претензию.**

Директору турфирмы «Золотое кольцо»
Рудакову В.В.
от участников поездки в г. Ростов
(список фамилий, адресов и телефонов прилагается)

Претензия

Мы, нижеподписавшиеся, воспользовавшись услугами вашей фирмы, ездили в поездку в город Ростов (12.01.12). Нас сопровождала гид вашей фирмы А.А. Иванова. По дороге туда автобус сломался, поэтому вместо положенных трёх часов мы провели в городском музее только час. К тому же наша группа опоздала на заранее заказанный обед, и мы были вынуждены есть остывшие блюда.

Просим вас принять соответствующие меры, а также выплатить нам компенсацию за моральный ущерб в размере 20 % от стоимости поездки.

15.01.12.

По поручению участников поездки:
Петров В.В.
Филиппова А.Н.

а) Проведите беседу с сотрудником, ответственным за выполнение данной работы.

Программа речевого поведения:
— обозначьте тему разговора;
— выясните объективные и субъективные причины случившегося;
— выскажите собственный взгляд на случившееся;
— объявите о своём решении.

***ТРКИ-3 / Говорение, задание 14.**

б) Передайте содержание текста, используя языковые средства, характерные для разговорной речи.

Задание 11. **Вы с друзьями ездили в недельную поездку по городам «Золотого кольца».**

а) Поездка вам очень понравилась. Напишите благодарность на имя директора турфирмы.

б) Поездка вам очень не понравилась. Напишите жалобу на имя директора турфирмы.

ТРКИ

***Время выполнения каждого задания — 20 минут.**
Объём текста — 50–70 слов.
***ТРКИ-2 / Письмо, задание 2.**

Задание 12. **Согласитесь или опровергните данные высказывания. Приведите свои аргументы.**

1. Маленькие города постепенно исчезнут с лица Земли.
2. К концу XXI века жизнь в провинции не будет отличаться от жизни в столичном городе.
3. Человек, родившийся и проведший своё детство в провинции, всегда будет отличаться от того, кто родился и вырос в большом городе.
4. В большом городе больше соблазнов.

Задание 13. **Сравните условия жизни в столице и в провинции. Приведите конкретные примеры, подтверждающие вашу точку зрения. Скажите, в каком городе вы хотели бы жить и почему.**

Задание 14. **Напишите эссе на тему «Современная жизнь: город или деревня?».**
При этом укажите:
— в чём заключается проблема;
— объективные и субъективные причины сложившейся ситуации;
— различные точки зрения на проблему выбора места жительства;
— прогноз на будущее;
— ваше отношение к данной проблеме.

***Время выполнения задания — 30 минут.**
Объём текста — 150–200 слов.

ЛЕКСИКО-ГРАММАТИЧЕСКИЙ ТЕСТ

Часть 1

Инструкция к заданиям 1–7

Вам предъявляется текст с пропусками и таблица, в которой представлены группы слов в начальной форме. Номера групп слов в таблице соответствуют номерам предложений. Ваша задача — восстановить текст, употребив слова в нужной грамматической форме, используя там, где необходимо, предлоги. В правом столбце таблицы напишите правильный вариант.

1. Социологи обратились (москвичи) (вопрос) «(Какой город) вы хотели бы жить?». **2.** Петербург стал (многие) (город) (мечта). **3.** Большинство (москвичи) не променяют (свой город) ни (какой другой). **4.** Что касается (выбор), то 10 (проценты) (москвичи) (радость) покинули бы (столица), чтобы перебраться (Западная Европа). **5.** Молодёжь (лёгкость) относится (переселение). **6.** (Мнение) (молодёжь), (Петербург) ближе (Европа). **7.** (Мечты) (работа) объясняется и желание (москвичи) жить (Запад), (их мнение), там созданы лучшие условия (ведение) (бизнес).

1. москвичи, вопрос, какой город	**1.**
2. многие, город, мечта	**2.**
3. москвичи, свой город, какой другой	**3.**
4. выбор, проценты, москвичи, радость, столица, Западная Европа	**4.**
5. лёгкость, переселение	**5.**
6. мнение, молодёжь, Петербург, Европа	**6.**
7. мечты, работа, москвичи, Запад, их мнение, ведение, бизнес	**7.**

Инструкция к заданиям 8–14

Вам предъявляются предложения с пропусками. В таблице даны видовые пары глаголов. Номера видовых пар глаголов соответствуют номерам пропусков. Ваша задача — выбрать глагол нужного вида и употребить его в нужной форме. В правом столбце таблицы напишите правильный вариант. Укажите все возможные варианты.

1. 84 % москвичей не **-8-** Москву ни на какой другой город. 2. В ходе социологического опроса 7 % столичных жителей «городом своей мечты» **-9-** вовсе не Москву или Петербург, респонденты **-10-** совсем другие города. 3. 10 % москвичей с радостью **-11-** бы столицу. 4. Всё больше крупных компаний **-12-** свои представительства в Петербурге. 5. «Город вашей мечты — это…?» — с таким вопросом **-13-** к жителям столицы специалисты «Ромир Мониторинга». 6. Как правило, молодёжи **-14-**, что Петербург ближе к Европе.

8. менять — променять	**8.**
9. называть — назвать	**9.**
10. упоминать — упомянуть	**10.**
11. покидать — покинуть	**11.**
12. открывать — открыть	**12.**
13. обращаться — обратиться	**13.**
14. казаться — показаться	**14.**

Инструкция к заданиям 15–18

Вам предъявляются предложения с пропусками. В таблице даны видовые пары глаголов. Номера видовых пар глаголов соответствуют номерам пропусков. Ваша задача — выбрать глагол нужного вида. В правом столбце таблицы напишите правильный вариант.

1. Среди москвичей есть желающие **-15-** в тихое место. 2. Три процента опрошенных хотели бы **-16-** в один из городов США или Канады. 3. В столице всё тяжелее **-17-** карьеру. 4. Мыслями о карьере объясняется желание москвичей **-18-** на Запад.

15. переехать — переезжать	**15.**
16. уезжать — уехать	**16.**
17. делать — сделать	**17.**
18. перебраться — перебираться	**18.**

Часть 2

Инструкция к заданиям 19–29

Восстановите предложения, используя подходящие по смыслу глаголы: *менять(ся) — заменять — поменять(ся) — разменять — обменять(ся) — измениться — променять — подменить — отменить.* В правом столбце таблицы напишите глаголы в нужной форме.

19. С тобой невозможно договориться, твои планы постоянно … .	**19.**
20. Если купленная вами вещь вам не подходит, вы можете … её в течение 14 дней.	**20.**
21. Мне очень нравится моя работа, я не … её ни на какую другую.	**21.**
22. Перед отъездом мы … адресами и телефонами.	**22.**
23. Он был всегда таким спокойным, сдержанным. А теперь постоянно злится, ругается. Что с ним случилось? Его как будто … .	**23.**
24. Татьяну теперь не узнать! Она так … !	**24.**
25. У меня только крупные деньги, можешь мне … тысячу?	**25.**
26. Из-за плохой погоды нашу прогулку по Москве … .	**26.**
27. Тебе здесь плохо видно? Хочешь сесть на моё место? Давай … !	**27.**
28. Наш преподаватель заболел, сейчас его временно … другой.	**28.**
29. В ходе переговоров главы делегаций … мнениями по важнейшим вопросам двусторонней политики.	**29.**

Инструкция к заданиям 30–36

Восстановите предложения, используя подходящие по смыслу глаголы: *помнить — вспомнить — запоминать(ся) — запомнить(ся) — напоминать — напомнить — припоминать — припомнить — упоминаться*. В правом столбце таблицы напишите глаголы в нужной форме.

30. Какой у тебя простой номер телефона! Сразу … !	**30.**
31. … , что я тебе скажу, второй раз повторять не буду.	**31.**
32. — Никак не могу … , где я вас видел. Кого-то вы мне … . — Мне тоже знакомо ваше лицо. Кажется, мы учились в одной школе, только вы были немного старше. Мы вместе занимались в театральном кружке. — Да-да, действительно, что-то … .	**32.**
33. — Ты … , что послезавтра у нас собрание? — Нет, забыл. Как хорошо, что ты мне … .	**33.**
34. Ты же обещал мне помочь, а теперь отказываешься. Погоди, я тебе это … !	**34.**
35. Единственная моя встреча с этим человеком … мне на всю жизнь.	**35.**
36. Годом основания Москвы считается 1147, в этом году Москва впервые … в летописи.	**36.**

Инструкция к заданиям 37–45

Восстановите предложения, используя подходящие по смыслу парные глаголы совершенного / несовершенного вида: *просить — спрашивать — расспрашивать — опрашивать — допрашивать — переспрашивать — выпрашивать — упрашивать — отпрашиваться*. В правом столбце таблицы напишите глаголы в нужной форме.

37. Мы не в полиции, чтобы ты меня … !	**37.**
38. Мой дед прекрасно знает Москву. Если я не знаю, что где находится, всегда у него … .	**38.**
39. Социологи … москвичей, в каком городе они хотели бы жить.	**39.**
40. И что ты меня обо всём … ? Какая ты любопытная!	**40.**
41. Вчера весь день бегал по магазинам: друг … купить ему книгу, а её нигде не было.	**41.**
42. Ты же не глухой, почему ты всё время … ?	**42.**
43. Какой же Вадим жадный! О таких говорят: «У него зимой снега не … !»	**43.**
44. Мои родители очень строгие. Вчера еле-еле … их отпустить меня в клуб.	**44.**
45. У Алёны всё время какие-то проблемы. Она часто … с работы.	**45.**

Инструкция к заданиям 46–52

Восстановите предложения, используя подходящие по смыслу имена существительные: *человек — гражданин — население — житель — жилец — сосед(ка)*. В правом столбце таблицы напишите имена существительные в нужной форме. Укажите все возможные варианты.

46. Родители говорят, что раньше все … одного дома знали друг друга в лицо, а сейчас порой даже ближайшие … не знакомы друг с другом.	**46.**
47. В Конституции нашей страны записано, что все … имеют право на труд и на отдых.	**47.**
48. Специалисты утверждают, что … нашей страны неуклонно сокращается.	**48.**
49. … нашего района каждый год в конце апреля выходят на субботники.	**49.**
50. Я всегда поздравляю свою … с днём рождения.	**50.**
51. По российским законам в брак могут вступать … , достигшие 18 лет.	**51.**
52. Виктор Андреевич — прекрасный … !	**52.**

Часть 3

Инструкция к заданиям 53–75

Вам предъявляется текст с пропусками (информационное сообщение о социологическом исследовании). После текста даны группы слов. Номера групп слов соответствуют номерам пропусков. В правом столбце таблицы укажите слова, подходящие по смыслу и характерные для официально-делового стиля речи, а в левом — для разговорного стиля. Укажите все возможные варианты.

В декабре 2006 года исполнилось 15 лет со дня подписания **-53-** России, Украины и Белоруссии Беловежских **-54-**, в которых констатировалось **-55-** существования СССР и **-56-** об образовании Содружества Независимых Государств. Позже к СНГ **-57-** ряд других **-58-** советских республик.

В рамках международного **-59-** «Мониторинг социальных настроений населения стран постсоветского пространства» были **-60-** интересные социологические **-61-** в России (ВЦИОМ), на Украине, в Белоруссии и Казахстане.

Наибольшее число **-62-**, сожалеющих о распаде СССР — две трети **-63-**, — оказалось в России. Такие же **-64-** зафиксировали социологи и у многих **-65-** Украины (59 %) и Белоруссии (52 %). Вместе с тем **-66-** большинство **-67-** этих стран (от 68 до 75 %) **-68-**, что **-69-** единого Союза уже невозможно.

На **-70-** социологов «В какой стране вы хотели бы **-71-**?» — **-72-** проводилось в России — ответы распределились следующим **-73-**: 30 % — в своей стране; 21 % — в Союзе России, Украины и Белоруссии; 20 % — в новом СССР; 14 % — в объединённой Европе; 11 % — в СНГ, и 4 % **-74-** **-75-** с ответом.

(по материалам газеты «Труд»)

53. а) лидерами
б) главами
в) главарями
г) руководителями
д) начальниками
е) шефами

54. а) соглашений
б) заявлений
в) анонсов
г) бумажек

55. а) прекращение
б) окончание
в) кончина
г) концовка

56. а) декларировалось
б) заявлялось
в) сообщалось
г) говорилось

57. а) присоединился
б) примкнул

58. а) бывших
б) старых
в) прошлых

59. а) исследования
б) эксперимента
в) опыта

60. а) проведены
    б) сделаны
    в) оформлены

61. а) вопросы
    б) опросы
    в) запросы

62. а) людей
    б) граждан
    в) жителей
    г) человек

63. а) спрошенных
    б) допрошенных
    в) опрошенных

64. а) эмоции
    б) настроения
    в) чувства

65. а) граждан
    б) жителей
    в) человек
    г) людей

66. а) подавляющее
    б) огромное
    в) агрессивное
    г) пассивное

67. а) людей
    б) человек
    в) граждан

68. а) понимают
    б) соображают
    в) думают
    г) полагают

69. а) реконструкция
    б) воссоздание
    в) реабилитация
    г) ремонт
    д) восстановление

70. а) опрос
    б) вопрос
    в) запрос

71. а) проживать
    б) поживать
    в) жить

72. а) обследование
    б) исследование
    в) следствие

73. а) видом
    б) образом
    в) вариантом

74. а) спрошенных
    б) допрошенных
    в) опрошенных
    г) запрошенных

75. а) замедлили
    б) затруднились
    в) замялись
    г) не справились

	53	
	54	
	55	
	56	
	57	
	58	
	59	
	60	
	61	
	62	
	63	
	64	
	65	
	66	
	67	
	68	
	69	
	70	
	71	
	72	
	73	
	74	
	75	

СОЦИАЛЬНЫЕ ПРОБЛЕМЫ

1.2

Задание 1. **Объясните значение данных слов и словосочетаний, составьте с ними предложения.**

новоявленный богач
ближний круг
нувориш
сирота
претенциозность
взвешенное поведение
приоритеты
вседозволенность
благотворительность
меценатство
деньги на ветер
потребительский бум

Задание 2. **Составьте пары из слов, близких по значению.**

1. набор
2. личный
3. взвешенный
4. установка
5. подвижный
6. основа
7. меткий

а. принцип
б. фундамент
в. точный
г. мобильный
д. частный
е. ответственный
ж. комплект

Задание 3. **Найдите синонимы.**

1. поддерживать
2. скрывать
3. снижаться
4. демонстрировать
5. швырять

а. показывать
б. выкидывать
в. прятать
г. помогать
д. падать

Задание 4. **Составьте пары из слов, противоположных по значению.**

1. доход
2. провокационный
3. ближний
4. стандартный
5. разнообразный

а. дальний
б. индивидуальный
в. расход
г. однородный
д. общепринятый

Задание 5. **Найдите антонимы.**

1. осложняться
2. ценить
3. копить
4. расслабиться
5. сохраниться

а. исчезнуть
б. собраться
в. пренебрегать
г. тратить
д. упрощаться

Задание 6. **Передайте смысл данных предложений другими словами.**

1. В бедном районе можно заделаться богачом с доходом в 100 тысяч. 2. Богатых людей от небогатых отличает свобода выбора. 3. Перед богатым открыты любые дороги. 4. Новоявленные богачи переживают потребительский бум. 5. Некоторые богатые люди вышли из рядов советской интеллигенции. 6. Бизнесмены зажаты в жёсткие рамки, единственный для них способ расслабиться — уехать за границу и «оторваться по полной». 7. Богатые люди не швыряют деньги направо и налево. 8. В российском обществе не сформировано положительное восприятие чужого успеха. 9. Большинство наших богачей формируют пространство личной жизни так, как они привыкли в СССР. 10. Через несколько лет для богатых русских станет характерно более взвешенное поведение.

Задание 7. **Прочитайте фрагменты интервью с Аллой Чириковой, научным сотрудником РАН, доктором социологических наук, 12 лет изучающей российскую бизнес-элиту.**
Выберите вопросы, на которые были даны прочитанные вами ответы.

***Время выполнения задания — 20 минут.**
***ТРКИ-3 / Чтение, задание 2.**

ЗА ЧЕРТОЙ БОГАТСТВА

1. ....

— Всё зависит от региона. В РФ есть очень бедные районы, где можно заделаться богачом даже с доходом в 90–100 тысяч. Иначе обстоит дело в Москве. На сегодняшний день в ней проживает 200 тысяч долларовых миллионеров. Так что в столичном регионе черта богатства — 1 миллион долларов.

2. ....

— Сначала все новоявленные богачи переживают потребительский бум. Набор покупок стандартен: машины, яхты, дома... Затем они понимают, что богатство само по себе не делает человека счастливым. Единственное, что действительно отличает богатых людей от небогатых, — свобода выбора. Жизнь бедного человека до предела упрощена, перед богатым же открываются любые дороги.

3. ....

— Всё зависит от того, на какую основу было положено это богатство. Как метко сказал один очень богатый человек в Ярославле: «Все мы выросли в пионерских лагерях». Большинство наших богачей формируют пространство личной жизни так, как они привыкли в СССР, и не обязательно это будет что-то претенциозное. Ситуация осложняется тем, что масса богатых людей очень разнородна. В ней выделяются три большие группы с разными установками.

4. ....

— О первой я уже упомянула. Это богатые люди, которые вышли из рядов советской интеллигенции. Они ценят старые связи, не меняют жён, круг друзей. У них одинаковые моральные ценности для ближнего и дальнего круга. Для них ценны не столько деньги, сколько возможность о них не думать. Вторая группа — так называемые нувориши. В подавляющем большинстве это бывшие спортсмены, выходцы из криминальных кругов, которые сумели легализовать свой бизнес. Это они в середине 90-ых годов пугали весь мир малиновыми пиджаками, золотыми цепями и т. п. Сейчас они немного цивилизовались. Третья группа — молодые ребята, которые пришли в бизнес в последние годы. Они очень мобильны, многие учились за границей. Возвращаясь на родину, они и здесь хотят жить как на Западе, не скрывая своего богатства и пользуясь уважением в обществе. В них почти нет страха, они очень легко тратят деньги и идут на риск.

5. ....

— Конечно. Иначе почему они прячутся за высокими заборами, отправляют свои семьи куда подальше?

6. ....

— В российском обществе не сформировано положительное восприятие чужого успеха. Сейчас уровень агрессивности по отношению к богатым людям снижается. Единственное требование населения — чтобы они заботились о своих работниках (платили вовремя зарплату и т. п.). Не меньший страх вызывает и власть, которая предъявляет к бизнесу всё новые требования. Бизнесмены зажаты в столь жёсткие рамки, регламентирующие их поведение, особенно в регионах, что единственный способ для них расслабиться — уехать за границу и «оторваться по полной».

7. ....

— Надо делать скидку на то, что культура богатства в России ещё только формируется. Через несколько лет для богатых русских станет характерно более взвешенное поведение. Повысится уровень образования наших миллионеров. Они станут очень рационально расходовать своё богатство на потребительские цели. Среди приоритетов останутся путешествия в другие страны, хорошее образование для детей. При этом сохранится и исконно русская черта: гулять — так гулять всей Рублёвкой.

8. ....

— Не стоит думать, что богатые люди швыряют деньги направо и налево. Если человек зарабатывает деньги своим трудом, он умеет их считать.

9. ....

— С этим в России всё в порядке. Но, в отличие от США, на эти цели тратятся не личные деньги хозяев и топ-менеджеров, а средства компании, которые могли бы быть пущены на увеличение зарплаты сотрудников, социальные программы внутри фирмы. Частный бизнес поддерживает бедные семьи, церкви, инвалидов, сирот. Всё это лишний раз доказывает, что хотя богатые люди и живут за высокими заборами, при соответствующем давлении общества они из-за них выглядывают и социальную ответственность демонстрируют.

(по материалам журнала «Огонёк»)

А. Насколько я понимаю, культура богатства как раз и состоит в умении красиво тратить деньги?
Б. Вы можете рассказать о них поподробнее?
В. Скажите, где проходит пресловутая черта богатства?
Г. А в результате европейцы продолжают считать наших бизнесменов, мягко говоря, диковатыми?
Д. А как же такие формы выкидывания денег на ветер, как меценатство, благотворительность?
Е. А что, остальные группы богатых живут в постоянном страхе?
Ж. Многие трактуют эту свободу как вседозволенность?
З. А чего боятся наши миллионеры?
И. Что происходит с человеком, когда он переступает эту заветную черту?

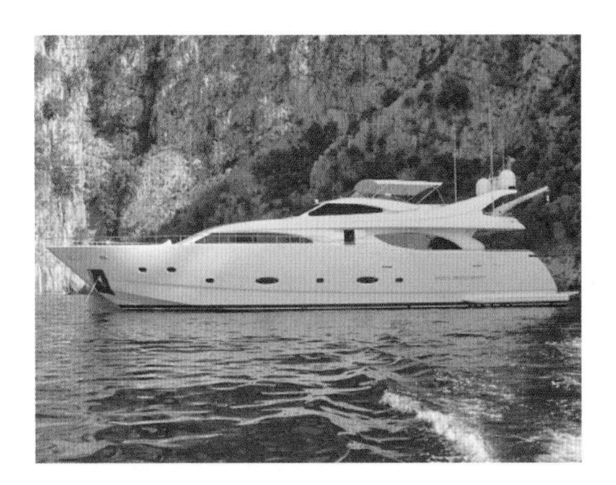

Задание 8. **Ваш друг из России планирует купить квартиру за рубежом. На основе предложенных рекламных объявлений порекомендуйте объект недвижимости, который, по вашему мнению, лучше всего ему подойдёт.**
Напишите неформальное письмо рекомендательного характера.

***Время выполнения задания — 20 минут.**
Объём текста — 50–70 слов.
***ТРКИ-2 / Письмо, задание 1.**

Греция Цена: 180 000 евро **RED & BLUE DEVELOPMENT** **+30 6972 841718** **e-mail: elounda.villas@gmail.com** **www.rednblue.eu** Новые элитные виллы в традиционном стиле в живописной рыбацкой деревушке Плака на о. Крит. Площадь апартаментов от 55 до 220 кв. м, 1–5 спален. Расстояние до пляжа и местных таверн — 150 м. Всего 5 мин. езды до курорта Elounda. Вид на знаменитую по бестселлеру «Остров» крепость Spinalonga.	Великобритания Цена: 840 000 евро **LONDNODOM.COM** **+44 845 4309197** **e-mail: info@ londnodom.com** **www.londnodom.com** Великолепная квартира в современном здании — из всех окон открывается вид на Темзу. Квартира может быть оборудована в 2 спальни. Современные кухня и ванные комнаты. Балкон. Круглосуточная охрана. Паркинг. Центр Лондона. Несколько минут пешком до ближайших станций метро — Vauxhall и Westminster.
Швейцария Цена: 470 000 евро **SWISSIBERIE** **+ 41 79 800 62 85** **e-mail: svetlana@ swissiberie.com** **www.swissiberie.com** Знаменитое Монтре. Квартира с жилой площадью 67 кв. м и прекрасным панорамным видом. Балкон — 10 кв. м. Верхний этаж: кабинет, укомплектованная кухня, спальня, гостиная, ванная комната, подвал. Очень спокойное место. Рядом магазины, общественный транспорт. Есть возможность покупки ещё 1 парковки.	Германия Цена: 14 700 евро **L&B IMMOBILIYA / BAUMGARTNER UND LEHMANN GBR** **+ 49 307621 4976** **e-mail: info@ immobiliya.de** **www.immobiliya.de** Однокомнатная квартира с ремонтом и мебелью, расположенная в курортном комплексе Geyersberg в баварских горах с целебным климатом и красивейшим горным ландшафтом! В комплексе: 2 бассейна, сауна, ресторан, бар, киоск, мини-гольф, детская площадка, солярий и многое другое.
Болгария Цена: 15 000 евро **КАЛИФОРНИЯ ГОЛДЕН БИЧ** **+7 812 933 1636** **e-mail: californiaspb@ gmail.com** **www.balkandream.ru** Комплекс коттеджного типа Panorama: 800 м от моря, 350 м над уровнем моря, в тихом месте уникального лесного массива. Фантастический вид из окон. Квартиры от 19 до 86 кв. м. Интернет, кабельное ТВ, телефон. Бассейн, подземный паркинг, ресторан, прокат авто. Цены от 500 евро. Полная отделка и меблировка входят в цену.	Греция Цена: 300 000 евро **AVANTAGE-REAL ESTATE** **+30 211 7109031** **e-mail: grekestate@gmail.com** **www.grekestate.ru** Продажа вилл, коттеджей и апартаментов по всей территории сказочной Греции. Учитывая пожелания и вкус клиента, наша группа специалистов подберёт недвижимость. Сказочные виллы и апартаменты обеспечат вам как выгодную покупку, так и приятный отдых. Окунитесь в мир мифов, который станет реальностью.

Задание 9. **Ваш друг рассказывает вам о своей поездке по Подмосковью. Примите участие в диалоге. Ваша задача:**

а) Согласитесь с указанным мнением, используя синонимичные конструкции.

б) Не согласитесь с указанным мнением, используя антонимы.

— Поездил в выходные по Подмосковью, посмотрел… Кошмар! Вместо нормальных загородных домов какие-то дворцы стоят!

— ....

— По-моему, демонстрировать так своё богатство — просто неприлично!

— ....

— И это при таком количестве, мягко говоря, очень небогатых людей.

— ....

— И природу всю испортили…

— ....

Задание 10. **Прочитайте предложенные выражения и определите, какие интенции они передают: 1) сочувствие, 2) поддержку, 3) удивление, 4) совет.** 🗝

а. Ну, можно…
А почему бы тебе не… ☐

б. Подожди! Наверняка можно ещё что-то сделать.
Не падай духом! ☐

в. Да… Сочувствую.
Да, невесело. ☐

г. Что ты говоришь?!
Да?.. Ничего себе! ☐

Задание 11. **Ваш друг оказался без работы. Примите участие в диалоге, выражая следующие интенции:**

Сочувствие:
— Уже несколько месяцев сижу без работы.
— ....

Поддержка:
— Пытался что-то найти — никаких результатов.
— ....

Удивление:
— Разместил резюме в Интернете — никакой реакции.
— ....

Совет:
— Что делать? Ума не приложу!
— ....

Задание 12. **Вы разговариваете с другом из России, который решил провести отпуск, путешествуя вокруг Европы на большом корабле. Теперь он жалеет о принятом решении. Примите участие в диалоге, возразите другу и убедите его в правильности сделанного выбора. Приведите свои аргументы. Используйте разные языковые средства.**

— Купил тур вокруг Европы, а теперь жалею. Всё-таки очень дорого получается!
— ....

— Там, наверное, одни новые русские будут.
— ....

— А ещё за всякие развлечения и экскурсии придётся платить.
— ....

— Нет, я там точно себя буду чувствовать не в своей тарелке!
— ....

Задание 13. **Согласитесь или опровергните данные высказывания. Приведите свои аргументы.**

1. Богатство не делает человека счастливым.
2. «От трудов праведных не наживёшь палат каменных».
3. Богатство — это вседозволенность.
4. Богатство — возможность заниматься благотворительностью.

Задание 14. **а) Продолжите фразу: «Богатый — это человек...».**
б) Скажите, как изменилась бы ваша жизнь, если бы вы неожиданно получили миллион? Как бы вы распорядились этими деньгами?

Задание 15. **Напишите эссе на одну из тем:**

1. Социальное расслоение общества: проблемы и перспективы.
2. От трудов праведных не наживёшь палат каменных.

***Время выполнения задания — 30 минут.**
Объём текста — 150–200 слов.

ЛЕКСИКО-ГРАММАТИЧЕСКИЙ ТЕСТ

Часть 1

Инструкция к заданиям 1–12

Вам предъявляются предложения, в которых некоторые слова и группы слов представлены в начальной форме. Номера групп слов в таблице соответствуют номерам предложений. Ваша задача — восстановить предложения, употребив слова в нужной грамматической форме, используя там, где необходимо, предлоги. В правом столбце таблицы напишите правильный вариант.

1. (Сегодняшний день) (Москва) проживает 200 (тысяча) долларовых миллионеров. **2.** Богатство не делает (человек) (счастливый). **3.** (Свобода выбора) отличает (богатый человек) (бедный). **4.** (Богатый человек) открываются (любые дороги). **5.** (Первая группа) (богачи) составляют люди, вышедшие (ряды советской интеллигенции). **6.** Нувориши (середина) (90-ые годы) пугали (весь мир) (малиновые пиджаки). **7.** Молодые миллионеры не хотят скрывать (своё богатство), они хотят пользоваться (уважение) (общество). **8.** Население требует, чтобы богачи заботились (свои работники), вовремя платили (они) (зарплата). **9.** Если человек зарабатывает (деньги) (свой труд), он умеет (они) считать. **10.** (Благотворительность) тратятся средства (компании), которые можно было бы использовать (увеличение) (зарплата). **11.** Частный бизнес поддерживает (сироты), (инвалиды). **12.** Хотя богачи и живут (высокие заборы), они (эти заборы) выглядывают и демонстрируют (социальная ответственность).

1. сегодняшний день, Москва, тысяча	**1.**
2. человек, счастливый	**2.**
3. свобода выбора, богатый человек, бедный	**3.**
4. богатый человек, любые дороги	**4.**
5. первая группа, богачи, ряды советской интеллигенции	**5.**
6. середина, 90-ые годы, весь мир, малиновые пиджаки	**6.**
7. своё богатство, уважение, общество	**7.**
8. свои работники, они, зарплата	**8.**
9. деньги, свой труд, они	**9.**
10. благотворительность, компании, увеличение, зарплата	**10.**
11. сироты, инвалиды	**11.**
12. высокие заборы, эти заборы, социальная ответственность	**12.**

Часть 2

Инструкция к заданиям 13–28

Вам предъявляется текст с пропусками. После текста даны видовые пары глаголов. Номера видовых пар глаголов соответствуют номерам пропусков. Ваша задача — выбрать глагол нужного вида и употребить его в правильной форме. В правом столбце таблицы напишите правильный вариант.

1. Свобода выбора **-13-** богатого человека от бедного. 2. Молодые миллионеры не **-14-** своего богатства. 3. Они легко **-15-** деньги и **-16-** на риск. 4. Люди хотят, чтобы хозяева предприятий вовремя **-17-** зарплату, **-18-** о своих работниках. 5. Культура богатства в России ещё только **-19-**. 6. Через какое-то время для богатых русских **-20-** характерно более взвешенное поведение, **-21-** уровень их образования. 7. В будущем среди приоритетов для богатых **-22-** путешествия, они **-23-** своих детей **-24-** за границу. 8. Богатые не **-25-** деньги направо и налево. 9. Если человек сам **-26-** свои деньги, он **-27-** их **-28-**.

13. отличать — отличить	**13.**
14. скрывать — скрыть	**14.**
15. тратить — потратить	**15.**
16. идти — пойти	**16.**
17. платить — заплатить	**17.**
18. заботиться — позаботиться	**18.**
19. формироваться — сформироваться	**19.**
20. становиться — стать	**20.**
21. повышаться — повыситься	**21.**
22. оставаться — остаться	**22.**
23. посылать — послать	**23.**
24. учиться — научиться	**24.**
25. бросать — бросить	**25.**
26. зарабатывать — заработать	**26.**
27. уметь — суметь	**27.**
28. считать — сосчитать	**28.**

Инструкция к заданиям 29–36

Вам предъявляется текст с пропусками. После текста даны видовые пары глаголов. Номера видовых пар глаголов соответствуют номерам пропусков. Ваша задача — выбрать глагол нужного вида. В правом столбце таблицы напишите правильный вариант.

1. Для этих людей ценна возможность не **-29-** о деньгах. 2. Они хотят **-30-** и не **-31-** своего богатства. 3. Часто для них единственный способ **-32-** — это **-33-** за границу и «**-34-** по полной». 4. В будущем миллионеры станут рациональнее **-35-** свои деньги. 5. Не стоит **-36-**, что богачи швыряют деньги на ветер.

29. думать — подумать	**29.**
30. жить — пожить	**30.**
31. скрывать — скрыть	**31.**
32. расслабляться — расслабиться	**32.**
33. уезжать — уехать	**33.**
34. отрываться — оторваться	**34.**
35. тратить — потратить	**35.**
36. думать — подумать	**36.**

Часть 3

Инструкция к заданиям 37–42

Закончите предложения, выберите все возможные варианты.

37. Жизнь бедного человека до предела … .
а) упрощается
б) упрощена
в) упростилась
г) упрощаема

38. Важно, на какую основу … это богатство.
а) полагается
б) положилось
в) положено
г) положится

39. Для них … не деньги, а возможность не думать о них.
а) ценятся
б) ценны
в) оценивают
г) оценены

40. В российском обществе не … положительное восприятие чужого успеха.
а) сформировано
б) сформировалось
в) формируется
г) формируют

41. Бизнесмены … в жёсткие рамки.
а) зажатые
б) зажаты
в) зажимаются
г) зажимаемы

42. Эти деньги могли … на увеличение зарплаты сотрудников.
а) пуститься
б) пустить
в) быть пущены
г) пускать

Часть 4

Инструкция к заданиям 43–50

Восстановите предложения, выберите подходящее по смыслу существительное: *выбор — выборы — набор — отбор*. В правом столбце таблицы напишите правильный вариант в нужной форме.

43. Молодые люди стоят перед трудным … : в какой вуз поступать?	**43.**
44. По-моему, каждый должен участвовать в … в парламент страны.	**44.**
45. Жюри этого конкурса проводит строгий … конкурсантов.	**45.**
46. И почему ты стал парикмахером?! Мне никогда не нравился твой … .	**46.**
47. — Не знаю, что подарить Ирине на новоселье. — Можно подарить … постельного белья, это всегда пригодится.	**47.**
48. В нашем магазине огромный … продуктов.	**48.**
49. Какой скучный доклад! Пустой … слов!	**49.**
50. По теории Дарвина, в природе происходит жёсткий естественный … , выживает сильнейший.	**50.**

Инструкция к заданиям 51–64

Восстановите предложения, выберите подходящее по смыслу существительное: *основа — основание — обоснование — база — фундамент*. В правом столбце таблицы напишите правильный вариант в нужной форме.

51. На каком … вы мне отказываете?	**51.**
52. В … этого романа лежит подлинная история, произошедшая в нашем городе.	**52.**
53. В нашем районе начали строить новый стадион, уже заложили … .	**53.**
54. Во время войны этот город был разрушен до … .	**54.**
55. В выходные мы ездили на … отдыха.	**55.**
56. У этой теории нет никаких научных … .	**56.**
57. Мне кажется, семью можно создавать только тогда, когда у тебя есть надёжная материальная … .	**57.**
58. В … моего доклада лежат новые данные, полученные в ходе последних экспериментов.	**58.**
59. В школе дети изучают … астрономии.	**59.**
60. В … данных нашей фирмы можно узнать домашний адрес любого сотрудника.	**60.**
61. Торговля между европейскими странами происходит на … соглашения, подписанного главами государств.	**61.**
62. Памятник великому писателю стоит на гранитном … .	**62.**
63. Молодые люди, пришедшие из армии, поступают в вузы на общих … .	**63.**
64. Мирный договор, заключённый в середине прошлого века, заложил … дружеских отношений между нашими странами.	**64.**

Инструкция к заданиям 65–78

Восстановите предложения, выберите подходящее по смыслу существительное: *ряд — группа — круг — компания*. В правом столбце таблицы напишите правильный вариант в нужной форме. Укажите все возможные варианты.

65. К нам в … пришёл новый студент.	**65.**
66. Я не голоден, но пойду с вами в буфет за … .	**66.**
67. У меня совсем не развито пространственное воображение, даже обычного … не могу нарисовать.	**67.**
68. Пойдём с нами в парк, составь нам … !	**68.**
69. Нам нужно обсудить … вопросов.	**69.**
70. Антон — очень активный человек, на всех мероприятиях он всегда в первых … .	**70.**
71. «Монолит» — одна из крупнейших торговых … нашего города.	**71.**
72. Я сейчас покажу вам новую игру, встаньте в … .	**72.**
73. Виктор очень общительный человек, он легко вписывается в любую … .	**73.**
74. В … моих друзей не принято говорить о деньгах.	**74.**
75. В театре я не люблю сидеть в первом … .	**75.**
76. В русском языке выделяют … глаголов движения.	**76.**
77. На параде солдаты шагали стройными … .	**77.**
78. Наше общество разделено на несколько социальных … .	**78.**

Часть 5

Инструкция к заданиям 79–90

Вам предъявляется текст с пропусками (информационное сообщение). После текста даны группы слов. Номера групп слов соответствуют номерам пропусков. В правом столбце таблицы укажите слова, подходящие по смыслу и характерные для официально-делового стиля речи. Укажите все возможные варианты.

МЕРКАНТИЛЬНЫЕ ТРУЖЕНИКИ

Основной мотив москвича при **-79-** работы — **-80-** зарплаты. В этом **-81-** 62 % **-82-** столицы, участвовавшие в **-83-** на сайте городского **-84-** службы занятости. Для 20 % на первом месте престиж **-85-** и социальный статус. Ещё 15 % **-86-** исходят из удовлетворённости **-87-**. Только 15 % **-88-**, что при **-89-** **-90-** главное — власть.

79. а) выборах
    б) выборе
    в) наборе
    г) подборе

80. а) граница
    б) предел
    в) уровень
    г) лимит

81. а) сознались
    б) признались
    в) сообщили
    г) заявили

82. а) людей
    б) жителей
    в) жильцов
    г) граждан

83. а) вопросе
    б) запросе
    в) расспросах
    г) опросе

84. а) управления
    б) направления

85. а) работы
    б) специальности
    в) профессии

86. а) спрошенных
    б) допрошенных
    в) опрошенных

87. а) работой
    б) трудом
    в) трудностью
    г) занятостью

88. а) думает
    б) считает
    в) предполагает

89. а) выборах
    б) подборе
    в) наборе
    г) выборе

90. а) работы
    б) труда
    в) профессии
    г) специальности

79.	
80.	
81.	
82.	
83.	
84.	
85.	
86.	
87.	
88.	
89.	
90.	

РОССИЙСКОЕ ОБЩЕСТВО В ВОСПРИЯТИИ ИНОСТРАНЦЕВ 1.3

Задание 1. **Объясните значение данных слов и словосочетаний и составьте с ними предложения.**

экспат
коренной (москвич)
кочевник
изгой
диджей
доступный (место)
кошерный (еда)
по общечеловеческим меркам
либерализация
приватизация
иномарка
кириллица
обрусеть

Задание 2. **Найдите синонимы.**

1. глубинка	а. волнения
2. владелец	б. небоскрёб
3. страсти	в. крутой
4. средоточие	г. провинция
5. высотка	д. активный
6. слякоть	е. хозяин
7. бодрый	ж. центр
8. навороченный	з. грязь

Задание 3. **Составьте пары из слов, близких по значению.**

А.

1. зачастую	а. но
2. полно	б. а ещё
3. зато	в. часто
4. к тому же	г. везде
5. постоянно	д. много
6. повсюду	е. всё время

Б.

1. соблазнять	а. танцевать
2. бесить	б. изучать
3. осваивать	в. сквернословить
4. плясать	г. уговаривать
5. ругаться	д. подходить
6. устраивать	е. раздражать

Задание 4. **Составьте пары из слов, противоположных по значению.**

1. стабильность	а. духовный
2. грешник	б. зависимый
3. достаток	в. вежливость
4. свободный	г. праведник
5. материальный	д. бедность
6. хамство	е. изменения

Задание 5. **Как вы понимаете данные предложения? Передайте их смысл другими словами.**

1. Материальная жизнь обеспечена, настал черёд духовных вопросов. 2. Зачастую люди, живущие в одном доме, не знают друг друга в лицо. 3. Московский климат меня не устраивает: я нормально переношу холод, но плохо отношусь к слякоти. 4. Наша церковь расположена в центре, и все изменения видны как на ладони. 5. Раньше повсюду золотились купола, а сейчас взгляд чаще падает на рекламные щиты. 6. Когда я стоял под стенами Кремля 11.09.2001 и звонил брату в Америку, то меня вдруг здорово накрыло. 7. Очень трудно пробить фасад, за которым скрывается нормальный человек.

Задание 6. **Прочитайте текст — фрагмент интервью, данного иностранными гражданами, живущими в Москве, журналу «Большой город», и выполните задание (тест) после текста.**

***Постарайтесь не пользоваться словарём.**
***Время выполнения задания — 20 минут.**
***ТРКИ-3 / Чтение, задание 1.**

ОБРУСЕВШИЕ

Стэнли Уильямс (диджей радио «Мегаполис», гражданин США, в России 10 лет):

«Да», «нет», «спасибо» — больше я по-русски ничего не знал. Когда нужно было купить говядину, я приходил в магазин и говорил: «Му-у-у». На меня смотрели как на дурака. Теперь я могу свободно разговаривать и читать журналы — но меня до сих пор бесит реклама: строчки бегут быстро, я за ними не успеваю. Вот приехал Джорж Майкл, а куда? Когда выступит? Я работаю диджеем в клубах. Московская публика напоминает мне публику в клубах Майами — такие же бодрые. Каждый день — быстрый. Нью-Йорк в сравнении с Москвой спит. Не знаю, как у других экспатов, а у меня в последнее время всё отлично. Этот год — первый, когда мне в городе нравится абсолютно всё. Я люблю стабильность, а она в этом году появилась. Раньше я всё время думал: ещё полгода — и уеду. Стабильности не было.

Сейчас я раз в неделю на радио веду программу на английском языке. Теперь меня слушают, знают, любят. Моя девушка — она русская. Так что я остаюсь. Хочу растить ребёнка в Москве, хочу открыть клуб, куда можно будет прийти поесть и поплясать. Америка подождёт...

Берл Лазар (раввин, гражданин США и РФ, в России 17 лет):

Когда мы переехали в Россию, я сказал жене: «Поживём год, посмотрим». Она была готова собирать вещи через месяц: та Москва была грязной, в подъездах сидели наркоманы, пьяницы. Были сложности с кошерной едой. А сейчас я не знаю, искренне говоря, места, где мог бы жить так хорошо, как здесь. Кроме, конечно, Израиля. Москва — прекрасный город. Он строится, растёт. И что самое для меня главное — люди тянутся к вере. Материальная жизнь обеспечена, настал черёд духовных вопросов. К сожалению, в Москве появилась другая проблема: зачастую люди, живущие в одном доме, не знают друг друга в лицо...

Борислав Милошевич (бывший посол Югославии в России, в России 19 лет):

Москва — это город с климатом, который меня не устраивает. Я нормально переношу холод, но плохо отношусь к слякоти. Но я привык. Здесь у меня жена, сын, друзья. Здесь я долго работаю, люблю ваш народ, культуру. Друзья говорят, что я обрусел. И не только потому, что я неплохо говорю по-русски. Иногда мне хочется выругаться — как русскому. Хотя никто так не ругается, как сербы. И водки я тоже выпить могу.

Правда, новые русские — не тот народ, с которым я познакомился в начале 70-ых. Они другие. Живут в достатке, научились покупать «марки», но среди них полно примитивных людей. Это племя народилось после либерализации и приватизации. Я имею в виду отдельную прослойку нуворишей, которая в Москве становится всё более массовой.

В Москве очень плохое уличное движение. Больше всего мне мешает неуважение к пешеходам. Пешеход в Москве — изгой. А их надо уважать.

Что ещё? Москва — довольно красивый город. И очень дорогой... Я считаю, что здесь слишком много денег. А очень много людей живёт бедно. Это нужно менять. И ещё я хотел бы, чтобы пресса здесь была свободной или, скорее, автономной. Пресса должна автономно подбирать темы, интерпретировать их, иметь свой стиль...

Архимандрит Закхей (настоятель храма, гражданин США, в России 15 лет):

В Россию я попал в качестве представителя Американской православной церкви. Церковь у нас расположена в центре, и все изменения видны как на ладони. Москва стала средоточием бизнеса и светской жизни. Дай бог, чтобы не потеряла духовности.

Гости, приезжавшие ко мне 15 лет назад, замечали, что повсюду золотятся купола. А сейчас взгляд чаще падает на рекламные щиты, казино, рестораны и офисы. Конечно, раньше православие было модой. Сейчас страсти поутихли, и я надеюсь, что православные идут в храм с любовью. С точки зрения религии Москва — агрессивный город. Здесь тяжело найти минуту, чтобы уединиться с Богом. Хотя, в принципе, я привык молиться в сердце мегаполиса — ещё когда на Лубянке в церкви служил. Не место мешает нам, а мы мешаем себе. Можно согрешить и на Валааме и спастись на Лубянке. Хотя на Лубянке соблазнов, конечно, больше.

Нил МакГован (гендиректор фирмы, гражданин Великобритании, в России 23 года):

Я приехал сюда в 1984 году представителем американской турфирмы в Ленинграде... Наши туристы ездят во все доступные места: им нравится «Золотое кольцо», но они быстро от маленьких городов устают, для них эти города похожи друг на друга. И разницы между церквями XI и XII веков они не видят. Зато им нравится Плёс. И конечно, мы даём экзотику: возим на Соловецкие острова, в Великий Новгород, в Пермь и даже в ГУЛАГ, про который писал Солженицын. Там сейчас музей, и находиться в нём довольно страшно. Возим людей в Екатеринбург, Тобольск и Покровское — этот маршрут довольно популярен: в Покровском родился Распутин, а он на Западе фигура довольно знаменитая.

Многие клиенты считают, что Россия — страна белолицых людей, и вы сами в этом виноваты. Ещё в Советском Союзе вся культура была представлена такими широкоплечими блондинами в рубашках и шапках. Многие англичане из глубинки до сих пор думают, что Ленинград — это такой город высоток, построенный Лениным на месте разрушенного Петербурга. А мы их возим к кочевникам в Кизил, на Байкал, в Туву, на Камчатку, в Сибирь. Я сам, когда мне кажется, что Россия — это Москва, сажусь в самолёт и лечу на другой край России.

Джон Маян (менеджер компании, гражданин США, в России 11 лет):

Часто интересуются, нравится ли мне Москва. Ответить непросто: с одной стороны, это динамичный, красивый город — как Нью-Йорк. К тому же в Америке нет круглосуточных книжных магазинов. Правда, в Москве, в отличие от Штатов, случаются комичные казусы: если здесь в супермаркете кончился какой-то продукт — это всё, конец... И самое ужасное, что я видел в этом городе: владельцы навороченных иномарок думают, что у них больше прав на дороге, чем у владельцев «жигулей». Это, я считаю, обыкновенное местечковое хамство. И по американским, и по общечеловеческим меркам. Я с работы специально ухожу в восемь вечера — жду, пока пробки кончатся. Каждый день я еду на работу мимо Красной площади. Для любого сорокалетнего американца это символ. Мы росли, считая, что Россия — наш главный враг, а Кремль — его воплощение. И когда 11 сентября 2001 года я стоял под стенами Кремля и звонил своему брату, чтобы узнать, как у него дела, то меня вдруг здорово накрыло. Вот я стою в бывшей империи врага, который теперь друг, звоню брату в Америку, которую атаковал другой враг, которого за врага никто раньше в Америке и не считал, — и всё это происходит со мной.

Марк Алан Браун (сотрудник международной организации, гражданин США, в России 10 лет):

Здесь осторожно относятся к незнакомым, каждый смотрит на тебя так, будто видит в первый и последний раз. Очень трудно пробить фасад, за которым скрывается нормальный человек.

И здесь нельзя жить без русского языка: на улицах не говорят по-английски, меню англоязычное есть только в дорогих ресторанах. Без языка ты не купишь помидоров, не прочтёшь инструкцию в метро. В конце концов все осваивают кириллицу — а если не получается, то уезжают. Но есть иностранцы, которые просто приехали, потом начали учить русский, потом влюбились в Москву. Как я. Мне было приятно, когда недавно в районе Пушкинской площади ко мне подошла женщина из провинции и спросила, где «Ленком». Я ей всё рассказал... «Надо же, — сказала она, — иностранец, а как хорошо Москву знает».

ТЕСТ: Укажите высказывания, которые соответствуют содержанию текста.

1. Если иностранец прожил в России десять лет, он свободно говорит и пишет по-русски.
2. Стэнли Уильямсу очень нравится московская публика, и он не спешит на родину.
3. Берл Лазар чувствует себя в Москве вполне комфортно, а его жена жаждет уехать из Москвы.
4. Борислав Милошевич в восторге от московского климата.
5. Милошевича возмущает отношение водителей к пешеходам и не вполне устраивает российская пресса.
6. Нил МакГован утверждает, что многие российские города похожи друг на друга.
7. Иностранных туристов привлекает экзотика.
8. Часто москвичи задают иностранцам трудные вопросы.
9. Для любого американца Кремль — символ империи зла.
10. По мнению М.А. Брауна, москвичи с опаской относятся к иностранцам.

Задание 7. **Напишите письмо о жизни в Москве своему другу, используя материалы текста и свои собственные впечатления. При этом укажите:**
— источник информации;
— с чем вы согласны и почему;
— с чем вы не согласны и почему;
— каковы ваши собственные впечатления;
— каков ваш прогноз на будущее (в том, что касается жизни в Москве).

ТРКИ

***Время выполнения задания — 25 минут.**
Объём текста — 200–250 слов.
***ТРКИ-3 / Письмо, задание 1.**

Задание 8. **Вы со своими друзьями-иностранцами обсуждаете плюсы и минусы жизни за границей. Вашим друзьям возможность работать за рубежом нравится. Примите участие в диалоге. Ваша задача:**

а) Согласитесь с указанным мнением, используя синонимичные конструкции.

б) Не согласитесь с указанным мнением, используя антонимичные конструкции.

— Работать за границей так интересно!
— ....

— Прекрасная возможность познакомиться с новыми местами, новыми людьми.
— ....

— Столько сюрпризов тебя ожидает!
— ....

— И заработать можно неплохо.
— ....

Задание 9. **Прочитайте предложенные выражения и определите, какие интенции они передают: 1) пожелание, 2) благодарность, 3) радость, 4) сожаление.**

а. Жаль.
Как жалко!

б. Я так рад(а)!
Как я рад(а)!
Было бы здорово…

в. Мне бы хотелось…
А можно…?

г. Огромное вам спасибо.
Вот здорово!
Благодарю вас.
Примите мою искреннюю благодарность.
Я вам очень признателен / признательна.

Задание 10. **Вам предлагают поехать на работу в Россию. Примите участие в диалоге, выразите указанные интенции.**

Радость:
— Администрация нашей фирмы предлагает вам поехать поработать в Россию, в Петербург.
— ....

Благодарность:
— Мы предоставляем вам такую возможность как нашему лучшему молодому сотруднику, знающему русский язык.
— ....

Сожаление:
— В Петербурге вы будете заниматься срочными письменными переводами документов. Жить будете в гостинице.
— ....

Пожелание:
— Вы можете высказать нам свои пожелания по организации вашей поездки и работы в России.
— ....

Задание 11. **Вы разговариваете со знакомой, принявшей предложение о работе за границей. Теперь она сожалеет об этом. Примите участие в диалоге, возразите своей знакомой и убедите её в правильности сделанного выбора. Приведите свои аргументы. Вы должны использовать разные языковые средства.**

— Согласилась поехать на полгода в командировку за границу, а теперь жалею. Жить в чужой стране так трудно!

— ....

— И язык я плохо знаю.

— ....

— Боюсь, я буду себя там чувствовать очень одиноко.

— ....

— И семью придётся на полгода оставлять, по-моему, это очень плохо.

— ....

Задание 12. **а) Ваш друг хочет провести свой отпуск в России. На основе предложенных рекламных материалов порекомендуйте тур (путешествие), который, по вашему мнению, лучше всего ему подойдёт. Напишите неформальное, дружеское письмо рекомендательного характера.**

***Время выполнения задания — 20 минут.**
Объём текста — 50–70 слов.
***ТРКИ-2 / Письмо, задание 1.**

«СОЛВЕКС-ТРЭВЕЛ»
Лицензия № 000334

ПОДМОСКОВЬЕ
САНАТОРИИ, ПАНСИОНАТЫ, ДОМА ОТДЫХА

ЭКСКУРСИОННЫЕ ТУРЫ
С.-ПЕТЕРБУРГ, КАРЕЛИЯ, СМОЛЕНСК, НОВГОРОД, ПСКОВ, «ЗОЛОТОЕ КОЛЬЦО», ОПТИНА ПУСТЫНЬ

Тел./ф.: 230-60-93, 234-88-75
Пречистенка,17/9, строение 1, офис 33,
м. «Кропоткинская»
www.solvex.ru
e-mail: info@solvex.ru

ТУРИЗМ ПО-РУССКИ
Многодневные и однодневные поездки
www.vidtour.ru

МНОГОДНЕВНЫЕ ТУРЫ
Хит сезона:
каждую пятницу — **обзорная экскурсия** по Москве с посещением Кремля и храма Христа Спасителя

СУТОЧНЫЕ автобусные туры — 1590 р.
23–24 сентября — Муром — Дивеево

ДВУХдневные автобусные туры — 2190 р.
10–11 сентября — Коломна — Зарайск — Константиново

ЕЖЕНЕДЕЛЬНО по четвергам — **Санкт-Петербург**

ЕЖЕНЕДЕЛЬНО по пятницам — **ЖЕЛЕЗНОДОРОЖНЫЕ туры:** Каргополь — Вологда — Ферапонтово; Новгород Великий; Псков — Изборск — Печоры; Самара

БАЛТИЙСКОЕ МОРЕ: СВЕТЛОГОРСК, ЗЕЛЕНОГРАДСК
ЛЕНИНГРАДСКАЯ ОБЛ.: ОТДЫХ НА ФИНСКОМ ЗАЛИВЕ, С.-ПЕТЕРБУРГ
АНАПА. СОЧИ. КАВКАЗСКИЕ МИНЕРАЛЬНЫЕ ВОДЫ

«Тревел Блюз» 783-70-03 (многоканальный)

Туристическая компания «КАРИОТА+»

ПРАЗДНИК ФОНТАНОВ В САНКТ-ПЕТЕРБУРГЕ
300-летие Петергофа

Заезды: 15–19.09

Проезд, проживание, питание 2-разовое, страховка. Большая экскурсионная программа.

(495) 146-58-32, 146-58-35
www.kariota.ru

КРУИЗЫ
Волга, Ока, Кама, Дон, Енисей,
Волго-Балт (о. Валаам, Кижи),
Днепр — Чёрное море

Туры на Соловецкие острова
Сочи — Стамбул — Одесса — Ялта — Сочи

Круизы по Северной Европе,
ДУНАЮ и РЕЙНУ

206-1375, 206-0469, 206-1043
www.atolitrade.ru

....

....

....

....

....

....

....

....

....

....

....

б) Ваш друг хочет купить тур по России. На основе предложенных рекламных материалов порекомендуйте туристическое агентство, которое, по вашему мнению, может предложить самую интересную программу. Напишите неформальное, дружеское письмо рекомендательного характера.

***Время выполнения задания — 20 минут.**
Объём текста — 50–70 слов.
***ТРКИ-2 / Письмо, задание 1.**

....

....

....

....

....

....

....

....

....

....

....

Задание 13. **Согласитесь или опровергните данные высказывания. Приведите свои аргументы.**

1. Работа за границей даёт массу преимуществ.
2. За границей хорошо отдыхать, но, как говорит русская пословица, «В гостях хорошо, а дома лучше».
3. «Рыба ищет, где глубже, а человек — где лучше».
4. «Где родился, там и пригодился».

Задание 14. **Расскажите (напишите) о своём опыте заграничной жизни. Какие плюсы и минусы такой жизни вы могли бы отметить? Какие советы вы могли бы дать людям, которые едут за границу на учёбу или на работу?**

ЛЕКСИКО-ГРАММАТИЧЕСКИЙ ТЕСТ

Часть 1

Инструкция к заданиям 1–13

Вам предъявляется текст с пропусками, в котором некоторые слова и выражения представлены в начальной форме. Номера групп слов в таблице соответствуют номерам предложений. Ваша задача — восстановить текст, употребив слова в нужной грамматической форме, используя там, где необходимо, предлоги. В правом столбце таблицы напишите правильный вариант.

1. Московская публика напоминает (я) (публика) (мой родной город). **2.** Сейчас я раз (неделя) веду (программа) (радио) (английский язык). **3.** Раньше (Москва) (мы) были сложности (кошерная еда). **4.** (Сожаление), сейчас мы говорим (новая проблема): (Москва) люди (один дом) часто даже не знают (друг друга) (лицо). **5.** Этот климат (я) не устраивает: я нормально переношу (жара), но плохо отношусь (холод). **6.** Больше всего (я) мешает неуважение (пешеходы). **7.** (Россия) я попал (качество) (представитель) (Американская православная церковь). **8.** Наши туристы ездят (все доступные места), но они быстро устают (маленькие города): (они) эти города похожи (друг друга). **9.** (Мнение) (многие иностранцы), (Россия) живут только (белолицые люди), и вы сами виноваты (это). **10.** Наша турфирма возит (туристы) (кочевники), (Байкал), (Камчатка), (Сибирь). **11.** (Москва), (отличие) (Штаты), владельцы (навороченные иномарки) думают, что (они) больше (права) (дорога), чем (владельцы) («Жигули»). **12.** (11, сентябрь) (2001 год) я стоял (стены) (Кремль) и звонил (брат) (Америка), потому что (я) нужно было узнать, как (он) дела. **13.** И всё это происходит (я).

1. я, публика, мой родной город	**1.**
2. неделя, программа, радио, английский язык	**2.**
3. Москва, мы, кошерная еда	**3.**
4. сожаление, новая проблема, Москва, один дом, друг друга, лицо	**4.**
5. я, жара, холод	**5.**
6. я, пешеходы	**6.**
7. Россия, качество, представитель, Американская православная церковь	**7.**
8. все доступные места, маленькие города, они, друг друга	**8.**
9. мнение, многие иностранцы, Россия, белолицые люди, это	**9.**
10. туристы, кочевники, Байкал, Камчатка, Сибирь	**10.**
11. Москва, отличие, Штаты, навороченные иномарки, они, права, дорога, владельцы, «Жигули»	**11.**
12. 11, сентябрь, 2001 год, стены, Кремль, брат, Америка, я, он	**12.**
13. я	**13.**

Часть 2

Инструкция к заданиям 14–21

Прочитайте предложения с пропусками. В таблице даны видовые пары глаголов. Номера видовых пар глаголов соответствуют номерам пропусков. Ваша задача — выбрать глагол нужного вида и употребить его в правильной форме. В правом столбце таблицы напишите правильный вариант.

1. Меня до сих пор **-14-** реклама: строчки **-15-** быстро, я за ними не **-16-**. 2. Я нормально **-17-** холод, но плохо **-18-** к слякоти. 3. В конце концов все **-19-** кириллицу, а если не **-20-**, то **-21-**.

14. бесить — взбесить	**14.**
15. бежать — бегать	**15.**
16. успевать — успеть	**16.**
17. переносить — перенести	**17.**
18. относиться — отнестись	**18.**
19. осваивать — освоить	**19.**
20. получаться — получиться	**20.**
21. уезжать — уехать	**21.**

Часть 3

Инструкция к заданиям 22–28

Вам предъявляются предложения с пропусками. В таблице даны видовые пары глаголов. Номера видовых пар глаголов соответствуют номерам пропусков. Ваша задача — выбрать глагол нужного вида. В правом столбце таблицы напишите правильный вариант. Укажите все возможные варианты.

1. Моя жена была готова **-22-** вещи через месяц. 2. И водки я тоже **-23-** могу. 3. Пешеходов надо **-24-**. 4. В Москве тяжело **-25-** минуту, чтобы **-26-** с Богом. 5. Вчера я звонил брату, чтобы **-27-**, как его дела. 6. Иностранцу в России трудно **-28-** фасад, за которым скрывается нормальный человек.

22. собирать — собрать	**22.**
23. пить — выпить	**23.**
24. уважать — уважить	**24.**
25. искать — найти	**25.**
26. уединяться — уединиться	**26.**
27. узнавать — узнать	**27.**
28. пробивать — пробить	**28.**

Часть 4

Инструкция к заданиям 29–37

Закончите предложения, выберите все возможные правильные варианты.

29. Материальная жизнь … , настал черёд духовных вопросов.
а) обеспечиваема
б) обеспечена
в) обеспечивается
г) обеспечили

30. Она уже … собирать вещи.
а) готовится
б) приготовилась
в) готовая
г) готова

31. Люди, … в одном доме, не знают друг друга в лицо.
а) жившие
б) живущие
в) проживавшие
г) прожившие

32. Наша церковь … в центре.
а) располагается
б) расположится
в) расположена
г) расположенная

33. Гости, … ко мне раньше, повсюду замечали золотые купола.
а) приезжающие
б) приезжавшие
в) приехавшие
г) ездившие

34. Распутин на Западе — фигура достаточно … .
а) знающая
б) знаменитая
в) знаменита
г) узнаваемая

35. Вы сами в этом … .
а) виноваты
б) виноватые
в) виновные
г) виновны

36. Этот маршрут довольно … .
а) популярный
б) популярен
в) популяризуется
г) популяризовали

37. Многие англичане из глубинки думают, что Ленинград — это город высоток, … Лениным.
а) построен
б) построивший
в) построенный
г) строимый

Часть 5

Инструкция к заданиям 38–50

Восстановите предложения, выберите подходящие по смыслу глаголы: *жить — прожить — проживать — пожить — поживать — выживать — выжить — переживать — пережить — оживить — дожить — наживать — нажить — ожить — ужиться — прижиться — зажить*. В правом столбце таблицы напишите правильный вариант в нужной форме. Укажите все возможные варианты.

38. Перед нашим домом посадили цветы, и они, к радости всех жителей, … .	**38.**
39. Сообщите, пожалуйста, адрес, по которому вы … .	**39.**
40. У тебя ужасный характер, ты ни с кем не можешь … ! Теперь родную сестру из дома … . Подожди, ты ещё … себе врагов!	**40.**
41. Произошла страшная катастрофа, кажется, никто не … .	**41.**
42. Рана была небольшой, она быстро … .	**42.**
43. — Как хорошо, что мы пообедали! Я прямо … ! — Да, и меня обед … !	**43.**
44. Он москвич, … в Москве всю жизнь.	**44.**
45. — Как дела? Как … ? — Честно говоря, не … , а … . Развёлся, с работы уволили. — Не … , всё наладится, … и ты до светлых дней.	**45.**
46. Этот человек не вписался в наш коллектив, постепенно мы его … .	**46.**
47. Мы собирались … на даче месяц, но … только неделю и уехали из-за плохой погоды.	**47.**
48. Какая ужасная новость! Я этого не … !	**48.**
49. Мой дед … долгую жизнь, … две войны, смерть близких, распад страны. Он … почти до 100 лет! Богатства не … , но и из ума не … Просто … и радуется!	**49.**
50. — Дорогая, я получил новую должность, зарплата будет почти в два раза выше. — Любимый! Какой ты молодец! Ну и … мы теперь!	**50.**

Инструкция к заданиям 51–58

Восстановите предложения, выберите подходящие по смыслу глаголы: *учить(ся) — заниматься — изучать — выучить — научить(ся) — приучать(ся) — приучить(ся) — отучать(ся) — отучить(ся) — переучивать(ся)*. В правом столбце таблицы напишите правильный вариант в нужной форме.

51. Когда я был маленьким, я с удовольствием ... в школе.	**51.**
52. Там меня ... читать и писать.	**52.**
53. В школе мы ... иностранный язык, математику и другие предметы.	**53.**
54. В свободное время я ... водить машину, ... спортом.	**54.**
55. В университете в Москве я ... русский язык.	**55.**
56. Я думаю, что русский язык не очень трудный, нужно только каждый день ... грамматикой и ... новые слова.	**56.**
57. — Какой же у тебя во всём порядок! Молодец! — Это моя мама ... меня к порядку.	**57.**
58. Когда я был маленьким, отец ... меня рано вставать. Теперь никак не могу от этого	**58.**

Инструкция к заданиям 59–70

Восстановите предложения, вставьте подходящие по смыслу глаголы движения. В правом столбце таблицы напишите правильный вариант в нужной форме. Укажите все возможные варианты.

59. Раньше я всё время думал: ещё полгода — и ... домой.	**59.**
60. Сейчас я на радио ... программу на английском языке.	**60.**
61. Я хочу открыть клуб, куда можно будет ... потанцевать.	**61.**
62. Когда мы ... в Россию, я сказал жене: «Поживём год, посмотрим». Она была готова ... домой через месяц.	**62.**
63. Гости, которые ... ко мне 15 лет назад, замечали, что повсюду золотятся купола.	**63.**
64. Надеюсь, что люди ... в храм с любовью.	**64.**
65. Наши туристы ... во все доступные места.	**65.**
66. Мы ... туристов на Соловецкие острова, в Великий Новгород.	**66.**
67. Я сам, когда мне кажется, что Россия — это Москва, сажусь в самолёт и ... на другой край России.	**67.**
68. Я с работы специально ... в восемь вечера — жду, пока пробки кончатся.	**68.**
69. В конце концов все осваивают кириллицу — а если не получается, то ... на родину.	**69.**
70. Недавно в районе Пушкинской площади ко мне ... женщина из провинции и спросила, где «Ленком». Я ей объяснил, как туда	**70.**

Часть 6

Инструкция к заданиям 71–78

Вам предъявляется текст (тест «Кто сейчас делает русский язык?») с пропусками части фраз. После текста даны пропущенные части предложений. Ваша задача — определить, в какой пропуск в тексте можно вставить каждый из фрагментов.

Усилиями журналистов в русский язык лезут чужие слова. **-71-**, но редко происходило откровенное вытеснение русских слов иностранными. Например, стартап (компания, которая только начинает своё дело), **-72-**, трейлер (короткий видеоролик о фильме)…

И ладно, если бы это были слова из узкоспециализированных сфер жизни, **-73-**. Словосочетание «закадровый голос» заменяется словом «войс», «мозговой / творческий штурм» — «креатив», «тенденция» — «тренд», «информационная подоплёка» — «бэкграунд». **-74-**, но прижившиеся в русском языке слова заменяются на более новые!

Засилье иностранных слов **-75-** — я согласен не со всеми. Да! Есть такие понятия, **-76-**. Тогда заимствование делается сознательно. Но я абсолютно не верю, **-77-** создавать ёмкие слова для описания идей, процессов и товаров. У нас красивый и богатый язык, **-78-**, каким он будет — русским или заимствованным.

(по материалам газеты «Metro»)

☐ **А.** … , но ведь они общеупотребительные.
☐ **Б.** …, которым нет аналогов в русском языке.
☐ **В.** Даже уже заимствованные, …
☐ **Г.** Наш прекрасный русский язык всегда был открыт для заимствований из других языков, …
☐ **Д.** … , что русский язык утратил способность …
☐ **Е.** … , и от нас зависит,
☐ **Ж.** … , спойлер (преждевременно раскрытая информация), …
☐ **З.** … лингвисты объясняют несколькими причинами — …

СМИ И ИНТЕРНЕТ

1.4

Задание 1. **Объясните значение данных слов и словосочетаний. Составьте с ними предложения.**

СМИ
периодическая печать
информационная картина дня
тираж
виртуальная версия
достояние
взломать (защиту)
пользователь
футуролог
вседозволенность
быть в открытом доступе
скачать из Интернета
зайти на сайт

Задание 2. **Составьте пары из слов, близких по значению.** 🗝

1. предрекать	а. жить рядом
2. отстаивать	б. нервировать
3. сосуществовать	в. исчезать
4. представлять собой	г. предсказывать
5. раздражать	д. сливаться
6. твердить	е. защищать
7. поглощать	ж. являться
8. отмирать	з. говорить одно и то же

Задание 3. **Найдите синонимы.** 🗝

1. конкурент	а. преимущество
2. поддержка	б. смерть
3. угроза	в. объективный
4. кончина	г. соперник
5. перевес	д. опасность
6. эра	е. всемирный
7. беспристрастный	ж. помощь
8. глобальный	з. время

Задание 4. **Составьте пары из слов, противоположных по значению.** 🗝

1. победа	а. спор
2. дополнение	б. конечно
3. согласие	в. скучно
4. мирно	г. полностью
5. активно	д. сокращение
6. забавно	е. поражение
7. вряд ли	ж. пассивно
8. отчасти	з. враждебно

Задание 5. **а) Образуйте парные глаголы совершенного вида от следующих глаголов:** 🗝

печатать — запечатывать — распечатывать — опечатывать — перепечатывать.

б) Образуйте парные глаголы несовершенного вида от глаголов:

исполнить(ся) — заполнить — дополнить — выполнить — перевыполнить — переполнить — наполнить(ся).

Задание 6. **Как вы понимаете данные предложения? Передайте их смысл другими словами.**

1. Я за прогресс. 2. В начале 90-ых годов шли громкие газетные войны в погоне за читательским интересом. 3. Газеты и журналы отстаивают взгляды своих хозяев. 4. В скором будущем произойдёт поглощение Интернетом всех печатных СМИ. 5. Перевес сейчас на стороне Интернета. 6. Газеты — это отражение живой жизни, это позиция автора статьи.

Задание 7. **Прочитайте текст — фрагменты дискуссии «Интернет и СМИ: война или мирное сосуществование?» и выполните задание (тест) после него.**

***Постарайтесь не пользоваться словарём.**
***Время выполнения задания — 15 минут.**
***ТРКИ-3 / Чтение, задание 1.**

ИНТЕРНЕТ ГАЗЕТЫ НЕ СЪЕСТ

Во всём мире Интернет стал серьёзным конкурентом периодической печати. Всё активнее футурологи твердят о том, что в скором времени мы будем начинать утро с «пролистывания» страниц Интернета. А что думают по этому поводу наши эксперты?

З.: Традиционные СМИ научились пользоваться Интернетом в качестве поддержки, но забавно, что самые интересные интернет-страницы читатели распечатывают, то есть виртуальные версии приобретают практически привычный «газетный вид». Интернет и печатные СМИ не враждуют, а дополняют друг друга на огромном информационном пространстве. К тому же пока Интернет не даёт полную информационную картину дня. Газета остаётся «главным счётчиком времени», и у этого счётчика в новом тысячелетии вполне оптимистические перспективы. Один из самых парадоксальных законов СМИ состоит в том, что они не гибнут с появлением новых средств массовой информации, а относительно мирно сосуществуют. Вспомните, когда появилось радио, считалось, что оно убьёт газеты, а когда появилось телевидение, считалось, что это конец и для радио, и для печатных СМИ. Однако этого не произошло.

К.: Думаю, нет никакой реальной угрозы печатным СМИ со стороны Интернета. Разрабатываются и отчасти уже существуют технологии (в Японии и США), которые позволяют уместить в один файл, например, всё достояние Ленинской библиотеки, но и тогда Интернет вряд ли «отменит» газету или журнал, которые люди читают поколениями. Конечно, я за прогресс, в том числе и Всемирной паутины, но пока Интернет — это только способ доставки информации.

Д.: Думаю, что Интернет начинает раздражать людей вседозволенностью. А газетам читатели верят.

Е.М.: Глобальная сеть позволяет мгновенно получить нужную информацию. А газеты — это отражение живой жизни, это позиция автора статьи, с которой можно согласиться или поспорить.

М.М.: Вытеснение газет Интернетом — серьёзная проблема. Гораздо серьёзнее, чем громкие газетные войны начала 90-ых годов, которые шли между газетами в погоне за читателем. На мой взгляд, перевес сейчас на стороне Интернета. И он будет расти пропорционально увеличению числа пользователей. Интернет представляет собой серьёзную движущую силу, которая гораздо раньше сообщает о новостях, чем это

технически могут успеть сделать печатные СМИ.

Есть и ещё одно преимущество: Интернет кажется нам беспристрастным. А про газеты мы знаем, кто какую финансирует и, следовательно, какие взгляды отстаивают принадлежащие к тем или иным изданиям журналисты. Конечно, у интернет-сайтов тоже есть свои хозяева, но о них пока мало что известно.

Ш.: Я думаю, что у каждого из средств массовой информации — своё будущее. У бумажных газет и у интернет-СМИ в том числе. Они мирно и вполне дружно прососуществуют ещё долгое время, не мешая друг другу и не вытесняя друг друга.

Ф.: Когда в начале прошлого века появился кинематограф, многие утверждали, что эра театра закончилась. Потом пришло телевидение, и его энтузиасты предрекали кончину кино. С появлением компьютера, если следовать подобной логике, должно исчезнуть всё: телевидение, книги, газеты... Думаю, этого не произойдёт — установится равновесие между различными видами носителей информации. Хотя, конечно, значение компьютерных технологий возрастает.

Д.: В принципе я не исключаю, что такое поглощение произойдёт. Однако это не случится быстро. Какое-то время тиражи печатных СМИ будут заметно сокращаться, но потом ситуация стабилизируется. Между интернет-изданиями и «нормальными» газетами есть, конечно, конкуренция. Но это не война на уничтожение.

У.: Я не стал бы говорить о «победе» или «поражении» — и газеты, и Интернет занимаются одним и тем же делом и работают на одном и том же информационном фронте. Сейчас очевидно, что Интернет так и не заменил ни один из традиционных коммуникационных каналов — он лишь дополнил их и самим фактом своего существования повлиял на стиль и оперативность прессы.

(по материалам газеты «Труд»)

ТЕСТ: Скажите, соответствуют ли данные высказывания содержанию текста.

1. Каждый день мы наблюдаем, как быстро плодятся в Интернете конкуренты печатных СМИ.
2. Интернет и СМИ ведут мирное сосуществование.
3. Мы думаем, что в Интернете представлена объективная информация.
4. Молодёжь практически не читает газет.
5. Если доступ в Интернет будет не дороже газеты, Интернет вытеснит печатные СМИ.
6. В газетах более полно представлена информация о том, что происходит.
7. Когда появилось кино, многие говорили, что театр постепенно отомрёт.
8. Интернет привлекает людей своей вседозволенностью.
9. Борясь за внимание читателей, газеты воевали друг с другом.
10. У широких народных масс ещё долгое время будут трудности с доступом в Интернет.

Задание 8. **Скажите, с кем из участников дискуссии вы согласны и почему.**
Как часто и с какими целями вы пользуетесь Интернетом?
В чём вы видите благо и опасность увлечения Интернетом и компьютерными технологиями?

Задание 9. **На основе данного ниже текста составьте письменное сообщение своему другу, который работает над дипломным проектом. При этом:**
— укажите источник информации;
— в своём сообщении используйте общепринятые сокращения.

***Время выполнения задания — 20 минут.**
Объём текста — 60–70 слов.
***ТРКИ-3 / Письмо, задание 2.**

По данным официальной статистики Министерства образования, к скачиванию курсовых и дипломных работ из Интернета прибегает каждый второй студент.

Возможностей использовать чужие знания в процессе учёбы у современных студентов хоть отбавляй. По запросу «скачать курсовую, реферат» поисковая система «Яндекс» выдаёт аж 5 млн ответов.

Плагиат превратился в серьёзную проблему для российской системы образования. Главным виновником происходящего называют Интернет. Достаточно просто соединить несколькими фразами отрывки из готовых работ, и курсовая или диплом готовы. Особенно это распространено среди учащихся гуманитарных специальностей, где не нужны точные расчёты.

Свои действия студенты оправдывают отнюдь не ленью. Согласно опросу, проведённому порталом www.livejournal.ru, главной причиной такого повального копирования из Интернета стал ответ «неинтересно писать на эту тему». На втором месте — «некогда», на третьем — «потому что вот оно лежит — и грех не воспользоваться».

С плагиатом пытаются бороться также с помощью Интернета. Самым простым способом является ввод коротких фраз оцениваемой работы в поисковые системы. Однако это очень трудоёмкий процесс.

Гораздо быстрее проверку производят специальные программы. Самая известная из них — antiplagiat.ru, сверяющая работу с более чем 10 тысячами источников. На форумах ведутся круглосуточные дискуссии, как обмануть программу. Одни советуют заменить русскую «а» или «о» на английскую, другие — вписывать слова белым шрифтом вместо пробелов. Но пока такие системы по борьбе с плагиатом используются только лишь в 14 российских университетах из 3 тысяч. И большинству студентов волноваться не о чем.

В других странах

- Пакистан, Китай. Плагиат официально разрешён и не считается зазорным.
- Германия. За обнаружение плагиата студенту госвуза грозит отчисление.

(по материалам газеты «Metro»)

....
....
....
....
....
....
....
....
....
....
....
....
....
....

Задание 10. **Ваш друг рассказывает вам, как он любит читать газеты. Примите участие в диалоге. Ваша задача:**

а) Согласитесь с указанным мнением, используя синонимичные конструкции.

б) Не согласитесь с указанным мнением, используя антонимы.

— Я очень люблю читать газеты. Это так интересно!
— ....

— Кроме голых фактов, в статье всегда есть мнение автора.
— ....

— Я обычно доверяю мнению журналиста.
— ....

— То, что понравилось, можно дать почитать друзьям, а потом обсудить.
— ....

Задание 11. **Прочитайте предложенные выражения и определите, какие интенции они передают: 1) возмущение, 2) недовольство, 3) сомнение, 4) совет.**

а. Ну, не знаю…
Что-то мне не верится… ☐

б. Ну, это уж слишком!
Кто дал тебе право так говорить?! ☐

в. Ну, например, …
Да возьми хотя бы… ☐

г. Нет, мне это совсем не нравится!
Ну что ты! Разве так можно (делать)?! ☐

Задание 12. **Вы с другом обсуждаете современные СМИ. Примите участие в диалоге, выразите следующие интенции:**

Сомнение:
— Говорят, скоро газет совсем не будет.
— ....

Недовольство:
— Правда-правда. И я этому очень рад(а).
— ....

Возмущение:
— Да ничего хорошего в них не пишут. Одни сплетни!
— ....

Совет:
— Ладно. Не волнуйся. Где и о чём ты мне советуешь почитать?
— ....

Задание 13. **Вы разговариваете с подругой, купившей ребёнку компьютер. Теперь она жалеет об этом. Примите участие в диалоге, возразите подруге и убедите её в правильности сделанного выбора. Приведите свои аргументы. Используйте разные языковые средства.**

— Согласилась купить ребёнку компьютер, а теперь жалею. Говорят, на детей компьютеры влияют очень плохо.
— ....

— Боюсь, он теперь заниматься будет намного меньше и читать перестанет.
— ....

— И зрение из-за компьютера портится.
— ....

— А уж эти компьютерные игры! Какие они все глупые!
— ....

Задание 14. **Вы — руководитель факультета, который получил документ следующего содержания.**

Декану экономического факультета
Седакову В.А.
от зам. декана по учебной работе
Трофимова И.Е.

ДОКЛАДНАЯ ЗАПИСКА

Довожу до Вашего сведения, что при проверке письменных экзаменационных работ студентов 3 курса группы № 2 (преподаватель Кретов А.И.) мною было установлено, что практически все работы, получившие отличную оценку, идентичны (скопированы из Интернета). Прошу Вас разобраться в данной ситуации и принять соответствующие меры.

25.06.2012 г. Трофимов И.Е.

Проведите беседу с преподавателем данной группы.
Программа речевого поведения:

— обозначьте тему разговора;
— выясните объективные и субъективные причины случившегося;
— выскажите собственный взгляд на случившееся;
— объявите о своём решении.

ТРКИ

***ТРКИ-3 / Говорение, задание 14.**

Задание 15. **Согласитесь или опровергните данные высказывания. Приведите свои аргументы.**

1. Компьютерные технологии и Интернет — чума XXI века.
2. СМИ — источник объективной и непредвзятой информации.
3. Читать газеты за завтраком вредно для здоровья.

Задание 16. **Продолжите фразу «Интернет — это…».**

Задание 17. **Напишите эссе на тему «Интернет и печатные СМИ: реальная ситуация и перспективы развития». При этом укажите:**
— в чём заключается проблема;
— важнейшие изменения в сфере СМИ;
— различные точки зрения на проблему сосуществования печатных изданий и интернет-сайтов;
— прогноз на будущее;
— ваше отношение к традиционным средствам массовой информации и информации в Интернете.

***Время выполнения задания — 30 минут.**
Объём текста — 150–200 слов.

ЛЕКСИКО-ГРАММАТИЧЕСКИЙ ТЕСТ

Часть 1

Инструкция к заданиям 1–11

Вам предъявляется текст с пропусками и таблица, в которой представлены группы слов в начальной форме. Номера групп слов в таблице соответствуют номерам предложений. Ваша задача — восстановить текст, употребив слова в нужной грамматической форме, используя там, где необходимо, предлоги. В правом столбце таблицы напишите правильный вариант.

1. (Весь мир) Интернет стал (конкурент) (печатные издания). **2.** Один (самый парадоксальный закон СМИ) состоит (то), что газеты не гибнут (появление) (новые средства) (массовая информация), а мирно сосуществуют. **3.** (Мнение) (один участник) (дискуссия), (настоящее время) нет (никакая реальная угроза) (печатные СМИ) (сторона) (Интернет). **4.** Интернет начинает раздражать (люди), а (газеты) читатели верят. **5.** (Мой взгляд), сейчас победа (сторона) (Интернет). **6.** (Начало) (90-ые годы) (газеты) шли настоящие войны (погоня) (читатели). **7.** Вытеснение (газеты) (Интернет) — серьёзная проблема. **8.** Мы знаем, кто (какая газета) финансирует и (какие взгляды) отстаивают журналисты (те или иные издания). **9.** Традиционные СМИ научились пользоваться (Интернет) (качество) (поддержка). **10.** (интернет-сайты) есть свои хозяева, но (они) мало известно. **11.** Интернет лишь дополнил (традиционные печатные СМИ), и сам факт (его существование) повлиял (стиль и оперативность) (пресса).

1. весь мир, конкурент, печатные издания	**1.**
2. самый парадоксальный закон СМИ, то, появление, новые средства, массовая информация	**2.**
3. мнение, один участник, дискуссия, настоящее время, никакая реальная угроза, печатные СМИ, сторона, Интернет	**3.**
4. люди, газеты	**4.**
5. мой взгляд, сторона, Интернет	**5.**
6. начало, 90-ые годы, газеты, погоня, читатели	**6.**
7. газеты, Интернет	**7.**
8. какая газета, какие взгляды, те или иные издания	**8.**
9. Интернет, качество, поддержка	**9.**
10. интернет-сайты, они	**10.**
11. традиционные печатные СМИ, его существование, стиль и оперативность, пресса	**11.**

Часть 2

Инструкция к заданиям 12–17

Вам предъявляются предложения с пропусками. В таблице даны видовые пары глаголов. Номера видовых пар глаголов соответствуют номерам пропусков. Ваша задача — выбрать глагол нужного вида. В правом столбце таблицы напишите правильный вариант. Укажите все возможные варианты.

1. Есть технологии, которые позволяют **-12-** в один файл, например, всё достояние Российской национальной библиотеки. 2. Интернет позволяет мгновенно **-13-** нужную информацию. 3. Газета — это позиция автора статьи, с которой можно **-14-** или **-15-**. 4. Говорят, что с появлением Интернета должны **-16-** не только газеты, но и книги. 5. Вряд ли когда-нибудь Интернет сможет **-17-** печатные СМИ.

12. умещать — уместить	**12.**
13. получать — получить	**13.**
14. соглашаться — согласиться	**14.**
15. спорить — поспорить	**15.**
16. исчезать — исчезнуть	**16.**
17. отменять — отменить	**17.**

Часть 3

Инструкция к заданиям 18–29

Вам предъявляется текст с пропусками. После текста даны видовые пары глаголов. Номера видовых пар глаголов соответствуют номерам пропусков. Ваша задача — выбрать глагол нужного вида и употребить его в правильной форме. В правом столбце таблицы напишите правильный вариант. Укажите все возможные варианты.

1. Интернет и печатные СМИ **-18-** друг друга. 2. **-19-**, что когда **-20-** радио, **-21-**, что оно **-22-** газеты, но этого не **-23-**. 3. Вряд ли когда-нибудь Интернет **-24-** газету, этого не **-25-**. 4. Интернет **-26-** собой серьёзную силу. 5. Интернет **-27-** пользователям беспристрастным. 6. С каждым годом значение компьютерных технологий **-28-**. 7. Сейчас очевидно, что Интернет так и не **-29-** ни одно из традиционных СМИ.

18. дополнять — дополнить	**18.**
19. вспоминать — вспомнить	**19.**
20. появляться — появиться	**20.**
21. думать — подумать	**21.**
22. убивать — убить	**22.**
23. происходить — произойти	**23.**
24. отменять — отменить	**24.**
25. случаться — случиться	**25.**
26. представлять — представить	**26.**
27. казаться — показаться	**27.**
28. возрастать — возрасти	**28.**
29. заменять — заменить	**29.**

Часть 4

Инструкция к заданиям 30–34

Закончите предложения, выберите все возможные правильные варианты.

30. Существуют технологии, … уместить в один файл всё достояние Российской национальной библиотеки.
а) позволившие
б) позволяющие
в) позволяемые
г) позволенные

31. Интернет вряд ли отменит газеты, … поколениями людей.
а) читаемые
б) читавшие
в) прочитавшие
г) прочитанные

32. Это позиция автора, … у читателей согласие или возражение.
а) вызванная
б) вызывающая
в) вызвавшая
г) вызываемая

33. Это серьёзнее, чем газетные войны, … между газетами в начале 90-ых годов.
а) прошедшие
б) идущие
в) прошествовавшие
г) шедшие

34. Интернет — серьёзная движущая сила, … новости гораздо раньше газет.
а) сообщившая
б) сообщаемая
в) сообщающая
г) сообщённая

Часть 5

Инструкция к заданиям 35–42

Восстановите предложения, выберите подходящее по смыслу существительное: *печать — опечатка — перепечатка — отпечатки*. В правом столбце таблицы напишите правильный вариант в нужной форме.

35. … материалов, опубликованных в газете, возможна только с разрешения редакции.	**35.**
36. Какая досадная … !	**36.**
37. Говорят, что Интернет — серьёзный конкурент периодической … .	**37.**
38. На этот документ нужно поставить … .	**38.**
39. В полиции у подозреваемого сняли … пальцев.	**39.**
40. Завтра этот материал появится в … .	**40.**
41. Как много … ! Кто это печатал?	**41.**
42. Когда же ваш новый роман выйдет из … ?	**42.**

Часть 6

Инструкция к заданиям 43–51

Восстановите предложения, используя глаголы несовершенного вида и парные им: *печатать — запечатывать — распечатывать — опечатывать — перепечатывать*. В правом столбце таблицы напишите подходящие по смыслу глаголы в нужной форме.

43. Где ты научилась так быстро … ?	**43.**
44. Не забудь … конверт!	**44.**
45. В эту комнату нельзя входить, её … .	**45.**
46. Подожди, не … ! Послушай меня.	**46.**
47. Зачем ты … конверт, ведь это письмо не тебе!	**47.**
48. Этот текст нужно … как можно быстрее.	**48.**
49. Статью «Люди и Интернет» мы … с любезного разрешения редакции журнала «Психология».	**49.**
50. — Какая интересная машина! А что она делает? — … и … конверты.	**50.**
51. Ну и статью ты написал! Её же не … ни одна газета!	**51.**

Часть 7

Инструкция к заданиям 52–65

Восстановите предложения, используя глаголы совершенного вида и парные им: *исполнить(ся) — заполнить — дополнить — выполнить — перевыполнить — переполнить — наполнить(ся)*. В правом столбце таблицы напишите подходящие по смыслу глаголы в нужной форме. Укажите все возможные варианты.

52. Разные СМИ прекрасно … друг друга.	**52.**
53. Гордость достигнутым результатом … его.	**53.**
54. Пожалуйста, … эту анкету.	**54.**
55. Внимание! Прошу … бокалы!	**55.**
56. Вы блестяще … эту роль.	**56.**
57. Как быстро он … довольно трудную работу!	**57.**
58. Вчера моему брату … 21 год.	**58.**
59. Я долго терпел, но твой вчерашний поступок … чашу моего терпения!	**59.**
60. Толпы людей … площадь.	**60.**
61. Прозвенел звонок, и школьный двор … детскими голосами.	**61.**
62. Если ты сидишь или стоишь между тёзками — загадай желание, и оно обязательно … .	**62.**
63. — Ну что? Ты … всё, что наметил? — Да, и даже … !	**63.**
64. — Если вы уйдёте сейчас в отпуск, кто же … вашу работу? — Мои обязанности может … мой помощник.	**64.**
65. — Говори: что ты хочешь? Я … любое твоё желание. — Я тебе не верю. Ты не … своих обещаний.	**65.**

Часть 8

Инструкция к заданиям 66–75

Восстановите предложения. В правом столбце таблицы напишите подходящие по смыслу слова в нужной форме: *глобальный — всемирный — мировой — мирный*. Укажите все возможные варианты.

66. В школе дети изучают … историю.	**66.**
67. Вторая … война началась в 1939 году.	**67.**
68. Наш институт занимается … проблемами … экономики.	**68.**
69. Давайте сначала решим … вопросы, а уж потом займёмся частными.	**69.**
70. Этот спортсмен установил несколько … рекордов.	**70.**
71. Недавно в Сочи проходил … конгресс музейных работников.	**71.**
72. — О чём это вы спорите? — А мы и не спорим. У нас вполне … беседа.	**72.**
73. Экологи озабочены состоянием … океана.	**73.**
74. Когда-то фильм «Летят журавли» получил … признание.	**74.**
75. Продукция нашей фирмы вышла на … рынок.	**75.**

КЛЮЧИ

1.1. НАШ ДОМ: СТОЛИЦА ИЛИ ПРОВИНЦИЯ

Задание 2. 1. д. 2. г. 3. е. 4. а. 5. в. 6. б.

Задание 6. 1. б. 2. а. 3. г. 4. в.

Лексико-грамматический тест

1. к москвичам, с вопросом, в каком городе; **2.** для многих, городом, мечты; **3.** москвичей, свой город, на какой другой; **4.** выбора, процентов, москвичей, с радостью, столицу, в Западную Европу; **5.** с лёгкостью, к переселению; **6.** по мнению, молодёжи, Петербург, к Европе; **7.** мечтами, о работе, москвичей, на Западе, по их мнению, для ведения, бизнеса; **8.** променяют; **9.** назвали; **10.** упоминали; **11.** покинули; **12.** открывает / открывают; **13.** обратились; **14.** кажется; **15.** переехать; **16.** уехать; **17.** сделать; **18.** перебраться; **19.** меняются; **20.** поменять; **21.** променяю; **22.** обменялись; **23.** подменили; **24.** изменилась; **25.** разменять; **26.** отменили; **27.** поменяемся; **28.** заменяет; **29.** обменялись; **30.** запомнил / запоминается; **31.** запомни / запоминай; **32.** вспомнить, напоминаете, припоминаю; **33.** помнишь, напомнил(а); **34.** припомню; **35.** запомнилась; **36.** упоминается; **37.** допрашиваешь; **38.** спрашиваю; **39.** опрашивали; **40.** расспрашиваешь; **41.** просил; **42.** переспрашиваешь; **43.** выпросишь; **44.** упросил(а); **45.** отпрашивается; **46.** жители / жильцы, соседи; **47.** граждане; **48.** население; **49.** жители; **50.** соседку; **51.** граждане; **52.** человек

официально-деловой стиль: **53.** б. **54.** б. **55.** б. **56.** в. / г. **57.** а. **58.** а. **59.** а. **60.** а. **61.** б. **62.** б. **63.** в. **64.** а. / б. / в. **65.** а. / б. / г. **66.** б. **67.** а. / в. **68.** в. **69.** б. / д. **70.** б. **71.** в. **72.** б. **73.** б. **74.** а. / в. **75.** г.

разговорный стиль: **53.** а. б. г. **54.** а. **55.** а. **56.** а. **57.** а. **58.** а. **59.** а. **60.** б. **61.** б. **62.** а. **63.** в. **64.** б. **65.** а. / б. **66.** а. **67.** в. **68.** г. **69.** б. **70.** б. **71.** а. / в. **72.** б. **73.** б. **74.** в. **75.** б.

1.2. СОЦИАЛЬНЫЕ ПРОБЛЕМЫ

Задание 2. 1. ж. 2. д. 3. е. 4. а. 5. г. 6. б. 7. в.

Задание 3. 1. г. 2. в. 3. д. 4. а. 5. б.

Задание 4. 1. в. 2. д. 3. а. 4. б. 5. г.

Задание 5. 1. д. 2. в. 3. г. 4. б. 5. а.

Задание 7. 1. В. 2. И. 3. Ж. 4. Б. 5. Е. 6. З. 7. Г. 8. А. 9. Д.

Задание 10. 1. в. 2. б. 3. г. 4. а.

Лексико-грамматический тест

1. на сегодняшний день, в Москве, тысяч; **2.** человека, счастливым; **3.** свобода выбора, богатого человека, от бедного; **4.** для богатого человека, любые дороги; **5.** первую группу, богачей, из рядов советской интеллигенции; **6.** середины, 90-ых годов, весь мир, малиновыми пиджаками; **7.** своё богатство, уважением, в обществе; **8.** о своих работниках, им, зарплату; **9.** деньги, своим трудом, их; **10.** на благотворительность, компании, на увеличение, зарплаты; **11.** сирот, инвалидов; **12.** за высокими заборами, из-за этих заборов, социальную ответственность; **13.** отличает; **14.** скрывают; **15.** тратят; **16.** идут; **17.** платили; **18.** заботились; **19.** формируется; **20.** станет; **21.** увеличится; **22.** останутся; **23.** будут посылать; **24.** учиться; **25.** бросают; **26.** заработал; **27.** умеет; **28.** считать; **29.** думать; **30.** жить; **31.** скрывать; **32.** расслабиться; **33.** уехать; **34.** оторваться; **35.** тратить; **36.** думать; **37.** а. / в. **38.** в. **39.** б. **40.** а. / б. / в. **41.** б. **42.** в. **43.** выбором; **44.** выборах; **45.** отбор; **46.** выбор; **47.** набор; **48.** выбор; **49.** набор; **50.** отбор; **51.** основании; **52.** основе; **53.** фундамент; **54.** основания; **55.** базу; **56.** обоснований; **57.** база; **58.** основе; **59.** основы; **60.** базе; **61.** основе; **62.** основании; **63.** основаниях; **64.** фундамент / основу; **65.** группу; **66.** компанию; **67.** круга; **68.** компанию; **69.** круг / ряд; **70.** рядах; **71.** компаний; **72.** круг; **73.** компанию; **74.** кругу /

компании; **75.** ряду; **76.** группу; **77.** рядами; **78.** групп; **79.** б. **80.** в. **81.** б. **82.** б. **83.** г. **84.** а. **85.** а. **86.** в. **87.** а. **88.** а. / б. **89.** г. **90.** а. / в. / г.

1.3. РОССИЙСКОЕ ОБЩЕСТВО В ВОСПРИЯТИИ ИНОСТРАНЦЕВ

Задание 2. 1. г. 2. е. 3. а. 4. ж. 5. б. 6. з. 7. д. 8. в.

Задание 3. **А.** 1. в. 2. д. 3.а. 4. б. 5. е. 6. г. **Б.** 1. г. 2. е. 3. б. 4. а. 5. в. 6. д.

Задание 4. 1. е. 2. г. 3. д. 4. б. 5. а. 6. в.

Задание 6. 1. Нет. 2. Да. 3. Да. 4. Нет. 5. Да. 6. Нет. 7. Да. 8. Нет. 9. Нет. 10. Да.

Задание 9. 1. в. 2. г. 3. б. 4. а.

Лексико-грамматический тест

1. мне, публику, моего родного города; **2.** в неделю, программу, на радио, по английскому языку; **3.** в Москве, у нас, с кошерной едой; **4.** к сожалению, о новой проблеме, в Москве, в одном доме, друг друга, в лицо; **5.** меня, жару, к холоду; **6.** мне, к пешеходам; **7.** в Россию, в качестве, представителя, Американской православной церкви; **8.** во все доступные места, от маленьких городов, они, друг на друга; **9.** по мнению, многих иностранцев, в России, белолицые люди, в этом; **10.** туристов, к кочевникам, на Байкал, на Камчатку, в Сибирь; **11.** в Москве, в отличие, от Штатов, навороченных иномарок, у них, прав, на дороге, у владельцев, «Жигулей»; **12.** 11 сентября, 2001 года, у стен, Кремля, брату, в Америку, мне, у него; **13.** со мной; **14.** бесит; **15.** бегут; **16.** успеваю; **17.** переношу; **18.** отношусь; **19.** осваивают; **20.** получается; **21.** уезжают; **22.** собирать/собрать; **23.** выпить; **24.** уважать; **25.** найти; **26.** уединиться; **27.** узнать; **28.** пробить; **29.** б. / г. **30.** а. / б. / г. **31.** б. **32.** а. / в. **33.** б. **34.** б. / г. **35.** а. **36.** а. / б. **37.** в. **38.** прижились; **39.** проживаете; **40.** ужиться, выжила, наживёшь; **41.** выжил; **42.** зажила; **43.** ожил, оживил; **44.** живёт / прожил; **45.** живёшь / проживаешь, живу, выживаю, переживай, доживёшь; **46.** выжили; **47.** пожить, прожили; **48.** переживу; **49.** прожил, пережил, дожил, нажил, выжил, живёт; **50.** заживём; **51.** учился; **52.** учили; **53.** изучали; **54.** учился, занимался; **55.** выучил; **56.** заниматься, учить; **57.** приучила; **58.** приучил, отучиться; **59.** поеду / уеду; **60.** веду; **61.** прийти / приходить; **62.** приехали, уехать; **63.** приезжали; **64.** ходят / приходят; **65.** ездят; **66.** возим; **67.** лечу; **68.** уезжаю; **69.** уезжают / едут; **70.** подошла, идти / пройти; **71.** Г. **72.** Ж. **73.** А. **74.** В. **75.** З. **76.** Б. **77.** Д. **78.** Е.

1.4. СМИ И ИНТЕРНЕТ

Задание 2. 1. г. 2. е. 3. а. 4. ж. 5. б. 6. з. 7. д. 8. в.

Задание 3. 1. г. 2. ж. 3. д. 4. б. 5. а. 6. з. 7. в. 8. е.

Задание 4. 1. е. 2. д. 3. а. 4. з. 5. ж. 6. в. 7. б. 8. г.

Задание 5. **а)** напечатать — запечатать — распечатать — опечатать — перепечатать;
б) исполнять(ся) — заполнять — дополнять — выполнять — перевыполнять — переполнять — наполнять(ся)

Задание 7. 1. Нет. 2. Да. 3. Да. 4. Нет. 5. Нет. 6. Да. 7. Да. 8. Нет. 9. Да. 10. Нет.

Задание 11. 1. б. 2. г. 3. а. 4. в.

Лексико-грамматический тест

1. во всем мире, конкурентом, печатных изданий; **2.** один из самых парадоксальных законов СМИ, в том, при появлении, новых средств, массовой информации; **3.** по мнению, одного из участников, дискуссии, в настоящее время, никакой реальной угрозы, печатным СМИ, со стороны, Интернета; **4.** людей, газетам; **5.** на мой взгляд, на стороне, Интернета; **6.** в начале, 90-ых годов, между газетами, в погоне, за читателями; **7.** газет, Интернетом; **8.** какую газету, какие взгляды, тех или иных изданий; **9.** Интернетом, в качестве, поддержки; **10.** у интернет-сайтов, о них; **11.** традиционные печатные СМИ, его существования, на стиль и оперативность, прессы; **12.** уместить;

13. получать / получить; **14.** соглашаться / согласиться; **15.** спорить / поспорить; **16.** исчезнуть; **17.** отменить; **18.** дополняют; **19.** вспомним / вспомните; **20.** появилось; **21.** думали; **22.** убьёт; **23.** произошло; **24.** отменит; **25.** случится; **26.** представляет; **27.** кажется; **28.** будет возрастать / возрастает; **29.** заменил; **30.** б. **31.** а. **32.** б. / в. **33.** а. / г. **34.** в. **35.** перепечатка; **36.** опечатка; **37.** печати; **38.** печать; **39.** отпечатки; **40.** печати; **41.** опечаток; **42.** печати; **43.** печатать; **44.** запечатать; **45.** опечатали; **46.** печатай; **47.** распечатал; **48.** напечатать; **49.** перепечатали; **50.** распечатывает и запечатывает; **51.** напечатает; **52.** дополняют; **53.** переполняет / переполняла; **54.** заполните; **55.** наполнить; **56.** исполнили / исполняете; **57.** выполнил; **58.** исполнился; **59.** переполнил; **60.** заполнили; **61.** наполнился; **62.** исполнится; **63.** выполнил, перевыполнил; **64.** будет выполнять, выполнять; **65.** выполню, выполняешь; **66.** всемирную; **67.** мировая; **68.** глобальными, мировой; **69.** глобальные; **70.** мировых; **71.** всемирный; **72.** мирная; **73.** мирового; **74.** всемирное / мировое; **75.** мировой

2 КАРЬЕРА... РАБОТА... ДЕЛО ВСЕЙ ЖИЗНИ?

Профессиональная деятельность

Тема 2.1. **Выбор профессии**

Тема 2.2. **Приоритеты молодого поколения**

Тема 2.3. **Проблемы трудоустройства**

Тема 2.4. **Равноправие полов на рынке труда**

ВЫБОР ПРОФЕССИИ

2.1

Задание 1. **Объясните значение данных слов и словосочетаний, составьте с ними предложения.**

сфера деятельности
«середнячок»
расслоение студентов
навыки общения
нацеленность на успех
рынок труда

Задание 2. **Составьте пары из слов, близких по значению.** 🗝

1. профессиональный рост
2. не беда
3. в первую очередь
4. безусловно
5. способность к творчеству
6. отчасти

а. частично
б. конечно
в. карьера
г. креативность
д. неважно
е. во-первых

Задание 3. **Найдите синонимы.** 🗝

1. содействовать
2. сократиться
3. кадры
4. должность
5. команда
6. особенности личности

а. уменьшиться
б. позиция
в. персональные характеристики
г. помогать
д. коллектив
е. персонал

Задание 4. **Составьте пары из слов, противоположных по значению.** 🗝

1. выпускник без опыта работы
2. неопределённый
3. чрезмерные ожидания
4. профессионально грамотный
5. желание
6. трудовые достижения

а. низкоквалифицированный
б. профессиональные неудачи
в. высококвалифицированный специалист
г. чёткий
д. заниженная самооценка
е. безразличие

Задание 5. **Найдите антонимы.** 🗝

1. развитие
2. постоянный
3. конкуренция
4. результат
5. крупные компании

а. монополия
б. малые предприятия
в. процесс
г. временный
д. деградация

Задание 6. **Образуйте парные глаголы совершенного вида от следующих глаголов:**

вносить — уносить — приносить — переносить — относить — заносить — выносить.

Задание 7. **Как вы понимаете данные предложения? Передайте их смысл другими словами.**

1. Многие молодые люди разочаровались в поисках работы по специальности. 2. В России активизировался спрос на выпускников вузов. 3. Фирмы предпочитают растить кадры у себя, а не брать «специалистов» со стороны. 4. Вам нужно проявить способности. 5. Свято место пусто не бывает. 6. Чем быстрее вы сделаете решительный выбор в пользу той или иной сферы деятельности, тем лучше. 7. Рынок внёс свои коррективы в систему подготовки молодых специалистов.

Задание 8. **Прочитайте текст и выполните задание к нему.**

ПЕРВЫЕ ШАГИ В ПРОФЕССИИ

Удивительно, но за последнее десятилетие экономическая активность молодёжи по всему миру сократилась. Отчасти это происходит из-за желания молодых людей продолжить образование. Но причина ещё и в том, что многие юноши и девушки просто разочаровываются в поисках работы по профессии. Однако в России наконец-то активизировался спрос на выпускников вузов. Если раньше бывших студентов в основном принимали на работу крупные западные компании, сейчас к ним всё больше и больше обращаются российские. Они предпочитают растить кадры у себя, а не брать «специалистов» со стороны.

Многие уже не помнят, что в бывшем СССР подготовка молодых кадров была связана с пятилетними планами развития народного хозяйства. Но рынок внёс свои коррективы. Введение свободного распределения выпускников вузов в начале 90-ых фактически привело к разрушению системы трудоустройства молодых. Однако свято место пусто не бывает. Освободившееся пространство начали занимать разного рода организации, содействующие эффективному поиску выпускником вуза подходящего работодателя. А компаниям — в поиске тех молодых сотрудников, которые станут гарантом их будущей успешной деятельности. И сейчас московский рынок труда предоставляет молодым специалистам массу возможностей для успешного карьерного старта по профессии.

Однако всё чётче границы расслоения студенческой массы по критерию готовности к будущей профессиональной деятельности. По результатам социологических исследований, «элиты» — профессионально грамотных, с необходимым набором деловых качеств, талантливых выпускников — только 1 %. Около 20 % составляют «карьеристы» — будущие менеджеры среднего звена управления. 30 % — «неактивные», т. е. выпускники, не нацеленные на успех. Вполне возможно, они хорошие исполнители. Но с низким уровнем мотивации и отсутствием целей. Оставшаяся половина — около 49 % — «спящие», слабо мотивированные студенты с неопределёнными планами профессионального роста.

Конечно, это деление условно, и далеко не всегда его можно провести на основании оценок в дипломе. Часто для работодателя вообще не важно, какой именно диплом имеет его будущий сотрудник. А вот из какой он группы — бывает очень важно понять ещё до приёма на работу. Как крупные, так и мелкие компании смотрят на имеющиеся трудовые достижения молодого соискателя и очень неохотно берут на постоянную работу выпускников без опыта. Что же делать? Вывод прост — нужно приобретать практический опыт уже во время обучения.

По мнению работодателей, наилучшая рекомендация для молодого специалиста — трудоустройство ещё до окончания вуза. Неплохо бы получить временную работу в организации, чей профиль, по вашему мнению, близок к сфере деятельности, которую вы хотели бы избрать в будущем. Если вы сумеете проявить способности, то через несколько месяцев вам, скорее всего, предложат небольшую должность.

Важно как можно раньше сделать решительный выбор в пользу той или иной сферы деятельности, найти свою специальность и уже задолго до окончания вуза хорошо знать рынок труда и иметь список компаний, заинтересованных в молодых специалистах.

Слишком высокая самооценка выпускников и связанные с ней чрезмерные ожидания относительно размера зарплаты — одна из главных проблем молодёжи. Между тем даже наилучший выпускник — это только полуфабрикат, который надо довести до готовности под руководством более опытного специалиста. Наши вузы дают хороший фундамент. Но строить что-то на нём выпускник вынужден сам.

Проведённое гарвардскими профессорами исследование показало, что карьерный рост находится не в прямой зависимости от интеллекта и образования. По мнению психологов, при сходном внешнем поведении успешные сотрудники отличаются от «середнячков» особой внутренней мотивацией. Современная конкурентная среда требует чёткой координации действий дружной и сплочённой команды. Поэтому работодатели ищут в первую очередь в своих будущих сотрудниках такие качества, как энергия и желание работать в коллективе, навыки общения, нацеленность на результат, способность к творчеству. Часто набор таких особенностей личности и используют как основной критерий при приёме на работу молодых специалистов.

(по материалам газеты «Работа. Учёба. Сервис»)

ЗАДАНИЕ: на основе прочитанного текста составьте письменное сообщение своему знакомому, интересующемуся ситуацией на молодёжном рынке труда. При этом:
— укажите источник информации;
— в своём сообщении используйте общепринятые сокращения.

***Время выполнения задания — 20 минут.**
Объём текста — 60–70 слов.
***ТРКИ-3 / Письмо, задание 2.**

Задание 9. **Вы с другом обсуждаете проблемы трудоустройства молодёжи. Примите участие в диалоге. Ваша задача:**

а) Согласитесь с указанным мнением, используя синонимичные конструкции.

б) Не согласитесь с указанным мнением, используя антонимы.

— Молодым людям сейчас очень трудно найти подходящую работу.
— ....

— Специалисты говорят, что выпускники вузов отчасти сами в этом виноваты.
— ....

— Молодые хотят получить всё и сразу.
— ....

— По-моему, специальные агентства должны как-то содействовать молодёжи в поисках работы.
— ....

Задание 10. **Прочитайте предложенные выражения и определите, какие интенции они передают: 1) несогласие, 2) совет, 3) удивление, 4) недоверие.**

а. Как так? Что Вы говорите! Да? Ничего себе! ☐

б. Ну, нет, ты не прав(а)! Я с тобой не согласен(сна). ☐

в. Да не может этого быть! Так не бывает! ☐

г. Ну, например, можно… Я бы поступил(а) так… ☐

Задание 11. **Подруга рассказывает вам о своей дочери, которая никак не может найти работу. Примите участие в диалоге, выразите следующие интенции:**

Несогласие:
— Молодым сейчас практически невозможно найти работу.
— ....

Удивление:
— Вот, например, моя дочь уже полгода ничего не может себе подыскать.
— ....

Недоверие:
— Она говорит, что каждый день пытается что-то сделать, но у неё ничего не получается.
— ....

Совет:
— Так что же ей делать?
— ....

Задание 12. **Вы разговариваете с подругой, которая решила поменять место работы, а теперь жалеет об этом. Примите участие в диалоге, возразите подруге и убедите её в правильности сделанного выбора. Приведите свои аргументы. Используйте разные языковые средства.**

— Решила сменить место работы, а теперь жалею. Как всё будет на новом месте?
— ....

— Всё-таки на старой работе у меня уже была определённая репутация… Все меня уважали.
— ....

— А здесь для меня будет много нового. И ещё неизвестно, справлюсь ли я?
— ....

— Да и добираться до работы теперь на полчаса дольше.
— ....

Задание 13. **а) Представьте, что вы — работодатель и набираете персонал для своей фирмы. Скажите, какие качества сотрудников для вас являются важными?**
б) Прочитайте, какие качества, по мнению специалистов, ценят работодатели и какие правила приняты в деловом общении. Сравните с тем, что отметили вы.

прямой взгляд
уверенность в себе
интерес к работе фирмы
чёткое представление о карьере
искренность
вежливость
решительность
чувство юмора

Необходимо:
— не опаздывать, т. к. это создаёт имидж человека ненадёжного;
— не говорить лишнего, чтобы не считаться болтуном и бездельником;
— быть вежливым, ведь имидж компании складывается из поведения её сотрудников;
— интересоваться окружающими, чтобы стать и самим интересным для них;
— одеваться в соответствии с ситуацией;
— говорить и писать на хорошем литературном языке.

Задание 14. **Вы прочитали в газете объявление:**

Представительство иностранного холдинга объявляет конкурс
на вакансию
СЕКРЕТАРЬ-АССИСТЕНТ ПРЕДСТАВИТЕЛЬСТВА

Требования: м/ж, 22–26 лет, в/о лингвистическое, английский / русский языки – свободное владение (письменный), опыт аналогичной работы только в иностранных фирмах.
Обязанности: координация работы офиса, письменный перевод, оперативная и внимательная обработка данных, ведение деловой переписки.

Резюме по факсу: 787 27 78
Контактный телефон: 787 27 80

Это объявление вас заинтересовало. Позвоните по указанному телефону и расспросите обо всём как можно более подробно, чтобы решить, стоит ли вам обращаться в эту фирму.

***ТРКИ-2 / Говорение, задание 14.**

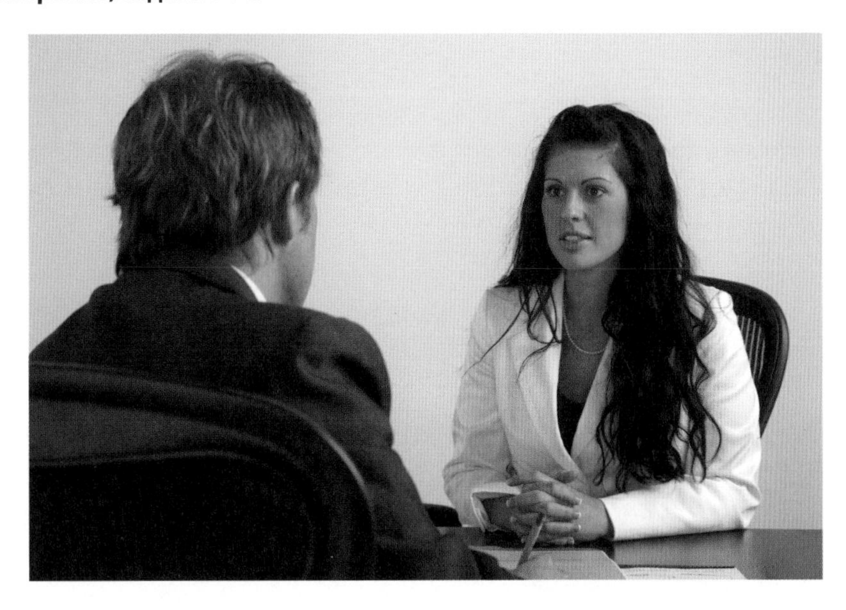

Задание 15. **Ваш хороший знакомый — владелец магазина женской одежды. Он обратился к вам с просьбой порекомендовать ему человека на должность продавца-консультанта. Напишите дружеское, неформальное письмо, в котором охарактеризуйте рекомендуемого человека. Укажите:**
— его личностные качества;
— деловые и профессиональные качества;
— факты и события из его жизни, которые привлекли ваше внимание;
— обстоятельства вашего знакомства.
А также оцените, обладает ли этот человек всеми качествами, необходимыми для работы в данной фирме.

ТРКИ

***Время выполнения задания — 20 минут.**
Объём текста — 100–150 слов.
***ТРКИ-2 / Письмо, задание 3.**

Задание 16. **Согласитесь или опровергните данные высказывания. Приведите свои аргументы.**

1. В будущем молодым людям будет всё труднее получить работу по специальности.
2. При выборе профессии нужно ориентироваться прежде всего на потребности общества.
3. Самое важное в жизни — заниматься любимым делом.
4. К концу XXI века люди будут работать, не выходя из своего дома. Всю физическую работу, а также работу в сфере обслуживания будут выполнять роботы.

Задание 17. **Расскажите, как вы выбирали (будете выбирать) свою специальность. Скажите, есть ли в вашей стране категории граждан, которым предоставляются определённые преимущества при получении работы?**

Задание 18. **Напишите эссе на одну из предложенных тем:**

1. Выбор профессии: любимая работа или потребности общества?
2. Работа с удалённым доступом: за и против.

***Время выполнения задания — 30 минут.**
Объём текста — 150–200 слов.

ЛЕКСИКО-ГРАММАТИЧЕСКИЙ ТЕСТ

Часть 1

Инструкция к заданиям 1–10

Вам предъявляется текст, в котором некоторые слова и группы слов представлены в начальной форме. Номера групп слов в таблице соответствуют номерам предложений. Ваша задача — восстановить текст, употребив слова в нужной грамматической форме, используя там, где необходимо, предлоги. В правом столбце таблицы напишите правильный вариант. Укажите все возможные варианты.

1. (Последнее десятилетие) (весь мир) сократилась экономическая активность (молодёжь). **2.** (Россия) активизировался спрос (выпускники) (вузы). **3.** Раньше (бывшие выпускники) принимали (работа) в основном (крупные западные компании). **4.** Многие уже не помнят, что (бывший СССР) подготовка (молодые специалисты) была связана (пятилетние планы) (развитие) (народное хозяйство). **5.** Введение (свободное распределение) (выпускники) (вузы) (начало) (90-е годы) привело (разрушение) (система) (трудоустройство) (молодые). **6.** (Результаты) (социологические исследования), среди (выпускники) только 1 % является (профессионально грамотные), (необходимый набор) (деловые качества). **7.** (Мнение) (работодатели), (наилучшая рекомендация) (молодой специалист) является трудоустройство ещё (окончание вуза). **8.** (Мнение) (психологи), при (сходное внешнее поведение) успешные сотрудники отличаются («середнячки») (особая внутренняя мотивация). **9.** Современная конкурентная среда требует (чёткая координация) (действия) (дружная сплочённая команда). **10.** Работодатели ищут (первая очередь) (свои будущие сотрудники) такие качества как (энергия и желание работать) (коллектив), нацеленность (результат), способность (творчество).

1. последнее десятилетие, весь мир, молодёжь	**1.**
2. Россия, выпускники, вузы	**2.**
3. бывшие выпускники, работа, крупные западные компании	**3.**
4. бывший СССР, молодые специалисты, пятилетние планы, развитие, народное хозяйство	**4.**
5. свободное распределение, выпускники, вузы, начало, 90-е годы, разрушение, система, трудоустройство, молодые	**5.**
6. результаты, социологические исследования, выпускники, профессионально грамотные, необходимый набор, деловые качества	**6.**
7. мнение, работодатели, наилучшая рекомендация, молодой специалист, окончание вуза	**7.**
8. мнение, психологи, сходное внешнее поведение, «середнячки», особая внутренняя мотивация	**8.**
9. чёткая координация, действия, дружная сплочённая команда	**9.**
10. первая очередь, свои будущие сотрудники, энергия и желание работать, коллектив, результат, творчество	**10.**

Часть 2

Инструкция к заданиям 11–18

Вам предъявляется текст с пропусками. После текста даны видовые пары глаголов. Номера видовых пар глаголов соответствуют номерам пропусков. Ваша задача — выбрать глагол нужного вида и употребить его в правильной форме. В правом столбце таблицы напишите правильный вариант. Укажите все возможные варианты.

1. За последнее десятилетие существенно **-11-** экономическая активность молодёжи, отчасти из-за того, что молодые люди **-12-** в поисках работы по специальности. 2. Раньше молодых специалистов **-13-** на работу в основном западные компании, а сейчас к ним всё чаще **-14-** российские. 3. Сейчас московский рынок труда **-15-** молодым специалистам массу возможностей. 4. Компании неохотно **-16-** на постоянную работу выпускников без опыта. 5. Если вы сразу **-17-** свои способности, то через несколько месяцев вам, скорее всего, **-18-** небольшую должность.

11. сокращаться — сократиться	**11.**
12. разочаровываться — разочароваться	**12.**
13. принимать — принять	**13.**
14. обращаться — обратиться	**14.**
15. предоставлять — предоставить	**15.**
16. брать — взять	**16.**
17. проявлять — проявить	**17.**
18. предлагать — предложить	**18.**

Инструкция к заданиям 19–31

Вам предъявляется текст с пропусками. После текста даны видовые пары глаголов. Номера видовых пар глаголов соответствуют номерам пропусков. Ваша задача — выбрать инфинитив нужного вида. В правом столбце таблицы напишите правильный вариант. Укажите все возможные варианты.

1. Обычно работодатели предпочитают **-19-** кадры у себя, а не **-20-** «специалистов» со стороны. 2. Даже лучший выпускник — это полуфабрикат, который надо **-21-** до готовности. 3. Студенту неплохо бы **-22-** временную работу: нужно **-23-** практический опыт во время учёбы в вузе. 4. У определённой части молодёжи невелико желание **-24-** работу по специальности. 5. Деление на «активных» и «неактивных» выпускников довольно условно: трудно **-25-** его на основании оценок в дипломе. Бывает нелегко **-26-** до приёма на работу, к какой группе относится соискатель. 6. Если вы сумеете **-27-** способности, то через несколько месяцев вам могут **-28-** постоянную работу. 7. Важно как можно раньше **-29-** выбор в пользу той или мной сферы деятельности и уже задолго до окончания вуза хорошо **-30-** рынок труда: наши вузы дают хороший фундамент, но **-31-** что-то на нём выпускник должен сам.

19. растить — вырастить	**19.**
20. брать — взять	**20.**
21. доводить — довести	**21.**
22. получать — получить	**22.**
23. приобретать — приобрести	**23.**
24. получать — получить	**24.**
25. проводить — провести	**25.**
26. понимать — понять	**26.**
27. проявлять — проявить	**27.**
28. предлагать — предложить	**28.**
29. делать — сделать	**29.**
30. знать — узнать	**30.**
31. строить — построить	**31.**

Часть 3

Инструкция к заданиям 32–38

Закончите предложения, выберите все возможные правильные варианты.

32. Разные кадровые агентства начинают занимать … пространство.
а) освобождённое
б) освободившееся
в) свободное
г) освобождаемое

33. Появились организации, … эффективному поиску подходящего места работы.
а) содействовавшие
б) действовавшие
в) действующие
г) содействующие

34. Около 30 % всех выпускников составляют «неактивные», т. е. не … на успех.
а) нацеленные
б) нацеливающие
в) нацеливаемые
г) нацелившиеся

35. 49 % выпускников — это слабо … студенты с неопределёнными карьерными планами.
а) мотивируемые
б) мотивировавшие
в) мотивирующие
г) мотивированные

36. Слишком высокая самооценка выпускников и … с ней чрезмерные ожидания — одна из главных проблем молодёжи.
а) связующие
б) связанные
в) связываемые
г) связавшие

37. Нужно иметь список компаний, … в молодых специалистах.
а) интересующихся
б) интересовавшихся
в) заинтересовавшихся
г) заинтересованных

38. … в Гарварде исследование показало, что нет прямой зависимости между интеллектом и образованием.
а) проведшее
б) проводимое
в) проведённое
г) проводившее

Часть 4

Инструкция к заданиям 39–44

Восстановите предложения, выберите подходящее по смыслу существительное: *опрос — запрос — вопрос — спрос — расспросы — допрос*. В правом столбце таблицы напишите правильный вариант в нужной форме.

39. На этот … трудно ответить однозначно.	**39.**
40. По данным социологического … , почти 50 % студентов не имеют каких-либо планов профессионального роста.	**40.**
41. Эти данные были получены в ответ на наш официальный … .	**41.**
42. Рыночные отношения регулируют … и предложение.	**42.**
43. Это что, … ? Прекрати свои … !	**43.**
44. Дети растут, их … возрастают.	**44.**

Часть 5

Инструкция к заданиям 45–51

Восстановите предложения, используя следующие глаголы: *вносить — уносить — приносить — переносить — относить — заносить — выносить* и парные им. В правом столбце таблицы напишите подходящие по смыслу глаголы в нужной форме.

45. Зачем вы… отсюда стулья? Пожалуйста, … их обратно.	**45.**
46. С завтрашнего дня мы будем жить в другом номере, там просторнее и уютнее. Утром можно будет … вещи.	**46.**
47. Зачем ты оставил чемоданы у двери, … их в комнату!	**47.**
48. Мы не заказывали это блюдо, … его, пожалуйста.	**48.**
49. Все экзамены позади, можно … книги в библиотеку.	**49.**
50. Зачем ты … домой лягушку? Сейчас же … её обратно на улицу!	**50.**
51. Алло! Таня? Ты дома? Это Маша. Я сейчас собираюсь в магазин, по дороге … тебе рецепт торта.	**51.**

Инструкция к заданиям 52–58

Восстановите предложения, используя следующие глаголы: *составить — расставить — переставить — поставить — заставить*. В правом столбце таблицы напишите подходящие по смыслу глаголы в нужной форме.

52. Сколько цветов! Нужно … их по вазам.	**52.**
53. Мне кажется, стол стоит не на месте, давай его … .	**53.**
54. Вы уже … план нашей поездки в Петербург?	**54.**
55. В соседнем офисе идёт ремонт, рабочие … мебелью весь коридор.	**55.**
56. Не хочется идти одной обедать. Ты … мне компанию?	**56.**
57. Давай всё-таки выясним, чем ты недоволен. Пора … точки над «и».	**57.**
58. Ты не будешь делать то, о чём я тебя прошу? Ну, погоди! Я … тебя слушаться!	**58.**

Инструкция к заданиям 59–68

Восстановите предложения, используя следующие глаголы: *избирать — перебирать — отобрать — убрать — выбрать(ся) — собрать — подобрать — набрать — добраться*. В правом столбце таблицы напишите подходящие по смыслу глаголы в нужной форме. Укажите все возможные варианты.

59. Вчера весь день ходила по магазинам, но так и не смогла … подарок для подруги!	**59.**
60. Скоро придут гости, а у тебя в комнате такой беспорядок! Быстро всё … !	**60.**
61. Зачем ты … столько одежды? Мы же едем в дом отдыха только на выходные. … только то, что тебе действительно необходимо.	**61.**
62. Ты уже два часа … старые газеты, выбрасывай всё!	**62.**
63. Куда это мы зашли? Как нам отсюда … ?	**63.**
64. Представляете! Мой сын … вчера на улице котёнка!	**64.**
65. Зачем ты … у малыша игрушку? Сейчас же отдай!	**65.**
66. Завтра уезжаем. Ты уже всё … ?	**66.**
67. — Приезжай ко мне в гости! — С удовольствием! Рассказывай, как до тебя …?	**67.**
68. В эти выходные жители нашего города … нового мэра.	**68.**

Часть 6

Инструкция к заданиям 69–85

Вам предъявляется текст с пропусками (информационное сообщение). После текста даны группы слов. Номера групп слов соответствуют номерам пропусков. Выберите слова, подходящие по смыслу и характерные для официально-делового стиля речи. Укажите все возможные варианты.

Самыми важными для **-69-** рабочего места являются первые 12 минут **-70-**. К такому мнению пришли **-71-** канадской финансово-консультативной компании «Роберт Халф» на **-72-** **-73-** с высокопоставленными **-74-** фирм, занимающимися **-75-** персонала. В среднем **-76-** ознакомительной беседы с человеком, претендующим на **-77-** **-78-**, составляет 60 минут, а с **-79-** в управляющие **-80-** более подробно — 103 минуты. **-81-** потенциала **-82-** начинается с момента, когда он входит в **-83-**, поэтому следует уже с порога **-84-** оптимизм и **-85-** в своих силах.

(по материалам сайта kadrovik.ru)

69. а) искателя
б) соискателя
в) ищущего

70. а) разговора
б) беседы
в) переговоров
г) собеседования

71. а) учёные
б) коллеги
в) эксперты
г) работники
д) члены

72. а) базе
б) основании
в) основе
г) фундаменте

73. а) собеседований
б) интервью
в) переговоров
г) разговоров

74. а) рабочими
б) сотрудниками
в) работниками
г) трудящимися

75. а) выбором
б) набором
в) подбором

76. а) продолжительность
б) длительность
в) долгота
г) продолжение

77. а) дополнительную
б) исполнительскую
в) наполнительную

78. а) обязанность
б) должность
в) работу
г) подработку

79. а) кандидатом
б) желающим
в) претендентом
г) абитуриентом

80. а) переговариваются
б) разговаривают
в) беседуют

81. а) результат
б) оценка
в) отметка

82. а) претендента
б) кандидата
в) желающего
г) соискателя

83. а) кабинет
б) компанию
в) комнату
г) аудиторию
д) офис

84. а) показывать
б) проявлять
в) демонстрировать

85. а) уверенность
б) самоуверенность
в) верность
г) веру

ПРИОРИТЕТЫ МОЛОДОГО ПОКОЛЕНИЯ

2.2

Задание 1. **Объясните значение данных слов и словосочетаний, составьте с ними предложения.**

племя младое
старшеклассник
ровесник
подросток
по историческим меркам
отрезок времени
топ-лист

Задание 2. **Составьте устойчивые словосочетания.** 🗝

1. жизненные
2. образ
3. социальная
4. материальная

а. мыслей
б. ответственность
в. обеспеченность
г. ценности

Задание 3. **Найдите синонимы.** 🗝

1. творец
2. суждение
3. личность
4. особняк
5. поражать
6. скакать

а. персона
б. коттедж
в. мнение
г. удивлять
д. прыгать
е. созидатель

Задание 4. **Составьте пары из слов, близких по значению.** 🗝

1. ведущий
2. безоговорочный
3. значимый
4. некий
5. неоднократно
6. очевидно

а. много раз
б. важный
в. главный
г. понятно
д. безусловный
е. какой-то

Задание 5. **Составьте пары слов, противоположных по значению.** 🗝

1. прагматик
2. бедняк
3. мудрость
4. прибыль
5. резкий
6. материальный
7. крупный
8. гораздо

а. мелкий
б. чуть
в. духовный
г. плавный
д. богач
е. романтик
ж. глупость
з. убытки

Задание 6. **Образуйте парные глаголы совершенного вида от глаголов:** 🗝

а) вступать — выступать — отступать — уступать — наступать — поступать — проступать — переступать — приступать — расступаться — оступаться — заступаться;

б) давать — отдавать — раздавать — передавать — выдавать — задавать — подавать — издавать — преподавать — предавать — придавать — сдавать(ся) — вдаваться — удаваться;

в) вязать — навязывать — связывать — привязывать(ся) — завязывать(ся) — развязывать(ся).

Задание 7. **Как вы понимаете данные предложения? Передайте их смысл другими словами.**

1. Подростки вступают в возраст становления личности. 2. 10 лет — небольшой по историческим меркам отрезок времени. 3. Ценности, стоящие на ведущих местах в данных социологических опросов, не стабильны. 4. Молодые люди хотят иметь собственные, а не навязанные им кем-то суждения. 5. Под словом «богатство» люди понимают разные вещи. 6. Богач может не ограничивать себя в средствах. 7. Я не в состоянии помогать всем. 8. Эти ценности отошли на задний план. 9. Данные социологических опросов меня обнадёживают. 10. Многие люди в детстве подавали большие надежды.

Задание 8. **Прочитайте текст и выполните тест после текста.**

***Постарайтесь не пользоваться словарём.**
***Время выполнения задания — 15 минут.**
***ТРКИ-3 / Чтение, задание 1.**

ПЛЕМЯ МЛАДОЕ, ПРАГМАТИЧНОЕ

Сегодня вступают в возраст становления личности те 15–16-летние мальчики и девочки, которые родились не в СССР, а совсем в другой стране.

В течение 10-ти лет сотрудники Института психологии РАН опрашивали московских старшеклассников и студентов, выясняя их жизненные ценности. Оказалось, что внутри 10-летнего периода исследований (небольшой по историческим меркам отрезок) приоритеты и ценности молодёжи неоднократно менялись.

Ценности, стоящие на ведущих местах, как правило, стабильны. «Здоровье — безоговорочный лидер во всех опросах, — рассказывает директор Института психологии. — По сравнению с прежними опросами ориентация на здоровье сейчас гораздо выше, чем была в советские годы. Раньше молодые люди ставили на первое место любовь (девушки — семью), но ситуация резко изменилась после... чернобыльской катастрофы. Общественные события вообще один из факторов, что влияют на систему ценностей молодёжи. Для нас таким событием стала авария в Чернобыле (а вовсе не путч 1991-го, например). Конечно, экономические трансформации, начавшиеся после перестройки, тоже изменили сознание молодёжи. Причём в Москве эти перемены гораздо заметнее, чем в регионах».

Кроме здоровья в топ-листе столичной молодёжи — любовь, семья, образование, честность. Ещё одна актуальная ценность — независимость от старших, причём не только материальная (жить отдельно), но и духовная. «Я хочу иметь собственные, а не навязанные мне кем-то суждения», — вот образ мыслей современного молодого москвича.

У молодёжи разные представления о богатстве. Одни понимают под ним наличие некоего источника, приносящего крупную прибыль (акции, своё предприятие). Другие — непосредственно материальные ценности: особняк, машина, золото-бриллианты. Для третьих богатый человек тот, кто может путешествовать по миру вместе с семьёй и не ограничивать себя в средствах. Наконец, есть группа молодёжи, дающая такое определение: «Богатый — это тот, кто в состоянии помогать другим людям». По мнению психологов, для этих людей понятие богатства распространяется не только на материальные ценности, но и на духовные.

Если сравнивать нынешних старшеклассников с их ровесниками середины 90-ых, становится очевидным, что социальные ценности заметно выросли. Семья переместилась с 5-го места на 4-е, ответственность — с 11-го на 3-е. В моде и деловая активность: работа как жизненная ценность скакнула с 10-го на 5-е место, материальная обеспеченность — с 8-го на 6-е. Зато такие ценности, как мудрость, счастье других, отошли на задний план.

Психологи полагают, что традиционные этические ценности постепенно вернутся, если мы будем жить в стабильных экономических условиях. Да, ориентация на деловую и экономическую активность начинает расти, как и рационализм мышления. Молодой человек становится творцом, созидателем своей жизни. Повышаются самостоятельность, дисциплина. Человек задумывается над тем, для чего он живёт.

Учёных поражает компетентность молодых в той сфере, где они работают или учатся, их возрастающая социальная активность и сохранившееся уважение к старшим. Так что, несмотря на общую тенденцию к прагматизму, молодёжь возвращает себе этические ценности. Обнадёживающее сочетание.

(по материалам газеты «Аргументы и факты»)

ТЕСТ: Укажите, соответствуют ли данные высказывания содержанию текста.

1. У подростков, родившихся в постсоветское время, абсолютно другие жизненные ценности.
2. Нравственные приоритеты молодёжи неустойчивы и изменчивы.
3. Экономические преобразования достаточно сильно влияют на молодёжное сознание.
4. Главным для молодых людей является любовь и создание семьи.
5. Система ценностей провинциальной молодёжи меняется быстрее.
6. Молодые люди стремятся к независимости.
7. У молодых людей неоднозначное понимание богатства.
8. Богатство молодые люди определяют не только как материальные, но и как духовные ценности.
9. Специалисты считают, что в новых условиях жизни общества возврат к старым нравственным ценностям невозможен.
10. Социологов удивил низкий уровень профессиональной подготовки молодёжи.

Задание 9. **На основе прочитанного текста (из задания 8) составьте письменное сообщение в виде факса вашему знакомому, который интересуется проблемами молодёжи. При этом:**
— укажите источник информации;
— в своём сообщении используйте общепринятые сокращения.

ТРКИ

***Время выполнения задания — 20 минут.**
Объем текста — 60–70 слов.
***ТРКИ-3 / Письмо, задание 2.**

Задание 10. **Вы участвуете в дискуссии по проблемам молодёжи. Примите участие в диалоге. Ваша задача:**

а) Согласитесь с указанным мнением, используя синонимичные средства.

б) Не согласитесь с указанным мнением, используя антонимы.

— Социологические опросы показывают, что жизненные приоритеты молодёжи часто меняются.
— ....

— Но, в основном, молодые люди ценят то же, что и их родители.
— ....

— Социологи утверждают, что самым ценным для молодых людей является здоровье.
— ....

— А по-моему, для молодых самое важное — не зависеть от старших.
— ....

Задание 11. **Прочитайте предложенные выражения и определите, какие интенции они передают: 1) согласие, 2) недоверие, 3) удивление, 4) извинение.**

а. Ну что ж, надо так надо! ☐
Праздник есть праздник!
А почему бы и нет / не сделать!

б. Вот это да! ☐
Да ты что!
Ну, надо же!

в. Неправда! ☐
Брось! Чушь / глупость / ерунда!
Никогда бы не подумал(а)!
Не может быть!

г. Не хотел(а) тебя обидеть! ☐
Не обижайся!
Я не нарочно!

Задание 12. **Вы обсуждаете с другом проблему молодёжных ценностей. Примите участие в диалоге, выразите следующие интенции:**

Согласие:
— Говорят, молодёжь сейчас совсем не такая, как лет двадцать назад.
— ....

Недоверие:
— Теперь для молодых главное — хорошее здоровье.
— ....

Удивление:
— Я прочитал об этом в газете.
— ....

Извинение:
— Ты что, мне не веришь?! Хочешь сказать, что я это сам выдумал?!
— ....

Задание 13. **Вы разговариваете с подругой, сын которой учится в университете и в свободное время подрабатывает. Она разрешила ему жить отдельно, а теперь жалеет об этом. Примите участие в диалоге, возразите подруге и убедите её в правильности сделанного выбора. Приведите свои аргументы. Используйте разные языковые средства.**

— Согласилась на то, чтобы сын снимал с друзьями квартиру, а теперь жалею. Рано ему ещё жить самостоятельно.

— ....

— Боюсь, он теперь будет всё время голодный, кто его там накормит?

— ....

— Да и убираться мальчишки не любят. Представляю, что у них там будет твориться!

— ....

— И денег он не так много зарабатывает. А будет платить за квартиру — вообще не будет ничего оставаться.

— ....

Задание 14. **Ваш друг (ваша подруга) — молодой специалист, который (которая) недавно закончил(а) университет и сейчас ищет работу. На основе предложенных рекламных материалов порекомендуйте ему (ей) фирму, куда ему (ей) лучше всего обратиться.**
Напишите неформальное письмо рекомендательного характера.

***Время выполнения задания — 20 минут.**
Объём текста — 50–70 слов.
***ТРКИ-2 / Письмо, задание 1.**

Крупнейшая российская телекоммуникационная компания

открывает позицию

персонального ассистента генерального директора

Требования к кандидату:
— молодой человек до 37 лет или женщина 30–40 лет
— высшее образование
— опыт работы персональным ассистентом в крупных компаниях или государственных структурах (МИД, посольство, банк)
— солидность, представительность, хорошие манеры

№ 42773

Российская торговая компания
(продукты питания)
приглашает на работу

МЕНЕДЖЕРА ПО ЗАКУПКАМ

Требования: в/о, знание организации закупок и поставок товара, опыт работы, наличие деловых контактов
З/п по результатам собеседования

ТОРГОВЫХ ПРЕДСТАВИТЕЛЕЙ

Требования: в/о или среднее специальное, опыт работы в области продаж, наличие личного а/м, регистрация Москва, М/О
З/п оклад + прогресс. %

Обучение: семинары, тренинги

Резюме по факсу: 363-61-93 (96)
e-mail: lavr@rambler.ru
м. Авиамоторная

Издательский дом «Бурда»
приглашает

ОТВЕТСТВЕННОГО РЕДАКТОРА

Требования к кандидату:

— мужчина около 40 лет
— опыт работы в аналогичной должности от 3-х лет
— знание немецкого языка (хорошо)
— исполнительность
— дружелюбие
— ответственность
— креативность

e-mail:burda@gmail.com
www.burda.ru

ДИРЕКТОР ПО РАБОТЕ С КЛИЕНТАМИ

Требования:

- высшее образование (желательно два)
- английский устный и письменный
- опыт руководящей работы не менее 2-х лет
- высокие организаторские способности
- опыт работы + хорошее знание маркетинга
- коммуникабельность
- стрессоустойчивость, способность работать в режиме цейтнот
- работа в команде

Резюме по факсу 205-0770
e-mail: secretary@komandjr.ru

ДИРЕКТОР ПО ПЕРСОНАЛУ
в розничную сеть

Здоровая амбициозность, высокие стандарты корпоративной этики, ответственность, умение убеждать являются необходимыми качествами.

Функциональные обязанности:

- определение ключевых требований к кандидатам на позиции продавцов-консультантов
- создание системы подбора, обучения и мотивации персонала компании

Образование:

1) высшее
2) дополнительное профильное образование
3) английский язык

Возраст: 30–40 лет

Опыт работы: руководящая должность (или руководитель HR) на предприятии с персоналом от 50 человек

Мы предлагаем:

- зарплату, достойную Вашего уровня
- неограниченные возможности в реализации Вашего профессионального потенциала

Резюме по факсу: +7 (495) 730-4096

Задание 15. **Согласитесь или опровергните данные высказывания. Приведите свои аргументы.**

1. Для любого человека здоровье — самая большая ценность, всё остальное приложится.
2. Сейчас для молодых самое главное — это деньги.
3. Любой человек в своей жизни совершает неизбежные ошибки.
4. Молодые люди должны прислушиваться к мнению старших, чтобы избежать ненужных ошибок.

Задание 16. **а) Продолжите фразу: «Богатый — это человек...».**
б) Скажите, как бы вы ответили на вопрос: «Какого человека можно назвать карьеристом?».

Задание 17. **Скажите, что, на ваш взгляд, интересует молодых людей в вашей стране? Чем отличаются молодые люди разных стран? Можете ли вы сказать, чем интересовались в молодости ваши родители?**

Задание 18. **Напишите эссе на одну из тем, предложенных в задании 15.**

***Время выполнения задания — 30 минут.**
Объём текста — 150–200 слов.

ЛЕКСИКО-ГРАММАТИЧЕСКИЙ ТЕСТ

Часть 1

Инструкция к заданиям 1–11

Вам предъявляется текст, в котором некоторые слова и группы слов представлены в начальной форме. Номера групп слов в таблице соответствуют номерам предложений. Ваша задача — восстановить текст, употребив слова в нужной грамматической форме, используя там, где необходимо, предлоги. В правом столбце таблицы напишите правильный вариант.

1. В течение (10 лет) сотрудники (Институт психологии РАН) опрашивали (московские старшеклассники и студенты) (их жизненные ценности). **2.** (Сравнение) (прежние опросы) ориентация (здоровый образ жизни) (настоящее время) гораздо выше, чем была (советские годы). **3.** Кроме (здоровье), (топ-лист) (столичная молодёжь) — (любовь, семья, образование). **4.** Ещё одна ценность — независимость (старшие). **5.** (Молодёжь) разное представление (богатство). **6.** (Некоторые) богатый человек — тот, кто путешествует (мир) (семья), не ограничивая себя (средства). **7.** Сравнивая (нынешние старшеклассники) (их ровесники) (середина) (девяностые годы) (прошлый век), видишь, что ценность (социальная ответственность) заметно выросли. **8.** Мода (деловая активность): работа как (жизненная ценность) скакнула (десятое место) (пятое место). **9.** (Мнение) (психологи), традиционные этические ценности должны вернуться, если общество будет жить (стабильные экономические условия). **10.** (Учёные) поражает (компетентность) (молодые люди) (та сфера), (которая) они работают, (уважение) (старшие). **11.** Несмотря (общая тенденция) (прагматизм), молодёжь возвращает себе (этические ценности).

1. 10 лет, Институт психологии РАН, московские старшеклассники и студенты, их жизненные ценности	**1.**
2. сравнение, прежние опросы, здоровый образ жизни, настоящее время, советские годы	**2.**
3. здоровье, топ-лист, столичная молодёжь, любовь, семья, образование	**3.**
4. старшие	**4.**
5. молодёжь, богатство	**5.**
6. некоторые, мир, семья, средства	**6.**
7. нынешние старшеклассники, их ровесники, середина, девяностые годы, прошлый век, социальная ответственность	**7.**
8. деловая активность, жизненная ценность, десятое место, пятое место	**8.**
9. мнение, психологи, стабильные экономические условия	**9.**
10. учёные, компетентность, молодые люди, та сфера, которая, уважение, старшие	**10.**
11. общая тенденция, прагматизм, этические ценности	**11.**

Часть 2

Инструкция к заданиям 12–19

Вам предъявляется текст с пропусками. После текста даны видовые пары глаголов. Номера видовых пар глаголов соответствуют номерам пропусков. Ваша задача — выбрать глагол нужного вида и употребить его в правильной форме. В правом столбце таблицы напишите правильный вариант.

1. За прошедшие 10 лет приоритеты и ценности молодёжи неоднократно **-12-**. 2. Раньше молодые люди **-13-** на первое место любовь, но ситуация резко **-14-** после чернобыльской катастрофы. 3. Под богатством молодые люди **-15-** совершенно разные вещи. 4. Очевидно, что социальная активность молодёжи заметно **-16-**. 5. Психологи **-17-**, что традиционные этические ценности постепенно **-18-**, если мы **-19-** в стабильных экономических условиях.

12. меняться — поменяться	**12.**
13. ставить — поставить	**13.**
14. изменяться — измениться	**14.**
15. понимать — понять	**15.**
16. расти — вырасти	**16.**
17. считать — посчитать	**17.**
18. возвращаться — вернуться	**18.**
19. жить — пожить	**19.**

Часть 3

Инструкция к заданиям 20–27

Закончите предложения, выберите все возможные правильные варианты.

20. Сейчас становятся взрослыми мальчики и девочки, … уже не в СССР.
а) рождающиеся
б) родившиеся
в) родившие
г) рождённые

21. Ценности, … на ведущих местах, как правило, стабильны.
а) ставшие
б) стоявшие
в) стоящие
г) становившиеся

22. Общественные события — один из факторов, … на систему ценностей молодёжи.
а) повлиявших
б) влиявших
в) влиятельных
г) влияющих

23. Экономические трансформации, … после перестройки, тоже изменили сознание молодёжи.
а) начинаемые
б) начавшиеся
в) начинающиеся
г) начатые

24. Я хочу иметь собственные, а не … мне кем-то суждения.
а) навязываемые
б) навязанные
в) навязывающиеся
г) навязывающие

25. Некоторые понимают под богатством наличие источника, … прибыль.
а) принёсшего
б) приносящего
в) приносимого
г) принесённого

26. Есть группа молодёжи, … богатым того, кто в состоянии помогать другим людям.
а) считаемая
б) посчитавшая
в) посчитанная
г) считающая

27. Несмотря на общую тенденцию к прагматизму, современная молодёжь возвращает себе традиционные этические ценности — … сочетание.
а) обнадёжившее
б) обнадёженное
в) обнадёживающее
г) обнадёживаемое

Часть 4

Инструкция к заданиям 28–45

Восстановите предложения, используя следующие глаголы: *вступать — выступать — отступать — уступать — наступать — поступать — проступать — переступать — приступать — расступаться — оступаться — заступаться* и парные им. В правом столбце таблицы напишите подходящие по смыслу глаголы в нужной форме.

28. — Вчера была на чудесном концерте. — Да? А кто там … ?	**28.**
29. Скажите, трудно … в этот университет?	**29.**
30. Сейчас молодёжь рано … во взрослую жизнь. Мой брат, которому 20 лет, уже … на работу.	**30.**
31. Как ты мог так … ! И тебе не стыдно?!	**31.**
32. Не стой в дверях! Что ты … с ноги на ногу? Проходи, садись!	**32.**
33. Когда я была маленькой, брат всегда … за меня.	**33.**
34. Когда же, наконец, … весна?!	**34.**
35. Молодой человек! … , пожалуйста, место пожилой женщине.	**35.**
36. Если ты поставил перед собой цель — добивайся её, не … !	**36.**
37. Пожалуйста, хоть один раз … мне, сделай, как я прошу.	**37.**
38. Как плохо покрасили стены! Видишь, уже … пятна старой краски?!	**38.**
39. Как можно … в партию «зелёных»?	**39.**
40. У нас появились котята. Ходи осторожно, не … на них.	**40.**
41. — Почему ты хромаешь? — Да вчера сбегала с лестницы и … .	**41.**
42. Ну что, все готовы? … к работе!	**42.**
43. Согласно российскому законодательству, в брак могут … люди, достигшие 18 лет.	**43.**
44. Граждане! Не надо толпиться! … , дайте пройти врачу!	**44.**
45. Новая станция метро должна … в строй в следующем году.	**45.**

Инструкция к заданиям 46–59

Восстановите предложения, используя следующие глаголы: *давать — отдавать — раздавать — передавать — выдавать — задавать — подавать — издавать — преподавать — предавать — придавать — сдавать(ся) — вдаваться — удаваться* и парные им. В правом столбце таблицы напишите подходящие по смыслу глаголы в нужной форме.

46. — Антон просил … тебе привет. — Спасибо. Я тоже … ему привет.	**46.**
47. — Откуда у тебя эта книга? — Подруга … . А что? — … мне почитать! — Извини, не могу. Обещала, как только прочитаю, сразу ей … .	**47.**
48. — Поздравьте меня! Вчера нам, наконец, … документы на квартиру. — О! Поздравляю! И родителям … мои поздравления.	**48.**
49. — Где твои часы? — Да что-то они не ходят, я … их в ремонт.	**49.**
50. — Зачем ты … свой телефон направо и налево? Мне кажется, не стоит … свой номер каждому встречному. — Не нужно сердиться. Ты … этому слишком большое значение.	**50.**
51. — Откуда ты знаешь эту женщину? — Она у нас на курсах … .	**51.**
52. Ну, вот и всё. Все экзамены … , можно … книги в библиотеку.	**52.**
53. — Можно … вопрос? — Пожалуйста, … !	**53.**
54. Не … в подробности. И так всё ясно.	**54.**
55. Ну, всё! Ты меня победил! … !	**55.**
56. — Эх ты! Обещал никому не говорить, а сам всё разболтал! — Нет! Это не я! — Я тебе не верю! Как же всем … узнать, что я собираюсь делать? Это ты меня … .	**56.**
57. Разве можно так себя вести? Какой пример ты … младшим?! Ты вообще … себе отчёт в своём поведении?!	**57.**
58. Мы почти не живём на даче, поэтому решили её … .	**58.**
59. В России начали … специальную газету для детей.	**59.**

Инструкция к заданиям 60–65

Восстановите предложения, используя следующие глаголы: *вязать — навязывать — связывать — привязывать(ся) — завязывать(ся) — развязывать(ся)* и парные им. В правом столбце таблицы напишите подходящие по смыслу глаголы в нужной форме.

60. Мы вместе учились, очень … друг к другу. После учёбы разъехались в разные города, подруга написала мне, я ответила, так и … наша переписка.	**60.**
61. Не понимаю, что у вас общего, что вас может … ?	**61.**
62. — Отличный шарф! — Это мне жена … . — Она ещё и … ?!	**62.**
63. Думай сам. Не хочу … тебе своё мнение.	**63.**
64. В магазин входить с собакой нельзя. Давай … её у входа.	**64.**
65. — Смотри, у тебя опять шнурки … . Неужели ты не можешь … их нормально?! — Оставь меня в покое, что ты ко мне …?! — Грубиян!	**65.**

Инструкция к заданиям 66–72

Восстановите предложения, используя следующие глаголы: *расти(ть) — вырасти(ть) — выращивать — подрасти — зарасти — перерасти — отрасти(ть) — обрасти*. В правом столбце таблицы напишите подходящие по смыслу глаголы в нужной форме.

66. — Мы несколько лет не были на даче, наш сад совершенно … , стал диким. — А что вы там раньше … ? — О! У нас … замечательные розы.	**66.**
67. За лето дети … и окрепли.	**67.**
68. Как же ты … ! Наверное, уже отца … ?	**68.**
69. Сколько же ты не стригся? Смотри, совсем … !	**69.**
70. Во время войны мой дед погиб, бабушке пришлось одной … троих детей.	**70.**
71. Мама нас всех … , дала образование.	**71.**
72. Какую шикарную косу ты … ! Сколько же лет ты её … ?	**72.**

Инструкция к заданиям 73–82

Восстановите предложения, используя следующие глаголы: *думать — подумать — придумать — выдумывать — передумать — обдумывать — обдумать — раздумывать — раздумать — вздумать — задумать(ся) — додуматься — одуматься*. В правом столбце таблицы напишите подходящие по смыслу глаголы в нужной форме.

73. — Что же мы будем делать? — Не волнуйся, я кое-что … !	**73.**
74. Не было этого! Вечно ты что-нибудь … !	**74.**
75. — Ну что, ты согласен? — Подожди, мне надо … . — А чего тут …? … не … , делать нечего. Соглашайся! — Нет, я так не могу. Нужно всё … , взвесить все «за» и «против».	**75.**
76. — Почему ты такая грустная? Что-нибудь случилось? — Нет, всё нормально. Просто … .	**76.**
77. Всё! Завтра едем! Только попробуй … ! Ты мне обещал. И теперь не … отказываться!	**77.**
78. Что ты так загадочно улыбаешься? Рассказывай, что ты … ?	**78.**
79. — Ты помнишь, что мы послезавтра идём к Игорю? — Извини, я … . Хочу побыть дома. Да я там и не знаю никого. — Глупости, как это никого не знаешь?! Меня знаешь, Игоря тоже. Не … , пойдём!	**79.**
80. Неужели ты всё это сам … ? Молодец! И как ты до этого … ?	**80.**
81. — Ну что? Ты купила новый мобильник? — Нет, я … его покупать.	**81.**
82. — Почему ты увольняешься? Нельзя же вот так уходить «в никуда»! … ! Что ты делаешь?! — Не волнуйся. Сначала я действительно хотел уйти, но потом … .	**82.**

Часть 5

Инструкция к заданиям 83–89

Вам предъявляется текст с пропусками (информационное сообщение). После текста даны группы слов. Номера групп слов соответствуют номерам пропусков. Укажите слова, подходящие по смыслу и характерные для научного стиля речи.

75 % молодых россиян **-83-** такое определение слова «карьерист»: карьерист — это человек, **-84-** наиболее полной профессиональной **-85-**. При этом более 61 % **-86-** себя карьеристами. По **-87-** 17 %, «карьерист» — это не про них, а 23 % **-88-** было трудно **-89-** определение этому слову.

(по материалам сайта superjob.ru)

83. а) дали
б) выдали
в) сделали
г) подобрали

84. а) страждущий
б) ищущий
в) жаждущий

85. а) реальности
б) выполняемости
в) реализации

86. а) обзывают
б) называют
в) прозывают

87. а) словам
б) определению
в) мнению

88. а) спрошенных
б) опрошенных
в) запрошенных

89. а) дать
б) передать
в) сдать

ПРОБЛЕМЫ ТРУДОУСТРОЙСТВА

2.3

Задание 1. **Объясните значение данных слов и словосочетаний и составьте с ними предложения.**

работодатель
соискатель
высокопоставленный человек
няня
обуза
надомная работа
поле деятельности
вести домашнее хозяйство
сидеть с ребёнком
вносить лепту

Задание 2. **Составьте пары из слов, близких по значению.**

1. перечень
2. вакансия
3. заработок
4. сотрудник
5. карапуз
6. качественно
7. лишь
8. точно в срок

а. зарплата
б. работник
в. вовремя
г. список
д. только
е. свободное место
ж. малыш
з. хорошо

Задание 3. **Найдите синонимы.**

1. достичь
2. заявлять
3. трудиться
4. выполнять
5. приобрести
6. соседствовать
7. разумеется

а. работать
б. купить
в. говорить
г. жить рядом
д. делать
е. конечно
ж. добиться

Задание 4. **Найдите антонимы.**

1. правило
2. уход
3. сомнение
4. ответственность
5. ожидаемый
6. подержанный
7. прежний
8. дневной

а. ночной
б. нынешний
в. исключение
г. новый
д. возвращение
е. уверенность
ж. неожиданный
з. халатность

Задание 5. **Составьте пары из слов, противоположных по значению.**

1. позволять
2. приступать
3. вряд ли
4. отважиться
5. приобрести

а. испугаться
б. конечно
в. потерять
г. заканчивать
д. запрещать

Задание 6. **Образуйте парные глаголы совершенного вида от глаголов:** 🗝

а) заявлять — объявлять — появляться — проявлять(ся) — выявлять;
б) восстанавливать(ся) — останавливать(ся) — устанавливать(ся) — приостанавливать.

Задание 7. **Как вы понимаете данные предложения? Передайте их смысл другими словами.**

1. Я не хочу брать на себя такую обузу. 2. Наш директор — редкой души человек. 3. Я хочу трудиться на благо родной компании. 4. Нужно взять инициативу в свои руки. 5. Моя дочь абсолютно права. Судите сами. 6. Новому начальнику предстоит решить множество проблем. 7. Брата всё время одолевают сомнения. 8. Если ты устранишь все проблемы, новая работа у тебя в кармане. 9. Нужно изначально придерживаться мысли, что вы работаете для того, чтобы не потерять профессиональную форму и вносить посильную лепту в семейный бюджет. 10. Меня это не устраивает. 11. Нужно правильно оборудовать рабочее место.

Задание 8. **Прочитайте текст и выполните задание к нему.**

ЖЕЛАЕТЕ РАБОТАТЬ — НЕТ НИЧЕГО НЕВОЗМОЖНОГО!

С одной стороны, очень хочется подольше посидеть с ребёнком. А с другой — жалко бросать работу! Тем более, если удалось достигнуть заметных успехов. «Вот если бы я могла работать дома!» — мечтают молодые мамы...

Традиционный поиск работы чаще всего не приносит ожидаемых результатов. Представьте себе состояние работодателя, когда соискательница вакансии заявляет примерно следующее: «Мне нужна работа на неполный день. Причём желательно такая, которую я смогла бы выполнять на дому, потому что у меня маленький ребёнок». Брать на себя такую обузу отважится только редкой души человек. Разумеется, исключением из правил становятся высокопоставленные или ценные сотрудницы, возвращения которых на работу ждут с большим нетерпением и потому готовы создать им условия, лишь бы они трудились на благо родной компании.

Женщина может получить такую работу только в том случае, если возьмет инициативу в свои руки.

Судите сами. Вашему работодателю предстоит решать множество проблем: определить, какую работу вы могли бы делать, оборудовать вам рабочее место на дому. И, наконец, его будут одолевать сомнения в том, сможете ли вы делать работу качественно и «точно в срок»? И вы должны самостоятельно устранить все эти проблемы, прежде чем обратиться к потенциальному работодателю. Если вам это удастся — считайте, что работа у вас «в кармане».

Работа с информацией во всех её видах — таково основное поле деятельности деловой мамы. Вот перечень профессий, которые подходят для надомной работы:

— аудиторы;
— дизайнеры;
— журналисты;
— интервьюеры;
— экономисты;
— корректоры;
— переводчики;
— программисты;
— редакторы;
— социологи и многие другие.

Зная об особенностях вашей профессии, вы должны составить полный список обязанностей, которые могли бы выполнять, не выходя из дома. Можно взять на себя выполнение какой-либо одной либо двух-трёх функций или предложить себя в помощь одному из основных сотрудников.

Молодой маме, решившей работать на дому, следует адекватно оценивать свои возможности в отношении суммы своего заработка.

Если вы станете работать по специальности, выполняя ровно половину ваших прежних профессиональных обязанностей, получать вы будете, скорее всего, также только половину от прежнего заработка.

Поэтому лучше изначально придерживаться той мысли, что вы работаете не для того, чтобы полностью обеспечить свою семью, а для того, чтобы не потерять профессиональную форму, внося посильную лепту в семейный бюджет.

Если у вас есть персональный компьютер, вопрос о том, как оборудовать своё рабочее место, перед вами не стоит. Но даже если ПК у вас нет, можно попросить работодателя выделить вам компьютер из арсенала имеющихся в компании. Есть и другой выход: приобрести ПК или ноутбук, можно даже подержанный.

И последний вопрос: кто будет сидеть с ребёнком? По правде говоря, ребёнок может всё время оставаться с вами, если вы правильно распределите своё время и силы.

Оптимальной продолжительностью вашего рабочего дня будем считать четыре часа (половину стандартного 8-часового). За меньшее время вы вряд ли успеете что-либо «наработать», а более продолжительная работа не позволит вам успевать делать всё остальное (заботиться о ребёнке, вести домашнее хозяйство).

Если вы 100-процентная «сова», то во время самого продолжительного дневного сна ребёнка (это два часа и более) вы отдыхаете (спите) одновременно с ним. А вечером, уложив малыша, приступаете к работе — с 21 до 1 часа ночи.

Если вас этот вариант не устраивает, то можно распределить рабочее время так: наиболее сложную работу выполнять во время дневного сна ребёнка, а оставшиеся два часа работы перенести на вечер — с 21 до 23 часов.

В крайнем случае вы можете нанять няню для прогулок с ребёнком. Подойдёт ответственная неработающая пенсионерка из числа ваших соседей по дому или по двору. Найдите ближайшую к вашему дому детскую площадку, где собираются ровесники вашего малыша. Тогда от няни потребуется лишь сидеть на лавочке, разговаривая с другими бабушками, и следить за тем, чтобы карапузы мирно соседствовали друг с другом и не пытались попробовать свежеприготовленные куличики. Если же ваш малыш пребывает в «колясочном» возрасте, то ей будет ещё проще.

Таким образом, вы видите, что нет ничего невозможного. Всё зависит лишь от вашего желания работать.

(по материалам газеты «Элитный персонал»)

ЗАДАНИЕ: На основе прочитанного текста составьте письменное сообщение в виде факса молодым женщинам, имеющим ребёнка и желающим получить надомную работу. При этом:
— укажите источник информации;
— в своём сообщении используйте общепринятые сокращения.

***Время выполнения задания — 30 минут.**
Объём текста — 60–70 слов.
***ТРКИ-3 / Письмо, задание 2.**

....

....

....

....

....

....

....

....

....

....

....

....

....

....

....

....

....

Задание 9. **Вы разговариваете с подругой, мечтающей о работе дома. Примите участие в диалоге. Ваша задача:**

а) Согласитесь с указанным мнением, используя синонимичные конструкции.

б) Не согласитесь с указанным мнением, используя антонимы.

— Мне кажется, трудиться дома — совсем нетрудно.
— ....

— Получить согласие начальства — не проблема.
— ....

— Главное — чётко представлять, какие обязанности ты можешь выполнять, не выходя из дома.
— ....

— Ну и, конечно, важно правильно распределить своё время.
— ....

Задание 10. **Прочитайте предложенные выражения и определите, какие интенции они передают: 1) согласие, 2) заинтересованность, 3) удивление, 4) одобрение.**

а. Как так? ☐
Чего-чего, а этого я от вас не ожидал(а)!
Вы? Что?

б. А почему бы и нет! ☐
Ну, хорошо!
Давайте попробуем!

в. Что хорошо, то хорошо! ☐
Удачное решение!
Да, неплохо получилось!

г. И что же? ☐
Что вы предлагаете?
Как вы себе это представляете?

Задание 11. **Вы — начальник фирмы. Молодая сотрудница обратилась к вам с просьбой. Примите участие в диалоге. Выразите указанные интенции.**

Удивление:
— Я бы хотела работать дома.
— ....

Заинтересованность:
— Я уже всё продумала.
— ....

Одобрение:
— Честно говоря, новую компьютерную программу, которую вы используете, я написала сама.
— ....

Согласие:
— Так что? Можно мне работать дома?
— ....

Задание 12. **Вы разговариваете с подругой, работающей начальником отдела. Она согласилась выполнить просьбу своей подчинённой и разрешила ей работать дома, а теперь жалеет об этом. Примите участие в диалоге, возразите подруге и убедите её в правильности сделанного выбора. Приведите свои аргументы. Используйте разные языковые средства.**

— Разрешила молодой сотруднице работать дома, а теперь сомневаюсь, правильно ли я поступила.
— ....

— Мне кажется, домашние дела будут её всё время отвлекать.
— ....

— Придётся устанавливать ей дома необходимое оборудование. А это всё дополнительные расходы.
— ....

— А вдруг и другие сотрудники захотят работать дома?
— ....

Задание 13. **Вы — директор компании. Утром вы получили документ следующего содержания:**

Директору ОАО «Приалит»
Прохорову Ю.Е.
от бухгалтера
Петровой А.А.

ДОКЛАДНАЯ ЗАПИСКА

Довожу до Вашего сведения, что сотрудник фирмы Иванова Т.В. не подготовила в указанный срок финансовый отчёт за прошедший месяц, в связи с чем не была начислена зарплата сотрудникам нашей фирмы.

31.08.12. Бухгалтер Петрова А.А.

Проведите с Петровой А.А. разговор, в ходе которого вы должны:
— обозначить тему разговора;
— выяснить объективные и субъективные причины случившегося;
— высказать собственный взгляд на случившееся;
— объявить о своём решении.

ТРКИ

***ТРКИ-3 / Говорение, задание 14.**

Задание 14. **Согласитесь или опровергните данные высказывания. Приведите свои аргументы.**

1. Главное призвание женщины — сохранение домашнего очага, воспитание детей.
2. Общество навязывает мужчинам и женщинам социальные роли.
3. Нужно во всём соблюдать равноправие полов.

Задание 15. **Скажите, интересуетесь ли вы проблемами феминизма? Есть ли, на ваш взгляд, разница между понятиями «феминизм» и «женское равноправие»? Если есть, то в чём?**

Задание 16. **Составьте небольшое выступление на тему «Работающая женщина — это...».**

Задание 17. **а) Ваш хороший знакомый — менеджер по персоналу крупной фирмы. Он обратился к вам с просьбой порекомендовать ему человека на должность переводчика.**
Напишите дружеское, неформальное письмо, в котором охарактеризуйте рекомендуемого человека, а именно укажите:
— его личностные качества;
— деловые и профессиональные качества;
— факты и события из его жизни, которые привлекли ваше внимание;
— обстоятельства вашего знакомства.
А также оцените, обладает ли этот человек всеми качествами, необходимыми для работы в крупной фирме.

ТРКИ

***Время выполнения задания — 20 мин.**
Объём текста — 100–150 слов.
***ТРКИ-2 / Письмо, задание 3.**

б) Напишите письмо, в котором вы рекомендуете на должность бухгалтера / секретаря автора одного из следующих резюме (см. Приложение на с. 284–286).

Задание 18. **Напишите эссе.**

а) «Мужчины и женщины: социальные роли» (сопоставительное эссе). При этом:
— сформулируйте проблему;
— приведите различные точки зрения на социальные роли мужчины и женщины в современном обществе;
— охарактеризуйте изменения в общественном сознании в восприятии этой проблемы;
— изложите свою точку зрения;
— дайте прогноз на будущее.

б) «Призвание женщины — семейный очаг» (эссе причинно-следственного типа). При этом:
— сформулируйте проблему;
— приведите объективные и субъективные причины данного понимания роли женщины в обществе;
— оцените сложившуюся в обществе ситуацию;
— изложите свою точку зрения;
— дайте прогноз о развитии ситуации.

в) «Равноправие полов: за и против» (эссе-доказательство). При этом:
— сформулируйте проблему;
— приведите аргументы «за» и «против»;
— изложите свою точку зрения;
— сформулируйте вывод.

***Время выполнения задания — 30 минут.**
Объём текста —150–200 слов.

Основной тезис: ....

....

....

....

Аргументы, примеры: ....

....

....

....

....

....

....

....

....

....

Заключение в соответствии с основным тезисом: ....

....

....

....

....

ЛЕКСИКО-ГРАММАТИЧЕСКИЙ ТЕСТ

Часть 1

Инструкция к заданиям 1–14

Вам предъявляются предложения, в которых некоторые слова и группы слов представлены в начальной форме. Номера групп слов в таблице соответствуют номерам предложений. Ваша задача — восстановить предложения, употребив слова в нужной грамматической форме, используя там, где необходимо, предлоги. В правом столбце таблицы напишите правильный вариант.

1. (Одна сторона), очень хочется посидеть (дом) (ребёнок), а (другая сторона) — жалко бросать (карьера), если уже удалось достигнуть (заметные успехи). **2.** Традиционный поиск (работа) часто не приносит (ожидаемые результаты). **3.** (Исключение) (правила) становятся ценные сотрудницы, (они) ждут (работа) (большое нетерпение). **4.** Женщина может получить (надомная работа), если возьмёт (инициатива) (свои руки). **5.** (Работа) (информация) (все её виды) — вот поле (деятельность) (деловая мама). **6.** (Молодая мама) нужно адекватно оценивать (свои возможности) в (отношение) (заработок). **7.** Если вы станете работать (специальность) (половина) (рабочий день), получать вы будете тоже только (половина) (прежний заработок). **8.** Вы работаете не (то), чтобы обеспечить (семья), а (то), чтобы не потерять (квалификация). **9.** Если (вы) нет (компьютер), можно попросить (работодатель) выделить (вы) (он) из (те), что имеются (компания). **10.** Работа неполный рабочий день позволит (вы) заботиться (ребёнок) и вести (домашнее хозяйство). **11.** Если (вы) (такой режим) не устраивает, можно распределить (время) по-другому. **12.** Найдите (няня) (прогулки) (малыш). **13.** (Няня) требуется сидеть (лавочка), разговаривать (бабушки) и следить (ваш малыш). **14.** Всё зависит (ваше желание) работать.

1. одна сторона, дом, ребёнок, другая сторона, карьера, заметные успехи	**1.**
2. работа, ожидаемые результаты	**2.**
3. исключение, правила, они, работа, большое нетерпение	**3.**
4. надомная работа, инициатива, свои руки	**4.**
5. работа, информация, все её виды, деятельность, деловая мама	**5.**
6. молодая мама, свои возможности, отношение, заработок	**6.**
7. специальность, половина, рабочий день, половина, прежний заработок	**7.**
8. то, семья, то, квалификация	**8.**
9. вы, компьютер, работодатель, вы, он, те, компания	**9.**
10. вы, ребёнок, домашнее хозяйство	**10.**
11. вы, такой режим, время	**11.**
12. няня, прогулки, малыш	**12.**
13. няня, лавочка, бабушки, ваш малыш	**13.**
14. ваше желание	**14.**

Часть 2

Инструкция к заданиям 15–23

Вам предъявляется текст с пропусками. После текста даны видовые пары глаголов. Номера видовых пар глаголов соответствуют номерам пропусков. Ваша задача — выбрать глагол нужного вида и употребить его в форме будущего времени. В правом столбце таблицы напишите правильный вариант.

1. Женщина может работать дома, если **-15-** инициативу в свои руки. 2. Ваш начальник, скорее всего, не сразу **-16-** на вашу просьбу, поскольку его **-17-** сомнения, **-18-** ли вы работать дома качественно. 3. Если вам **-19-** его уговорить, считайте, что работа — ваша. 4. Если вы **-20-** дома половину рабочего дня, вы **-21-** тоже только половину своей прежней зарплаты. 5. Последний важный вопрос: с кем **-22-** ребёнок? 6. Работать нужно как минимум четыре часа. За меньшее время вы вряд ли что-то **-23-**.

15. брать — взять	**15.**
16. соглашаться — согласиться	**16.**
17. одолевать — одолеть	**17.**
18. мочь — смочь	**18.**
19. удаваться — удаться	**19.**
20. работать — поработать	**20.**
21. получать — получить	**21.**
22. оставаться — остаться	**22.**
23. успевать — успеть	**23.**

Инструкция к заданиям 24–52

Вам предъявляется текст с пропусками. После текста даны видовые пары глаголов. Номера видовых пар глаголов соответствуют номерам пропусков. Ваша задача — выбрать инфинитив нужного вида. В правом столбце таблицы напишите правильный вариант. Укажите все возможные варианты.

1. После рождения ребёнка очень хочется быстрее **-24-** работу, а с другой стороны, хочется и **-25-** с ребёнком дома. 2. Жалко **-26-** карьеру, если удалось **-27-** каких-то заметных результатов. 3. Молодой маме нужна работа на неполный день, которую она смогла бы **-28-** на дому. 4. Ценным сотрудницам на работе готовы **-29-** все условия. 5. Женщина может **-30-** работу дома, если будет очень активной. 6. Вашему работодателю предстоит **-31-**, какую работу вы могли бы **-32-** не выходя из дома. 7. Вы должны **-33-** все бытовые проблемы, прежде чем **-34-** к начальнику. 8. Нужно **-35-** список всех обязанностей, которые вы могли бы **-36-** дома. 9. Можно **-37-** на себя выполнение какой-либо одной обязанности или **-38-** себя в помощь одному из основных сотрудников. 10. Лучше сразу **-39-**, что вы работаете не для того, чтобы **-40-** семью, а для того, чтобы не **-41-** профессиональную форму. 11. Если у вас дома есть компьютер, вопрос о том, где его **-42-**, перед вами не стоит. 12. Можно **-43-** работодателя **-44-** вам компьютер из тех, что есть в офисе. Есть и другой выход: **-45-** подержанный ноутбук. 13. Ребёнок может всё время **-46-** с вами. 14. Полный рабочий день не позволит вам **-47-** все домашние дела и **-48-** о ребёнке. 15. Важно **-49-** подходящий режим работы. Своё время можно **-50-** по-разному, например, **-51-** два часа работы на вечер. 16. В крайнем случае вы можете **-52-** няню.

24. начинать — начать	**24.**
25. сидеть — посидеть	**25.**
26. бросать — бросить	**26.**
27. достигать — достичь	**27.**
28. выполнять — выполнить	**28.**
29. создавать — создать	**29.**
30. получать — получить	**30.**
31. определять — определить	**31.**
32. делать — сделать	**32.**
33. устранять — устранить	**33.**
34. обращаться — обратиться	**34.**
35. составлять — составить	**35.**
36. выполнять — выполнить	**36.**
37. брать — взять	**37.**
38. предлагать — предложить	**38.**
39. решать — решить	**39.**
40. обеспечивать — обеспечить	**40.**
41. терять — потерять	**41.**
42. брать — взять	**42.**
43. просить — попросить	**43.**
44. выделять — выделить	**44.**
45. приобретать — приобрести	**45.**
46. оставаться — остаться	**46.**
47. успевать — успеть, делать — сделать	**47.**
48. заботиться — позаботиться	**48.**
49. выбирать — выбрать	**49.**
50. распределять — распределить	**50.**
51. переносить — перенести	**51.**
52. нанимать — нанять	**52.**

Инструкция к заданиям 53–59

Вам предъявляется текст с пропусками. После текста даны видовые пары глаголов. Номера видовых пар глаголов соответствуют номерам пропусков. Ваша задача — выбрать глагол нужного вида и использовать его в форме деепричастия. В правом столбце таблицы напишите правильный вариант. Укажите все возможные варианты.

1. **-53-** об особенностях вашей профессии, вы должны составить список своих обязанностей. 2. **-54-** работать на дому, вы должны адекватно оценить свои способности. 3. Если вы работаете дома, **-55-** половину своих обязанностей, получать вы будете тоже половину. 4. Вы работаете, чтобы сохранить профессиональную форму, **-56-** посильную лепту в семейный бюджет. 5. По правде **-57-**, ребёнок может всё время оставаться с вами. 6. Можно работать днём, **-58-** малыша спать. А можно, **-59-** работу на вечер, днём отдыхать вместе с ребёнком.

53. знать — узнать	**53.**
54. решать — решить	**54.**
55. выполнять — выполнить	**55.**
56. вносить — внести	**56.**
57. говорить — сказать	**57.**
58. укладывать — уложить	**58.**
59. переносить — перенести	**59.**

Часть 3

Инструкция к заданиям 60–64

Восстановите предложения, выберите подходящее по смыслу существительное: *работодатель — работник — рабочий — работа*. В правом столбце таблицы напишите правильный вариант в нужной форме.

60. … нашего университета решили провести профсоюзное собрание.	**60.**
61. … должен оборудовать рабочие места для своих … .	**61.**
62. Почему ты бросил …?	**62.**
63. В наш цех пришли новые молодые … .	**63.**
64. Как вы понимаете русскую пословицу «… не волк, в лес не убежит»?	**64.**

Часть 4

Инструкция к заданиям 65–74

Восстановите предложения, используя следующие глаголы: *работать — разрабатывать — подрабатывать — перерабатывать — зарабатывать — выработать — заработать(ся) — обработать — доработать — переработать*. В правом столбце таблицы напишите подходящие по смыслу глаголы в нужной форме.

65. На этом заводе … строительные отходы.	**65.**
66. Сейчас многие молодые люди неплохо … .	**66.**
67. Компьютерщики … новые технологии.	**67.**
68. Во время учёбы многие студенты … .	**68.**
69. Собранные данные нужно … .	**69.**
70. Последняя часть диссертации кажется неудачной, её нужно… .	**70.**
71. Доверие нужно … .	**71.**
72. Привычку рано вставать я … в армии.	**72.**
73. Что-то мы сегодня … , не пора ли по домам?	**73.**
74. — Сколько же лет вы … на одном месте? — Да почти тридцать, … до пенсии и уйду.	**74.**

Инструкция к заданиям 75–82

Восстановите предложения, используя следующие глаголы: *судить(ся) — обсудить — рассуждать — осудить — осуждать*. В правом столбце таблицы напишите подходящие по смыслу глаголы в нужной форме.

75. Давайте … это предложение!	**75.**
76. У каждого человека свои недостатки. Никогда не нужно никого … .	**76.**
77. Хватит … , давайте займёмся делом!	**77.**
78. Преступника арестовали, … и … на десять лет.	**78.**
79. Вы согласны с фразой «Не … , да не судимы будете»?	**79.**
80. Если мы не можем решить этот вопрос мирным путём, будем … .	**80.**
81. Конечно, ты всё говоришь правильно. Но тебе легко … .	**81.**
82. Трудно … о человеке, если видел его всего пару раз.	**82.**

Часть 5

Инструкция к заданиям 83–91

Восстановите предложения, используя следующие глаголы: *заявлять — объявлять — появляться — проявлять(ся) — выявлять* и парные им. В правом столбце таблицы напишите подходящие по смыслу глаголы в нужной форме.

83. Ты напугал меня! … так неожиданно!	**83.**
84. Вчера нам … , что экскурсия в Суздаль переносится.	**84.**
85. Я знаю, что у мужа неприятности на работе, но дома он старается никак не … своего беспокойства.	**85.**
86. Способности к математике … у моего брата ещё в раннем детстве.	**86.**
87. Уходи и больше не … !	**87.**
88. Во время официальных переговоров обе стороны … , что страны не имеют территориальных претензий друг к другу.	**88.**
89. В результате аудиторской проверки на заводе … серьёзные нарушения.	**89.**
90. В ходе судебного процесса адвокат несколько раз … протест.	**90.**
91. Во время этих занятий каждый может … свои таланты.	**91.**

Инструкция к заданиям 92–101

Восстановите предложения, используя следующие глаголы: *становиться — восстанавливать(ся) — останавливать(ся) — устанавливать(ся) — приостанавливать* и парные им. В правом столбце таблицы напишите подходящие по смыслу глаголы в нужной форме.

92. На улице … всё теплее, и наконец, … жаркая летняя погода.	**92.**
93. Твой сын так изменился! Он … совсем взрослым.	**93.**
94. Что ты стоишь? Не … , иди быстрее!	**94.**
95. После серьёзной травмы этот спортсмен долго … .	**95.**
96. Из-за небольшой аварии движение поездов … буквально на десять минут, а потом оно опять возобновилось.	**96.**
97. После ужасного землетрясения этот город … вся страна.	**97.**
98. … , пожалуйста, здесь. Не нужно въезжать во двор.	**98.**
99. Меня уволили несправедливо! Я обращусь в суд, не … меня! Нужно … справедливость!	**99.**
100. Ты здесь человек новый, не … свои правила.	**100.**
101. Своим указом президент временно … действие этого закона.	**101.**

РАВНОПРАВИЕ ПОЛОВ НА РЫНКЕ ТРУДА

2.4

Задание 1. **Объясните значение данных слов и выражений, составьте с ними предложения.**

добытчик
домохозяйка
разница между полами
деловой мир
продвижение по службе
дружить против конкурентов
играть по чужим правилам
заниматься своим делом
одиночные виды спорта

Задание 2. **Составьте пары из слов, близких по значению.**

1. стереотип
2. признание
3. стремление
4. поражение
5. исключительно

а. слава
б. сильное желание
в. только
г. общепринятое представление
д. проигрыш

Задание 3. **Найдите синонимы.**

1. ошизеть
2. прощать
3. пытаться
4. приобретать
5. считать

а. пробовать
б. думать
в. получать
г. извинять
д. сойти с ума

Задание 4. **Найдите антонимы.**

1. победа
2. разница
3. дружба
4. восхождение
5. избегать

а. вражда
б. поражение
в. спуск
г. стремиться
д. сходство

Задание 5. **Составьте пары из слов, противоположных по значению.**

1. личный
2. отрицательный
3. поздний
4. чужой
5. прибыль

а. родной
б. общественный
в. потеря
г. ранний
д. положительный

Задание 6. **Передайте смысл данных предложений другими словами.**

а) 1. Мужчине прощается поздний приход домой и невнимание к домашним делам, а от женщины ожидают другого. 2. Стремление продвинуться по карьерной лестнице и получить признание коллег нормально. 3. Он буквально сгорает на работе, забывая про всех и вся. 4. Обычно женщины поздно решаются начать восхождение по служебной лестнице. 5. Женщине необходимо время, чтобы почувствовать себя на работе уверенно. 6. Многие женщины не настроены на служебный рост и работают «для души». 7. Лет после тридцати женщины спохватываются и пытаются угнаться за мужчинами. 8. Работа для женщин осуществляется «здесь и сейчас». 9. Для мужчины риск влечёт за собой азарт. 10. Он у меня не вызывает симпатии. 11. Карьера — это лестница в небо.

б) 1. Плох тот солдат, который не мечтает стать генералом. 2. Или пан, или пропал.

Задание 7. **Прочитайте текст и выполните задание к нему.**

ЖЕСТОКИЙ АЛЬЯНС

Если представителям сильной половины человечества прощается поздний приход домой и невнимание к домашним делам, то от женщины ожидают другого. Хотя сегодня большинство дам работает, считается, что хозяйка должна выбирать между карьерой и семьёй.

Стремление продвинуться по карьерной лестнице и получить признание коллег нормально. Но совсем не редка ситуация, когда мечтающий стать генералом солдат забывает про всё и всех, буквально сгорая на работе.

Европейский институт антропологических и социальных проблем современного общества в конце XX века провёл масштабное исследование, посвящённое поведению женщин в современном деловом мире. Одной из проблем, затронутых учёными, стала разница между представителями полов в подходах к бизнесу и карьере.

Вот лишь несколько «правил поведения», выявленных специалистами.

Дружба против конкурента — Различия в подходе к выполняемому делу выявляются уже между мальчиками и девочками. Это видно на такой интересной «статистике»: мальчики с детства учатся действовать в команде, объединяясь для игр. Они учатся побеждать вместе, несмотря на то что отдельные члены группы не вызывают симпатии. Девочки же, как правило, не приобретают опыта действовать в команде. Если они занимаются спортом, то предпочитают одиночные виды, такие как гимнастика или теннис.

Лестница в небо — Если же говорить о взрослых, то мужчины, например, соотносят всю выполняемую ими работу исключительно со своими представлениями о карьере, т. е. рассматривают её как продвижение по службе, преуспевание. Женщины же разделяют два понятия: выполняемая работа и карьера. Работа для них осуществляется «здесь и сейчас», а карьера является исключительно личной целью, о результатах достижения которой может судить только сама женщина.

Или пан, или пропал — Для мужчины риск влечёт за собой азарт, означает потерю или прибыль, победу или поражение, опасность или шанс. А женщины оценивают риск как принципиально отрицательный момент. Для них он означает потерю, опасность, боль, поэтому женщины по возможности его избегают.

В отличие от мужчин женщины очень поздно решаются начать восхождение по служебной лестнице. Им необходимо время, чтобы почувствовать себя уверенно,

но для запланированной карьеры это слишком поздно! Большинство женщин вообще не настроены на служебный рост, считая, что могут работать «для души», ведь всё равно добытчиком является муж. Лишь разочаровавшись в стереотипах или ошизев от роли домохозяйки, лет после тридцати женщины спохватываются и пытаются угнаться за мужчинами, войти в их закрытый «клуб». И для того, чтобы добиться реальных успехов, бизнес-дамам приходится играть по чужим правилам, а главное — выбирать между карьерой и семейным счастьем. Не говоря уже о том, что женщины должны постоянно доказывать, что занимаются своим делом, хотя все и предполагают обратное.

(по материалам газеты «Metro»)

ЗАДАНИЕ: на основе прочитанного текста составьте письменное сообщение в виде факса вашему другу-социологу, который проводит исследование на тему «Положение женщины в современном обществе». При этом:

— укажите источник информации;

— в своём сообщении используйте общепринятые сокращения.

ТРКИ

***Время выполнения задания — 20 минут.**
Объём текста — 60–70 слов.
***ТРКИ-3 / Письмо, задание 2.**

Задание 8. **Вы участвуете в обсуждении вопроса «Легко ли женщине делать карьеру?». Примите участие в диалоге. Ваша задача:**

а) Согласитесь с указанным мнением, используя синонимичные конструкции.

б) Не согласитесь с указанным мнением, используя антонимы.

— Многие люди стремятся продвинуться по карьерной лестнице.
— ....

— Это требует больших усилий.
— ....

— Женщинам, имеющим семью и детей, делать карьеру особенно трудно.
— ....

— Государство обязано помогать таким женщинам.
— ....

Задание 9. **Прочитайте предложенные выражения и определите, какие интенции они передают: 1) согласие, 2) возмущение, 3) претензия (укорять), 4) неудовольствие.** 🗝

а. Да ты что?! ☐
Ну, ты и скажешь!
Что ты говоришь?

б. Ничего себе (шуточки)! ☐
Кто так делает?!

в. С этим не поспоришь! ☐
Да, так оно и есть!
Да, (им) не до того!

г. Я этого не понимаю! ☐
Да ну тебя!

Задание 10. **Вы — участник дискуссии «Должна ли мама работать?». Примите участие в диалоге, выразите следующие интенции:**

Согласие:
— Работающей женщине трудно заниматься воспитанием детей.
— ....

Возмущение:
— Поэтому женщины, у которых есть дети, вообще не должны работать.
— ....

Претензия:
— Не надо так волноваться. Я пошутила.
— ....

Неудовольствие:
— Ладно, уж и пошутить нельзя.
— ....

Задание 11. **Вы разговариваете с подругой, которой предложили стать начальником отдела. Она согласилась, а теперь жалеет об этом. Примите участие в диалоге, возразите подруге и убедите её в правильности сделанного выбора. Приведите свои аргументы. Используйте разные языковые средства.**

— Согласилась стать начальником отдела, а теперь боюсь, вдруг не справлюсь?
— ....

— Мне кажется, у меня не хватит жёсткости. Никто не будет выполнять моих просьб.
— ....

— Большинство моих подчинённых — мужчины. Они не будут воспринимать меня всерьёз.
— ....

— К тому же я боюсь испортить отношения с подругами. Они же тоже теперь мои подчинённые!
— ....

Задание 12. **Вы прочитали в газете объявление:**

ОАО «Автофрамос»

в связи с развитием производственного проекта приглашает

СПЕЦИАЛИСТА ПО ПОДБОРУ ПЕРСОНАЛА

Если Вы:
- имеете в/о и навыки работы на ПК
- имеете опыт подбора производственного персонала
- умеете и любите работать в команде
- мечтаете принимать участие в подборе персонала и развитии современного автомобильного завода
- Вам 23–30 лет

Мы ждем Ваше резюме по e-mail: job.avt@mail.ru
Контактный телефон: 775 40 20

Это объявление вас заинтересовало. Позвоните по указанному телефону и расспросите обо всём как можно более подробно, чтобы решить, стоит ли вам обращаться в эту фирму.

***ТРКИ-2 / Говорение, задание 14.**

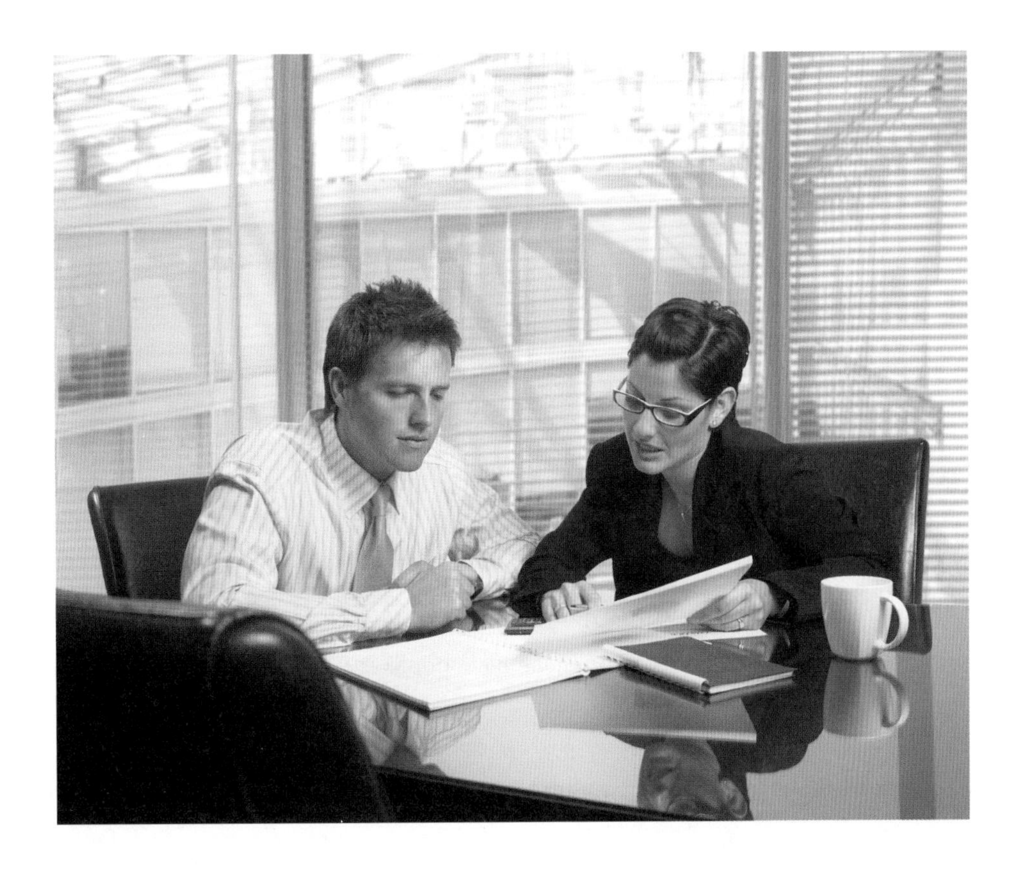

Задание 13. **Вы — сотрудник фирмы. По семейным обстоятельствам вам неожиданно понадобилось взять отпуск. Напишите заявление на имя директора фирмы с указанием причины и сроков отпуска.**

ТРКИ

***Время выполнения задания — 15 минут.**
Объём текста — 50–70 слов.
***ТРКИ-2 / Письмо, задание 2.**

Задание 14. **Согласитесь или опровергните данные высказывания. Приведите свои аргументы.**

1. Стремление сделать карьеру диктует определённый образ жизни, который лишает женщину женственности.
2. Женщина-начальник — это кошмар!

Задание 15. **Расскажите, каким вы представляете себе своё будущее (будущее вашей жены).**

Задание 16. **Напишите эссе на тему «Моя лестница в небо». При этом укажите:**
— в чём заключается проблема;
— объективные и субъективные причины, влияющие на выбор профессии;
— различные точки зрения на проблему;
— перспективы вашего карьерного роста;
— ваше отношение к общественной оценке профессий с точки зрения престижности.

***Время выполнения задания — 30 минут.**
Объём текста — 150–200 слов.

ЛЕКСИКО-ГРАММАТИЧЕСКИЙ ТЕСТ

Часть 1

Инструкция к заданиям 1–5

Вам предъявляется текст, в котором некоторые слова и группы слов представлены в начальной форме. Номера групп слов в таблице соответствуют номерам предложений. Ваша задача — восстановить текст, употребив слова в нужной грамматической форме, используя там, где необходимо, предлоги. В правом столбце таблицы напишите правильный вариант. Укажите все возможные варианты.

1. Если (представители) (сильная половина) (человечество) прощается поздний приход (дом) и невнимание (домашние дела), то (женщина) ожидают (другое). **2.** (Одна из проблем), (затронутая) (учёные), стала разница между (представители) полов (подходы) (бизнес и карьера). Различия выявляются уже (мальчики и девочки). **3.** Работа (женщина) осуществляется «здесь и сейчас», а карьера является исключительно (личная цель), (результаты) которой может судить только сама женщина. **4.** (Отличие) (мужчины) женщины очень поздно решаются начать (восхождение) (служебная лестница). (Они) необходимо (время). **5.** Женщины (30 лет) могут разочароваться (стереотипы) или ошизеть (роль) (домохозяйка), (этот случай) иногда они пытаются угнаться (мужчины) и войти (их закрытый «клуб»).

1. представители, сильная половина, человечество, дом, домашние дела, женщина, другое	**1.**
2. одна из проблем, затронутая, учёные, представители, подходы, бизнес и карьера; мальчики и девочки	**2.**
3. женщина, личная цель, результаты	**3.**
4. отличие, мужчины, восхождение, служебная лестница; они, время	**4.**
5. 30 лет, стереотипы, роль, домохозяйка, этот случай, мужчины, их закрытый «клуб»	**5.**

Инструкция к заданиям 6–13

Вам предъявляется текст (психологический тест «Получится ли из вас начальник?») с пропусками части фраз. Справа даны пропущенные части предложений. Ваша задача — определить, в какой пропуск в тексте можно вставить каждый из фрагментов.

6. В детстве необходимость подчиняться была …
7. Думаю, что прогресс в науке немыслим без людей, …
8. Мужчина умеет подчинять …
9. Честно говоря, не люблю, …
10. Истинная натура …
11. Брать всё на себя приходится …
12. … из-за недостатка лидеров с «железной рукой».
13. В ситуациях, …, мне не надо много времени, чтобы поступить правильно.

А. … женщины — покорность.
Б. …себе женщин.
В. Большинство проблем возникает …
Г. … когда близкие опекают.
Д. … требующих быстрого решения …
Е. … для меня проблемой.
Ж. … из-за опасения за благополучие родных.
З. … желающих властвовать над другими.

Инструкция к заданиям 14–19

Вам предъявляются предложения (результаты психологического теста «Получится ли из вас начальник?»), в которых некоторые слова и группы слов представлены в начальной форме. Ваша задача — восстановить предложения, употребив слова в нужной грамматической форме, используя там, где необходимо, предлоги. В правом столбце таблицы напишите правильный вариант. Номера слов и групп слов левого столбца соответствуют номерам предложений.

14. Знаю, что люблю и могу руководить (другие люди).	**14.**
15. Не умею и не хочу (открываться — открыться) (конец) ни перед (кто).	**15.**
16. Мне приятны мечты («тихая пристань»).	**16.**
17. Подчинённый должен (выполнять — выполнить) любые приказы (начальник).	**17.**
18. (Отношения) (близкие люди) (испытывать — испытать) внутреннее сопротивление, когда нужно (просить — попросить) (что-либо).	**18.**
19. Часто (я) ждут (объяснения), хотя, (мой взгляд), всё и так ясно.	**19.**

Часть 2

Инструкция к заданиям 20–27

Восстановите предложения, используя данные ниже видовые пары глаголов. Номера видовых пар глаголов соответствуют номерам пропусков. Ваша задача — выбрать глагол нужного вида и использовать его в соответствующей форме. В правом столбце таблицы напишите вариант ответа. Укажите все возможные варианты.

1. Мальчики с детства **-20-** действовать в команде, а девочки, как правило, таких навыков не **-21-**. 2. Женщины обычно **-22-** понятия «работа» и «карьера». 3. Для мужчины риск **-23-** за собой азарт, а женщины **-24-** риск как отрицательный момент, поэтому они его по возможности **-25-**. 4. После тридцати лет женщины **-26-** и **-27-** построить карьеру.

20. учиться — научиться	**20.**
21. приобретать — приобрести	**21.**
22. разделять — разделить	**22.**
23. влечь — повлечь	**23.**
24. оценивать — оценить	**24.**
25. избегать — избежать	**25.**
26. спохватываться — спохватиться	**26.**
27. пытаться — попытаться	**27.**

Инструкция к заданиям 28–37

Вам предъявляется текст с пропусками. После текста даны видовые пары глаголов. Номера видовых пар глаголов соответствуют номерам пропусков. Ваша задача — выбрать инфинитив нужного вида. В правом столбце таблицы напишите правильный вариант. Укажите все возможные варианты.

1. Стремление **-28-** по карьерной лестнице и **-29-** признание коллег нормально. 2. Считается, что хозяйка должна **-30-** между карьерой и семьёй. 3. Мальчики с детства учатся **-31-** вместе. 4. Если **-32-** о взрослых, то мужчины соотносят свою работу с представлениями о карьере. 5. Женщины позднее мужчин решаются **-33-** восхождение по карьерной лестнице. Им необходимо время, что **-34-** себя увереннее. 6. Для того, чтобы **-35-** успехов, бизнес-дамам приходится **-36-** по чужим правилам. 7. Женщины должны **-37-**, что занимаются своим делом.

28. продвигаться — продвинуться	**28.**
29. получать — получить	**29.**
30. выбирать — выбрать	**30.**
31. побеждать — победить	**31.**
32. говорить — сказать	**32.**
33. начинать — начать	**33.**
34. чувствовать — почувствовать	**34.**
35. добиваться — добиться	**35.**
36. играть — сыграть	**36.**
37. доказывать — доказать	**37.**

Часть 3

Инструкция к заданиям 38–41

Закончите предложения, выберите правильные варианты.

38. Один из европейских институтов провёл исследование, … поведению женщин в современном деловом мире.

а) посвятившее
б) посвящённое
в) посвящаемое
г) посвящающее

39. Одной из проблем, … учёными, стала разница между представителями полов в подходах к карьере.

а) затрагиваемых
б) затрагивающих
в) затронутых
г) затрагивавших

40. Вот несколько «правил поведения», … специалистами.

а) выявленных
б) выявляющих
в) выявляемых
г) выявлявших

41. Женщинам необходимо время, но для … карьеры это слишком поздно!

а) запланированной
б) планируемой
в) запланировавшей
г) планирующей

Инструкция к заданиям 42–47

Вам предъявляется текст с пропусками. После текста даны пары деепричастий. Номера деепричастий соответствуют номерам пропусков. Ваша задача — выбрать соответствующее деепричастие. В правом столбце таблицы напишите правильный вариант.

1. Мальчики с детства учатся действовать в команде, **-42-** для игр. 2. Мужчины соотносят свою работу с представлениями о карьере, **-43-** её как продвижение по службе. 3. Для мужчины риск влечёт за собой азарт, **-44**- победу или поражение. 4. Большинство женщин не настроено на служебный рост, **-45-**, что могут работать «для души». 5. Лишь **-46-** в стереотипах, женщины спохватываются и пытаются угнаться за мужчинами. 6. Женщине приходится выбирать между домом и карьерой, не **-47-** уже о том, что нужно постоянно доказывать, что занимаешься своим делом.

42. объединяясь — объединившись	**42.**
43. рассматривая — рассмотрев	**43.**
44. означая — означив	**44.**
45. считая — посчитав	**45.**
46. разочаровываясь — разочаровавшись	**46.**
47. говоря — сказав	**47.**

Часть 4

Инструкция к заданиям 48–56

Восстановите предложения, используя следующие глаголы: *трогать — потрогать — тронуть(ся) — растрогать(ся) — затрагивать — затронуть — дотронуться*. В правом столбце таблицы напишите подходящие по смыслу глаголы в нужной форме.

48. Меня так … твоё письмо! Большое тебе спасибо.	**48.**
49. Во время концерта, глядя на выступление внука, бабушка … и заплакала.	**49.**
50. — Пожалуйста, не … ничего на столе. — А я ни до чего и пальцем не … !	**50.**
51. — Ты что, плачешь? — Нет, что ты! Просто меня … твоё поздравление. Ты сказала такие замечательные слова!	**51.**
52. Из чего сделана твоя сумка? Какой необычный материал. Можно … ?	**52.**
53. Участники переговоров не … спорных вопросов.	**53.**
54. Не обижайся, но твои жалобы совсем не … меня. Я тебе не верю.	**54.**
55. Мы расселись по местам, и машина … .	**55.**
56. Ваше выступление было очень интересным, вы … важные для нас вопросы.	**56.**

Инструкция к заданиям 57–66

Восстановите предложения, используя следующие глаголы: *двигать(ся) — выдвигать — продвигаться — подвинуть(ся) — задвинуть — отодвинуть(ся) — пододвинуть(ся) — передвинуть*. В правом столбце таблицы напишите подходящие по смыслу глаголы в нужной форме. Укажите все возможные варианты.

57. Что ты стоишь, как памятник?! Холодно же! Нужно … ! Давай, … руками, ногами!	**57.**
58. … , пожалуйста, я сяду рядом с тобой.	**58.**
59. Давай … стол к окну.	**59.**
60. — Чемодан можно поставить под шкаф. — Да, давай я его туда … .	**60.**
61. … от меня! Здесь же много места.	**61.**
62. Кто … вазу? Я специально поставила её в центр стола.	**62.**
63. Мой сын работает не очень давно, но его карьера складывается довольно удачно, он быстро … .	**63.**
64. Требования, которые вы … , абсолютно неприемлемы для нас.	**64.**
65. Во всём здании было так темно, что мы … на ощупь.	**65.**
66. Помоги мне … шкаф.	**66.**

Инструкция к заданиям 67–72

Восстановите предложения, используя следующие глаголы: *ждать — дожидаться — выжидать— ожидать — пережидать — поджидать* и парные им. В правом столбце таблицы напишите подходящие по смыслу глаголы в нужной форме. Укажите все возможные варианты.

67. Мой начальник — абсолютно непредсказуемый человек. От него можно … чего угодно.	**67.**
68. Пожалуйста, … пять минут, и всё будет готово.	**68.**
69. — Вчера вечером я попала под жуткий ливень! Промокла до нитки! — А мы … этот дождь на работе, правда, пришлось сидеть часа два.	**69.**
70. На пути к вершинам карьеры женщин, как и мужчин, … много трудностей.	**70.**
71. — Ну что, ты увольняешься? — Нет, после разговора с шефом я хочу … несколько дней: а вдруг он решит меня повысить?	**71.**
72. — Наконец-то ты пришёл! А мы тебя …-… . — А где же Андрей? — Он тебя так и не … , ушёл. Сказал, что больше не может … .	**72.**

КЛЮЧИ

2.1. ВЫБОР ПРОФЕССИИ

Задание 2. 1. в. 2. д. 3. е. 4. б. 5. г. 6. а.

Задание 3. 1. г. 2. а. 3. е. 4. б. 5. д. 6. в.

Задание 4. 1. в. 2. г. 3. д. 4. а. 5. е. 6. б.

Задание 5. 1. д. 2. г. 3. а. 4. в. 5. б.

Задание 6. внести — унести — принести — перенести — отнести — занести — вынести

Задание 10. 1. б. 2. г. 3. а. 4. в.

Лексико-грамматический тест

1. за / в последнее десятилетие, по всему миру / во всём мире; молодёжи; **2.** в России, на выпускников, вузов; **3.** бывших выпускников, на работу, крупные западные компании; **4.** в бывшем СССР; молодых специалистов; с пятилетними планами; развития; народного хозяйства; **5.** свободного распределения, выпускников, вузов, в начале, девяностых годов, к разрушению, системы, трудоустройства, молодых; **6.** по результатам, социологических исследований, выпускников, профессионально грамотными, с необходимым набором, деловых качеств; **7.** по мнению, работодателей, наилучшей рекомендацией, для молодого специалиста, до окончания вуза; **8.** по мнению, психологов, при сходном внешнем поведении, от «середнячков», особой внутренней мотивацией; **9.** чёткой координации, действий, дружной сплочённой команды; **10.** в первую очередь, в своих будущих сотрудниках, энергия и желание работать в коллективе, на результат, к творчеству; **11.** сократилась; **12.** разочаровываются / разочаровались; **13.** принимали; **14.** обращаются; **15.** предоставляет; **16.** берут; **17.** проявите; **18.** предложат; **19.** растить; **20.** брать; **21.** довести / доводить; **22.** получить; **23.** приобрести; **24.** получить; **25.** провести / проводить; **26.** понять; **27.** проявить; **28.** предложить; **29.** сделать; **30.** знать; **31.** строить / построить; **32.** б. / в. / г. **33.** а. / г. **34.** а. **35.** г. **36.** б. / в. **37.** г. **38.** в.; **39.** вопрос; **40.** опроса; **41.** запрос; **42.** спрос; **43.** допрос; расспросы; **44.** запросы; **45.** вынесли / унесли; принесите; **46.** перенести; **47.** внеси; **48.** унесите; **49.** относить; **50.** принёс; отнеси; **51.** занесу; **52.** расставить; **53.** переставим; **54.** составили; **55.** заставили; **56.** составишь; **57.** расставить; **58.** заставлю; **59.** выбрать; **60.** убери; **61.** набрал(а); выбери / отбери; **62.** перебираешь; **63.** выбраться; **64.** подобрал; **65.** отобрал(а); **66.** собрал(а); **67.** добраться; **68.** избирают / будут избирать; **69.** б. **70.** г. **71.** в. **72.** б. **73.** б. **74.** б. **75.** в. **76.** а. **77.** б. **78.** б. **79.** а. / в. **80.** в. **81.** б. **82.** а. / б. **83.** а. / д. **84.** б. / в. **85.** а.

2.2. ПРИОРИТЕТЫ МОЛОДОГО ПОКОЛЕНИЯ

Задание 2. 1. г. 2. а. 3. б. 4. в.

Задание 3. 1. е. 2. в. 3. а. 4. б. 5. г. 6. д.

Задание 4. 1. в. 2. д. 3. б. 4. е. 5. а. 6. г.

Задание 5. 1. е. 2. д. 3. ж. 4. з. 5. г. 6. в. 7. а. 8. б.

Задание 6. **а)** вступить — выступить — отступить — уступить — наступить — поступить — проступить — переступить — приступить — расступиться — оступиться — заступиться;
б) дать — отдать — раздать — передать — выдать — задать — подать — издать — преподать — предать — придать — сдать(ся) — вдаться — удаться;
в) связать — навязать — связать — привязать(ся) — завязать(ся) — развязать(ся)

Задание 8. 1. Нет. 2. Да. 3. Да. 4. Нет. 5. Нет. 6. Да. 7. Да. 8. Да. 9. Нет. 10. Нет.

Задание 11. 1. а. 2. в. 3. б. 4. г.

Лексико-грамматический тест

1. десяти лет, Института психологии РАН, московских старшеклассников и студентов, об их жизненных ценностях; **2.** в сравнении с прежними опросами, на здоровый образ жизни, в настоящее время, в советские годы; **3.** здоровья, в топ-листе, столичной молодёжи, любовь, семья, образование; **4.** от старших; **5.** у молодёжи, о богатстве; **6.** для некоторых, по миру, с семьёй, в средствах; **7.** нынешних старшеклассников с их ровесниками середины девяностых годов прошлого века, социальной ответственности; **8.** на деловую активность, жизненная ценность, с десятого места на пятое место; **9.** по мнению психологов, в стабильных экономических условиях; **10.** учёных, компетентность молодых людей, в той сфере, в которой, уважение к старшим; **11.** несмотря на общую тенденцию к прагматизму, этические ценности; **12.** поменялись; **13.** ставили; **14.** изменилась; **15.** понимают; **16.** выросла; **17.** считают; **18.** вернутся / будут возвращаться; **19.** будем жить; **20.** б. / г. **21.** в. **22.** а. / г. **23.** б. / г. **24.** а. / б. **25.** б. **26.** г. **27.** в.; **28.** выступал; **29.** поступить; **30.** вступает, поступил; **31.** поступить; **32.** переступаешь; **33.** заступался; **34.** наступит; **35.** уступите; **36.** отступай; **37.** уступи; **38.** проступают / проступили; **39.** вступить; **40.** наступи; **41.** оступилась; **42.** приступайте / приступаем; **43.** вступать / вступить; **44.** расступитесь; **45.** вступить; **46.** передать, передай; **47.** дала, дай, отдать; **48.** выдали, передай / передавай; **49.** отдал; **50.** даёшь / раздаёшь, давать, придаёшь; **51.** преподавала / преподаёт; **52.** сдал, сдавать; **53.** задать, задавайте; **54.** вдавайся / будем вдаваться; **55.** сдаюсь; **56.** удалось, предал; **57.** подаёшь, отдаёшь; **58.** сдавать / сдать; **59.** издавать; **60.** привязались, завязалась; **61.** связывать; **62.** связала, вяжет; **63.** навязывать; **64.** привяжем; **65.** развязались, завязать, привязалась / привязался; **66.** зарос, выращивали, росли; **67.** подросли / выросли; **68.** вырос / подрос, перерос; **69.** оброс / зарос; **70.** растить; **71.** вырастила; **72.** отрастила, отращивала; **73.** придумал(а); **74.** выдумываешь / выдумаешь / придумываешь / придумаешь; **75.** подумать, думать / раздумывать, думай не думай, обдумать; **76.** задумалась; **77.** передумать, вздумай; **78.** задумал(а); **79.** передумал(а), выдумывай; **80.** придумал, додумался; **81.** раздумала; **82.** одумайся / подумай, передумал; **83.** а. **84.** б. **85.** в. **86.** б. **87.** а. / в. **88.** б. **89.** а.

2.3. ПРОБЛЕМЫ ТРУДОУСТРОЙСТВА

Задание 2. 1. г. 2. е. 3. а. 4. б. 5. ж. 6. з. 7. д. 8. в.

Задание 3. 1. ж. 2. в. 3. а. 4. д. 5. б. 6. г. 7. е.

Задание 4. 1. в. 2. д. 3. е. 4. з. 5. ж. 6. г. 7. б. 8. а.

Задание 5. 1. д. 2. г. 3. б. 4. а. 5. в.

Задание 6. **а)** заявить — объявить — появиться — проявить(ся) — выявить;
б) восстановить(ся) — остановить(ся) — установить(ся) — приостановить

Задание 10. 1. б. 2. г. 3. а. 4. в.

Лексико-грамматический тест

1. с одной стороны, дома с ребёнком, с другой стороны, карьеру, заметных успехов; **2.** работы, ожидаемых результатов; **3.** исключениями из правил, они, работу, с большим нетерпением; **4.** надомную работу, инициативу в свои руки; **5.** работа, информация, все её виды, деятельности деловой мамы; **6.** молодой маме, свои возможности, отношении, заработка; **7.** по специальности, половину рабочего дня, половину прежнего заработка; **8.** не для того, семью, а для того, квалификацию; **9.** у вас, компьютера, работодателя, вам, его, из тех, в компании; **10.** вам, о ребёнке, домашнее хозяйство; **11.** вас, такой режим, время; **12.** няню, для прогулки с малышом; **13.** няне, на лавочке, с бабушками, за вашим малышом; **14.** от вашего желания; **15.** возьмёт; **16.** согласится; **17.** будут одолевать; **18.** сможете; **19.** удастся; **20.** будете работать; **21.** будете получать; **22.** будет оставаться; **23.** успеете; **24.** начать; **25.** посидеть; **26.** бросать; **27.** достичь; **28.** выполнять; **29.** создать; **30.** получить; **31.** определить; **32.** делать; **33.** устранить; **34.** обращаться / обратиться; **35.** составить; **36.** выполнять; **37.** взять; **38.** предложить; **39.** решить; **40.** обеспечивать; **41.** терять / потерять; **42.** взять; **43.** попросить; **44.** выделить; **45.** приобрести; **46.** оставаться; **47.** успевать делать; **48.** заботиться; **49.** выбрать; **50.** распределить; **51.** перенести; **52.** нанять; **53.** зная; **54.** решив; **55.** выполняя; **56.** внося; **57.** говоря; **58.** уложив; **59.** перенеся; **60.** работники; **61.** работодатель, работников; **62.** работу; **63.** рабочие; **64.** работа; **65.** перерабатывают; **66.** зарабатывают; **67.** разрабатывают; **68.** подрабатывают; **69.** обработать; **70.** переработать; **71.** заработать; **72.** выработал; **73.** заработались; **74.** работаете / поработали, доработаю; **75.** обсудим; **76.** осуждать; **77.** рассуждать; **78.** судили и осудили; **79.** судите; **80.** судиться; **81.** рассуждать; **82.** судить; **83.** появился; **84.** объявили; **85.** проявлять; **86.** проявились; **87.** появляйся; **88.** заявили; **89.** выявили; **90.** заявлял; **91.** проявить; **92.** становилось, установилась; **93.** стал; **94.** останавливайся; **95.** восстанавливался; **96.** приостановили / остановили; **97.** восстанавливала; **98.** останови(те)сь; **99.** останавливай, восстановить; **100.** устанавливай; **101.** приостановил

2.4. РАВНОПРАВИЕ ПОЛОВ НА РЫНКЕ ТРУДА

Задание 2. 1. г. 2. а. 3. б. 4. д. 5. в.

Задание 3. 1. д. 2. г. 3. а. 4. в. 5. б.

Задание 4. 1. б. 2. д. 3. а. 4. в. 5. г.

Задание 5. 1. б. 2. д. 3. г. 4. а. 5. в.

Задание 9. 1. в. 2. а. 3. б. 4. г.

Лексико-грамматический тест

1. представителям, сильной половины человечества, домой, к домашним делам, от женщины, другого; **2.** одной из проблем, затронутых учёными, представителями, в подходах, к бизнесу и карьере; между мальчиками и девочками; **3.** для женщины, личной целью, о результатах; **4.** в отличие, от мужчин, восхождение, по служебной лестнице; им, время; **5.** после тридцати лет; в стереотипах; от роли; домохозяйки; в этом случае; за мужчинами; в их закрытый «клуб»; **6.** Е. **7.** З. **8.** Б. **9.** Г. **10.** А. **11.** Ж. **12.** В. **13.** Д.; **14.** другими людьми; **15.** открываться, до конца, кем; **16.** о «тихой пристани»; **17.** выполнять, начальника; **18.** в отношениях, с близкими людьми, испытываю, просить / попросить, что-либо / о чём-либо; **19.** от меня, объяснений, на мой взгляд; **20.** учатся; **21.** приобретают; **22.** разделяют; **23.** влечёт; **24.** оценивают; **25.** избегают; **26.** спохватываются; **27.** пытаются; **28.** продвинуться; **29.** получить; **30.** выбирать; **31.** побеждать; **32.** говорить; **33.** начать; **34.** почувствовать; **35.** добиться; **36.** играть; **37.** доказывать; **38.** б. **39.** в. **40.** а. **41.** б.; **42.** объединяясь; **43.** рассматривая; **44.** означая; **45.** считая; **46.** разочаровавшись; **47.** говоря; **48.** растрогало / тронуло; **49.** растрогалась; **50.** трогай, дотронулся / дотронулась; **51.** растрогало; **52.** потрогать; **53.** затрагивали; **54.** трогают; **55.** тронулась; **56.** затронули; **57.** двигаться, двигай; **58.** подвинься; **59.** передвинем / пододвинем; **60.** задвину; **61.** отодвиньтесь / отодвинься; **62.** передвинул; **63.** продвигается; **64.** выдвигаете; **65.** продвигались; **66.** подвинуть / передвинуть / отодвинуть; **67.** ожидать / ждать; **68.** подожди(те); **69.** пережидали; **70.** поджидает; **71.** выждать / подождать; **72.** ждём-ждём / ждали-ждали, дождался; ждать

3 ЛИЧНАЯ ЖИЗНЬ

Личность в современном мире

Тема 3.1. **Темп жизни**

Тема 3.2. **Работа и отдых**

Тема 3.3. **Проблемы личности**

Тема 3.4. **Вопросы любви и брака**

Тема 3.5. **Семейные отношения**

ТЕМП ЖИЗНИ

3.1

Задание 1. **Объясните значение данных слов и словосочетаний, составьте с ними предложения.**

мобилизация
демобилизация
плотность населения
дело житейское
дембельское сознание
воля
дамоклов меч
закалённый характер
суета

Задание 2. **Составьте пары из слов, близких по значению.**

1. гимнастика	а. пустяк
2. вызовы	б. воля
3. мелочь	в. удобство
4. стресс	г. зарядка
5. комфорт	д. проблемы
6. свобода	е. напряжение

Задание 3. **Найдите синонимы.**

1. выдержать	а. гармонировать
2. влиять	б. возмещать
3. упустить	в. воздействовать
4. сочетаться	г. разрешить
5. компенсировать	д. справиться
6. позволить	е. потерять

Задание 4. **Составьте пары из слов, противоположных по значению.**

1. раб	а. исключительный
2. плоский	б. слабый
3. полезный	в. суета
4. обычный	г. резкий
5. равновесие	д. хозяин
6. мощный	е. выпуклый
7. плавный	ж. вредный
8. покой	з. дисбаланс

Задание 5. **Образуйте парные глаголы**
а) несовершенного вида от следующих глаголов:

справиться — направиться — заправиться — отправиться — поправиться — переправиться;

б) совершенного вида от следующих глаголов:

засыпать — будить — высыпаться — сниться — просыпать(ся) — пробуждать.

Задание 6. **Передайте смысл данных предложений другими словами.**

1. Жизнь в постоянном стрессе явно не компенсируется теми благами, которые она позволяет нам от себя получить. 2. Если верить Пушкину в том, что приближение к человеческому счастью — это покой и воля, то суть несчастья — суета и рабство. 3. Вызовы окружающего мира, проблемы и болезни пробуждают в нас мощные иммунные силы. 4. Кто может собрать в кулак внутренние резервы, становится ещё сильнее. 5. В благоприятных обстоятельствах нужно стараться не упустить шанс. 6. Стресс — пустяки, дело житейское. 7. Не было бы счастья, да несчастье помогло.

Задание 7. **Прочитайте текст и выполните задание после текста.**

СТРЕСС — ДЕЛО ЖИТЕЙСКОЕ

Стресс называют проблемой XX века, плавно перешедшей в XXI. Её причина — уплотнение, ускорение жизни в странах, переживших индустриальную революцию. Добавьте плотность городского населения, интенсификацию контактов, дамоклов меч ядерного оружия и проникающих повсюду террористов... Давление окружающей нас среды растёт неуклонно — как при погружении в глубины океана, где все рыбы плоские и с выпученными глазами...

Такая жизнь — с выпученными от давления глазами — явно не компенсируется теми благами, которые она позволяет нам от себя получить. Если верить Пушкину в том, что наиболее реалистичное приближение к человеческому счастью — это покой и воля, то сутью несчастья оказываются суета и рабство. Суетливая безостановочная активность, по данным психологов, свидетельствует о том, что в нашей жизни явно наступил дефицит смысла.

Но достаточно много людей чувствуют себя в зоне высоких давлений вполне комфортно. Проблемы, болезни, задачи, вызовы окружающего мира пробуждают в них мощные иммунные силы: мобилизовавшись, они справляются с трудностью и оказываются сильнее и здоровее, чем были.

Десять лет назад психологи описали этот эффект, назвав его «индуцированный стрессом рост» (т. е. не было бы роста, да несчастье помогло), и с тех пор получают всё новые ему подтверждения. Даже в психотравмирующих ситуациях порой происходят (и научно описаны) эффекты роста вместо посттравматических расстройств. Большинство из нас с лёгкой завистью смотрят на тех, кто обливается по утрам холодной водой, а ведь это тот же ежеутренний стресс, введённый в программу обычной гимнастики и приводящий к исключительно полезным результатам.

Биологическая функция стресса — мобилизовать организм на решение трудной задачи. Весь вопрос в том, насколько мы в состоянии выдержать собственную мобилизацию. Те, кто смог собрать в кулак все внутренние ресурсы и решить проблему, становятся ещё сильнее, ещё закалённее. (Конечно, не забывая при этом давать себе передышку, когда можно). Те же, кто всю свою жизнь проводит в состоянии полной и окончательной демобилизации, мобилизацию и вместе с ней стресс переносят плохо. Дембельское сознание не очень сочетается с жизнью — разве что с недлинным привалом в пути.

Главным же, что помогает обернуть любой стресс себе на пользу, оказывается отношение к происходящему. Участвовать в событиях, а не сторониться их. Стараться повлиять на то, на что можно, пусть даже это кажется мелочью. Быть готовым действовать, когда успех не гарантирован, и в случае неудачи стараться не упустить шанс в следующий раз. Наконец, искать смысл в том, что происходит, даже если (особенно если) оно не радует. Всё это даёт внутреннюю силу, которая уравновешивает внешнее давление. А стресс — пустяки, дело житейское.

(по материалам журнала «Psychologies»)

ЗАДАНИЕ: на основе прочитанного текста составьте письменное сообщение в виде факса тому, кто интересуется проблемами психологии. При этом:
— укажите источник информации;
— используйте общепринятые сокращения.

***Время выполнения задания — 20 минут.**
Объём текста — 60–70 слов
***ТРКИ-3 / Письмо, задание 2.**

Задание 8. **Вы беседуете с участником конгресса, посвящённого проблемам стресса. Примите участие в диалоге. Ваша задача:**

а) Согласитесь с указанным мнением, используя синонимичные средства.

б) Не согласитесь с высказанным мнением, используя антонимы.

— Число людей, испытывающих стресс, неуклонно растёт.
— ....

— Постоянная суета не приносит нам желаемых результатов.
— ....

— Часто в этой беготне вообще теряется смысл жизни.
— ....

— И всё же человек, умеющий анализировать неудачи и извлекать из них уроки, выходит из стрессовой ситуации победителем.
— ....

Задание 9. **Прочитайте предложенные выражения и определите, какие интенции они передают: 1) совет, 2) удивление, 3) недоверие, 4) несогласие.** 🔑

а. Да ну? Что ты?!
Да что ты! ☐

б. Не надо преувеличивать / утрировать!
Ну ты и скажешь! ☐

в. Я бы на твоём месте сделал(а) так…
А почему бы тебе не (сделать)…?
Будь я на твоём месте, я бы… ☐

г. Откуда такие сведения?
Я бы так не сказал(а)… ☐

Задание 10. **Друг делится с вами своими представлениями о проблеме стресса. Примите участие в диалоге. Выразите следующие интенции:**

Недоверие:
— Стресс сегодня — самая большая проблема.
— ....

Несогласие:
— Сейчас каждый второй переживает стресс.
— ....

Удивление:
— Лично для меня стресс стал нормой жизни.
— ....

Совет:
— А что же делать, если жизнь буквально давит?!
— ....

Задание 11. **Ваша знакомая развелась с мужем, а теперь жалеет об этом. Примите участие в диалоге и убедите собеседницу в том, что она поступила правильно. Приведите свои аргументы. Используйте различные языковые средства.**

— Так мечтала покончить со всем этим, а теперь думаю, наверное, зря я так спешила…
— ....

— Ведь мне уже не 20…
— ....

— А дети… Им ведь всего не объяснишь…
— ....

— Нет, развелись, а проблемы всё равно остались.
— ....

Задание 12. **Ваш друг (ваша подруга), устав от напряжённой работы, планирует приехать на выходные в Москву. Традиционные туристические места его (её) не привлекают. На основе предложенных рекламных материалов порекомендуйте ему (ей) место, где можно было бы интересно провести время. Напишите неформальное письмо рекомендательного характера.**

***Время выполнения задания — 20 минут.**
Объём текста — 50–70 слов.
***ТРКИ-2 / Письмо, задание 1.**

КОМ-МИССИЯ!

ФЕСТИВАЛЬ РИСОВАННЫХ ИСТОРИЙ
15 апреля — 15 мая

Выставка «Манга» / комиксы
галерея «Винзавод» — основная площадка
Artplay — спецпроекты

с 14 на 15 мая
Ночи в комиксах 10 лет!!!

Доставляем комиксы населению!

м. «Курская»

ФЕСТИВАЛЬ МИРОВОЙ ЕДЫ!

Лучшие повара со всего света представляют своё кулинарное искусство на радость всем гурманам. Весёлые беспроигрышные лотереи, конкурсы для знатоков кухни.
А также – живая музыка в саду «Эрмитаж».

июль – август
начало – 20:00

м. «Пушкинская», «Чеховская», «Тверская»

ПРОСТОР ДЛЯ ВООБРАЖЕНИЯ!!!

Приглашаем вас в наш популярный лекторий:
- Познавательные лекции
- Космические экскурсии
- Научно-фантастические вечера

***Где?* — Музей космонавтики, м. «ВДНХ», проспект Мира, 111.**

Начало лекций — 16:00
Начало экскурсий — 12:00, 14:00, 16:00
Начало концерта — 20:00

ВХОД СВОБОДНЫЙ

ЧТО. Бесплатные сеансы для всех любителей кино и здорового образа жизни.
ГДЕ. Кинотеатры «Художественный», «Нева», «Сатурн», «Владивосток», «Свобода», «Спутник», «Тула», «Улан-Батор», «Факел».
Бесплатное кино покажут в рамках спортивного кинофестиваля «Спорт и здоровье нации», который проводит управление культуры «Московское кино» при поддержке Национального фонда развития здравоохранения и крупнейших фитнес-центров Москвы.
Расписание показов можно посмотреть на сайте:
http://www.mos-kino.ru.
КОГДА. С 19 по 26 мая.

РУССКАЯ КЛАССИКА

СПЕКТАКЛИ ПО ПРОИЗВЕДЕНИЯМ
А. Чехова, А. Вампилова, Б. Савинкова

Московский драматический театр
Камерная сцена

Земляной вал, д. 64.
(495) 915-07-18
Начало спектаклей в 19:00.

Музей М. Булгакова
приглашает москвичей и гостей столицы

— на концерты авторской песни
— на вечера московских поэтов
— на ночные экскурсии по булгаковским местам Москвы

Ждем вас в 23:00.
м. «Маяковская»

Задание 13. **Согласитесь или опровергните данные высказывания. Приведите свои аргументы.**

1. Стресс — обратная сторона комфорта.
2. Стресс способствует мобилизации всего организма для победы над трудностями.
3. Нужно всегда анализировать то, что случилось с тобой.

Задание 14. **Что может привести вас в стрессовое состояние? Скажите, существует ли для вас проблема стрессов? Если да, как вы с ними боретесь?**

Задание 15. **Напишите эссе на тему «Стресс — проблема нашего века». При этом укажите:**
— в чём заключается проблема;
— субъективные и объективные причины проблемы;
— различные точки зрения на пути решения проблемы;
— осознание обществом данной проблемы;
— прогноз на будущее;
— ваши предложения по решению проблемы.

***Время выполнения задания — 30 минут.**
Объём текста — 150–200 слов.

ЛЕКСИКО-ГРАММАТИЧЕСКИЙ ТЕСТ

Часть 1

Инструкция к заданиям 1–11

Вам предъявляется текст, в котором некоторые слова и группы слов представлены в начальной форме. Номера групп слов в таблице соответствуют номерам предложений. Ваша задача — восстановить текст, употребив слова в нужной грамматической форме, используя там, где необходимо, предлоги. В правом столбце таблицы напишите правильный вариант.

1. Давление (окружающая (мы) среда) неуклонно растёт — как (погружение) (глубины) океана, где все рыбы плоские и (выпученные глаза). **2.** Безостановочная активность, (данные психологов), свидетельствует (то), что (наша жизнь) явно наступил дефицит (смысл). **3.** Проблемы и болезни пробуждают (некоторые люди) иммунные силы: мобилизовавшись, они успешно справляются (трудности) и оказываются (сильные) и (здоровые), чем были. **4.** Большинство (мы) (лёгкая зависть) смотрят (те), кто обливается (утро) (холодная вода), а ведь это ежеутренний стресс, приводящий (полезные результаты). **5.** Вопрос (то), насколько мы (состояние) выдержать (собственная мобилизация). **6.** Те, кто смог собрать (кулак) все внутренние ресурсы и решить (проблема), становятся ещё (закалённый). **7.** Люди, (которые) (вся жизнь) проходит (состояние) (полная демобилизация), (мобилизация), а вместе (она) и стресс, переносят плохо. **8.** (Главное), что помогает (мы) обернуть любой стресс себе (польза), оказывается отношение (происходящее). **9.** Нужно стараться повлиять (то), (что) можно. **10.** Нужно участвовать (события), а не сторониться (они). **11.** Нужно (случай неудачи) стараться не упустить (шанс в следующий раз).

1. окружающая, мы, среда, погружение, глубины, выпученные глаза	**1.**
2. данные психологов, то, наша жизнь, смысл	**2.**
3. некоторые люди, трудности, сильные, здоровые	**3.**
4. мы, лёгкая зависть, те, утро, холодная вода, полезные результаты	**4.**
5. то, состояние, собственная мобилизация	**5.**
6. кулак, проблема, закалённый	**6.**
7. которые, вся жизнь, состояние, полная демобилизация, мобилизация, она	**7.**
8. главное, мы, польза, происходящее	**8.**
9. то, что	**9.**
10. события, они	**10.**
11. случай неудачи, шанс в следующий раз	**11.**

Часть 2

Инструкция к заданиям 12–23

Вам предъявляется текст с пропусками. После текста даны видовые пары глаголов. Номера видовых пар глаголов соответствуют номерам пропусков. Ваша задача — выбрать глагол нужного вида и использовать его в соответствующей форме. В правом столбце таблицы напишите правильный вариант.

1. Стресс **-12-** проблемой XX века. 2. Некоторые люди успешно **-13-** с трудностями и **-14-** сильнее. 3. Десять лет назад психологи **-15-** этот эффект и **-16-** его «рост, индуцированный стрессом». 4. Не было бы счастья, да несчастье **-17-**. 5. Даже в психотравмирующих ситуациях порой **-18-** эффекты роста. 6. Нужно **-19-** смысл в том, что **-20-**, даже если оно не **-21-**. 7. Всё это **-22-** внутреннюю силу, которая **-23-** внешнее давление.

12. называть — назвать	**12.**
13. справляться — справиться	**13.**
14. становиться — стать	**14.**
15. описывать — описать	**15.**
16. называть — назвать	**16.**
17. помогать — помочь	**17.**
18. происходить — произойти	**18.**
19. искать — найти	**19.**
20. происходить — произойти	**10.**
21. радовать — обрадовать	**21.**
22. давать — дать	**22.**
23. уравновешивать — уравновесить	**23.**

Инструкция к заданиям 24–30

Вам предъявляется текст с пропусками части фраз. После текста даны пропущенные части предложений. Ваша задача — определить, в какой пропуск в тексте можно вставить каждый из фрагментов.

Одиночество — **-24-**. Кажется, **-25-** жизнь под одной крышей с близкими. Но так ли это? Недавно **-26-** спрашивали: «Как часто вы общаетесь с родными? Чувствуете ли вы себя одинокими и в какой степени?» Оказалось, **-27-**, при этом они же меньше всего чувствуют себя одинокими. А вот итальянцы, наоборот, **-28-** и острее всех ощущают одиночество. **-29-** сегодня мы как никогда много общаемся друг с другом, **-30-**. Почему?

- ☐ **А.** … что гарантия от него — обширный круг общения, …
- ☐ **Б.** … вещь сегодня непопулярная.
- ☐ **В.** … видятся с близкими чаще остальных …
- ☐ **Г.** … людей из разных стран …
- ☐ **Д.** …, а чувство одиночества всё равно не покидает нас
- ☐ **Е.** … что менее других склонны к общению с родственниками датчане
- ☐ **Ж.** Этот парадокс касается многих из нас: …

Часть 3

Инструкция к заданиям 31–36

Закончите предложения, выберите все возможные варианты.

31. Стресс называют проблемой XX века, плавно … в XXI.
а) перешедшей
б) переведённой
в) переходящей
г) переводящей

32. Одна из причин стресса — ускорение жизни в странах, … индустриальную революцию.
а) переживающих
б) проживающих
в) проживших
г) переживших

33. Такая жизнь не … благами, которые она позволяет получать.
а) компенсируемая
б) компенсирующая
в) компенсирована
г) компенсируется

34. Это ежеутренний стресс, … в программу обычной гимнастики.
а) введённый
б) вводимый
в) вводящий
г) вводивший

35. Это стресс, … к исключительно полезным результатам.
а) приведший
б) приводящий
в) приведённый
г) приводимый

36. Нужно быть готовым действовать, когда успех не … .
а) гарантирован
б) гарантируют
в) гарантируется
г) гарантирует

Часть 4

Инструкция к заданиям 37–51

Восстановите предложения, используя глаголы: *лить — пролить — вылить — налить — подлить — поливать — полить — отлить — вливать — влить(ся) — облить(ся) — переливать(ся) — перелить(ся) — разливать(ся) — разлить(ся) — заливать — залить — сливать(ся) — слить(ся)*. В правом столбце таблицы напишите подходящие по смыслу глаголы в нужной форме. Укажите все возможные варианты.

37. Кто … цветы? Это ты тут всё … ? А почему не вытер?	**37.**
38. — … тебе чаю? — Да, … , пожалуйста. И Ире … горячего, а то у неё всё уже остыло.	**38.**
39. Что ты делал?! Где это ты так …?!	**39.**
40. Цветы уже завяли, выбрось их пожалуйста, и не забудь … воду из вазы.	**40.**
41. — Мам, а можно я … всем чай? — Ну, попробуй. Только смотри, никого не … и постарайся не … воду на скатерть.	**41.**
42. Ну и дождь! … как из ведра! Все дороги … , даже машины не могут ехать.	**42.**
43. Ну вот, соус почти готов. Теперь осторожно … сливки.	**43.**
44. Нижний Новгород стоит в том месте, где … реки Волга и Ока. Весной, когда тает снег, эти реки широко … и даже … низкий берег.	**44.**
45. Мне нужна эта кастрюля, … суп во что-нибудь.	**45.**
46. Зачем ты … так много воды, … ! А то у тебя уже … через край.	**46.**
47. Если макароны готовы, нужно … воду.	**47.**
48. Не забудь … цветы!	**48.**
49. — Тебе нравится Света? — Да, она весёлая, общительная. Быстро … в наш коллектив.	**49.**
50. Сколько можно … из пустого в порожнее.	**50.**
51. И зачем ты это сказала? Только … масла в огонь.	**51.**

Инструкция к заданиям 52-58

Восстановите предложения, используя глаголы: *справиться — направиться — заправиться — отправиться — поправиться — переправиться* и парные им. В правом столбце таблицы напишите подходящие по смыслу глаголы в нужной форме.

52. — И как я смогу это сделать? — Не волнуйся, ты	**52.**
53. Бензин почти на нуле, нужно срочно где-то	**53.**
54. — Сразу видно, что ты была в санатории: загорела, ... — Да уж, теперь придётся садиться на диету.	**54.**
55. Наверное, мы заблудились. Впереди река, никакого моста я не вижу, как же мы ... на тот берег?	**55.**
56. — Куда это ты ... ? — Ребята в кино зовут. — Ты забыл, что наказан на всю неделю? Никаких кино! ... домой!	**56.**
57. — Алло! Добрый день! Это Маша Иванова. Я заболела и сегодня не приду. — Очень жаль, Машенька, ...	**57.**
58. Внимание! Просим провожающих покинуть вагоны! Через две минуты поезд ... !	**58.**

Инструкция к заданиям 59–71

Восстановите предложения, используя глаголы: *спать — поспать — засыпать — будить — высыпаться — сниться — просыпать(ся)* и парные им. В таблице напишите подходящие по смыслу глаголы в нужной форме. Укажите все возможные варианты.

— Вставай! Сколько можно **-59-**?! Ты **-60-** 10 часов!

— А вот и нет. Вчера я никак не могла **-61-**. Всё думала о чём-то. Потом, наконец, **-62-**, а теперь такое чувство, что всю ночь какие-то кошмары **-63-**.

— Что же тебе **-64-**?

— Очень странный сон. Не надо было меня **-65-**. Нужно было подождать, пока я сама **-66-**.

— Ну ладно, извини, что я тебя **-67-**. Раз уж ты **-68-**, всё-таки вставай, а то всю жизнь **-69-**. А если тебе захочется **-70-**, днём **-71-**.

59.	**66.**
60.	**67.**
61.	**68.**
62.	**69.**
63.	**70.**
64.	**71.**
65.	

Часть 5

Инструкция к заданиям 72–78

Восстановите предложения, используя имена существительные: *стройка — строитель — строительство — строение — постройка — построение — перестройка — устройство — расстройство — настроение*. В правом столбце таблицы напишите подходящие по смыслу имена существительные в нужной форме.

72. Москву иногда называют «одной большой …». И это понятно: … идёт повсюду. Часто не хватает … , они приезжают со всех концов страны.	**72.**
73. — Скажите, пожалуйста, точный адрес вашего офиса! — Пожалуйста, улица Чехова, дом 2, … 1.	**73.**
74. В 1985 году в СССР началась … .	**74.**
75. Ты мне можешь объяснить … этого аппарата?	**75.**
76. — Привет! Как жизнь? Как …? — Разве это жизнь? Одно сплошное … . Сын должен был приехать на выходные из армии, но он там опоздал на какое-то … , и его отпуск отменили. Представляешь?!	**76.**
77. На уроках зоологии школьники изучают … животных.	**77.**
78. Во время пожара деревянные … сгорели.	**78.**

РАБОТА И ОТДЫХ

3.2

Задание 1. **Объясните значения данных слов и словосочетаний, составьте с ними предложения.**

семейный праздник
хоровод
безделушка
личное дело
пялиться (во что? на кого?)
предотвращать
проявить себя
невмоготу

Задание 2. **Составьте пары из слов, близких по значению.** 🗝

1. апатия
2. рубеж
3. повод
4. тоска
5. рутина
6. средство
7. в преддверии

а. обыденность
б. грусть
в. лекарство
г. на пороге
д. причина
е. безразличие
ж. граница

Задание 3. **Найдите синонимы.** 🗝

1. сочувствовать
2. валяться
3. разориться
4. ныть
5. испытывать
6. раздражать
7. вырваться
8. завалиться

а. чувствовать
б. жаловаться
в. освободиться
г. жалеть
д. бесить
е. лечь
ж. потратиться
з. лежать

Задание 4. **Найдите антонимы.** 🗝

1. близкий
2. искусственный
3. суетливый
4. неудачник
5. светлый
6. целиком

а. везунчик
б. частично
в. мрачный
г. размеренный
д. естественный
е. чужой

Задание 5. **Составьте пары из слов, противоположных по значению.** 🗝

1. мчаться
2. запереть
3. накрыть (чувство)
4. приставать
5. разжигать
6. брать на себя ответственность

а. тушить
б. оставить в покое
в. избегать ответственности
г. открыть
д. тащиться
е. отпустить

Задание 6. **Образуйте парные глаголы несовершенного вида от следующих глаголов:** 🗝

высказать(ся) — предсказать — пересказать — подсказать — рассказать.

Задание 7. **Передайте смысл данных предложений другими словами.**

1. Когда наступает праздник, хочется запереть себя в четырёх стенах. 2. У вас может появиться мысль, что друзья пригласили вас из жалости. 4. Жизнь сама поставит плюсы и галочки в вашем личном деле. 5. Возьмите на себя организацию праздника. 6. Нет необходимости мчаться на Гоа, можно махнуть в ближайший лес. 7. Вас пугают перемены — вот и все дела. 8. Того и гляди что-нибудь случится. 9. До утра пялиться в телик?! Скука смертная! 10. Как Новый год встретишь, так его и проведёшь. 11. Действуй через «не могу». 12. Клин клином вышибают.

Задание 8. **Прочитайте текст и выполните задание после текста.**

***Постарайтесь не пользоваться словарём.**
***Время выполнения задания — 20 минут.**
***ТРКИ-3 / Чтение, задание 1.**

НЕ ЛЮБИТЕ ПРАЗДНИКИ? ЭТО ЛЕЧИТСЯ!

По статистике, свыше 15 % людей испытывают грусть, апатию и даже страх перед новогодними праздниками. Психологи называют семь основных причин этих далеко не светлых эмоций и дают советы, как с ними бороться.

1. Одиночество. Принято считать, что Новый год — семейный праздник. А если «второй половины» нет или, хуже того, вы недавно потеряли её, вы чувствуете себя лишним даже в хорошо знакомой, привычной компании.

Оптимальный вариант в этом случае — встречать праздник не среди близких друзей, которые будут вам так сочувствовать, что в конце концов у вас появится мысль, что вас пригласили из жалости. Подойдёт компания, где вас мало знают и где у вас будет масса возможностей проявить себя и даже познакомиться с кем-нибудь интересным. Кто сказал, что новогодняя ночь — не повод для романтического знакомства?!

2. Депрессия. Если она накрыла вас своим серым крылом, то всё вокруг кажется скучным, вызывает раздражение и даже злость. Хочется, чтобы все оставили вас в покое и не приставали со своими поздравлениями.

В этой ситуации можно, конечно, завалиться на диван, в тоске закрыться одеялом и продолжать жалеть себя... Но ведь как Новый год встретишь, так его и проведёшь. Поэтому действуйте через «не могу»: одевайтесь и — «в народ»! Если общение невмоготу — просто погуляйте по центру. А ещё нужно сделать что-нибудь особенное для себя — съесть ложкой банку чёрной икры или разориться на какую-нибудь безделушку. И на душе потеплеет. И ещё: нет лучшего средства от своей тоски, как доставить радость другим, особенно тем, кому хуже тебя.

3. Устали ждать чудес? Почувствовали себя неудачником, подумали, что новый год принесёт новые проблемы?

А вы и не заставляйте себя чего-то ждать! Вы что, обязаны отчитываться о работе, проделанной над собой за год? Не нужно создавать искусственных рубежей, нужно стараться принимать Новый год просто как праздник, возможность отдохнуть от работы и поесть в гостях традиционный салат. А плюсы и галочки в вашем личном деле жизнь сама поставит.

4. Всегда одно и то же. Сначала все вокруг будут суетиться, потом будут желать друг другу зарплату побольше, потом с шампанским в телик будут пялиться до утра... Скука смертная.

А вы не задумывались, что вырваться из рутины вам не мешает никто, кроме вас самих? Вам лень, вас пугают перемены — вот и все дела. И ведь совсем необязательно за новыми впечатлениями мчаться на Гоа. Достаточно купить пару электрогирлянд, мангал и махнуть в ближайший парк водить хоровод вокруг живой ёлки!

5. Детство кончилось... В праздники вы чувствуете себя маленьким и слабым? Хочется, чтобы пришёл Дед Мороз и решил все ваши проблемы? Но он не придёт, и вы это знаете. Не любите принимать на себя ответственность? Что ж, клин клином вышибают. И Новый год очень подходит для этого. Надо взять на себя всю организацию праздника — от ёлки до культурной программы. И не нужно ныть! Да у вас и времени не останется. Зато потом будет повод гордиться собой и понять, что вы всё можете, если захотите.

6. Раздражает суета. Зачем эти ёлочные базары с конца ноября? Зачем бегать за подарками, зачем давиться в магазинах? Зачем считать, сколько дней осталось до Нового года?

Ответ простой. Не стоит обращать внимания. Вам нравится всё критиковать и разжигать свою раздражительность? Не стоит. Бесят магазины? Не ходите по ним. Можно сделать что-нибудь полезное дома или просто валяться

с книжкой на диване. И тогда не придётся жить в неестественном для вас ритме.

7. Страшно, аж жуть! От праздников один вред. Везде толпятся люди, того и гляди что-нибудь случится.

Да, в современной жизни всё бывает. Но не запирать же себя на все праздники в четырёх стенах? А вдруг дом тоже рухнет?

Есть вещи, которых мы не можем исправить. Но будет ли новогодняя ночь радостной или скучной — целиком зависит только от нас. Давайте веселиться сами и не портить настроение другим.

(по материалам газеты «Комсомольская правда»)

ТЕСТ: Укажите высказывания, которые соответствуют содержанию текста.

1. Многих людей страшат праздники.
2. Боязнь праздников говорит о расстройстве психики.
3. Нужно избегать встречать праздники в незнакомой компании.
4. Ваши способности лучше раскроются в кругу друзей.
5. Если в праздники вам грустно — старайтесь быть на людях.
6. Хороший способ борьбы с депрессией — побаловать себя любимого.
7. Помощь другим поднимает настроение.
8. В Новый год происходят чудеса.
9. Новый год не время подведения итогов.
10. Новый год несёт новые заботы.
11. Если вам грустно — возьмите на себя организацию праздника.
12. Если вас мучают страхи — оставайтесь дома.

Задание 9. **а) Скажите, с какими из данных в тексте советами вы согласны, а с какими — нет, и почему.**
б) Ваш друг никогда не празднует свой день рождения и вообще не любит праздники. На основе прочитанного текста составьте письменное сообщение другу. При этом:
— укажите источник информации;
— используйте общепринятые сокращения.

ТРКИ

***Время выполнения задания — 20 минут.**
Объём текста — 50–70 слов.
***ТРКИ-3 / Письмо, задание 2.**

Задание 10. **Вы обсуждаете с друзьями приближающиеся праздники. Примите участие в диалоге. Ваша задача:**

а) Согласитесь с указанным мнением, используя синонимичные средства.

б) Не согласитесь с указанным мнением, используя антонимы.

— Праздники — прекрасный повод для отдыха.
— ....

— Но сидеть весь день в четырёх стенах — это же скука смертная!
— ....

— Если лень куда-то ехать или общаться с друзьями — можно просто погулять в своём районе.
— ....

— Даже если невмоготу встать с дивана — нужно действовать через «не могу».
— ....

Задание 11. **Прочитайте предложенные выражения и определите, какие интенции они передают: 1) восхищение, 2) одобрение (похвала), 3) совет, 4) неодобрение.**

а. Ну что же ты так! Нет бы подумать заранее! ☐

б. У тебя всегда всё получается идеально! Уж кто-кто, а ты всё делаешь на отлично! ☐

в. Потрясающе! Вот это я понимаю! Здорово! ☐

г. Ну, можно, например, … Выброси всё из головы! Расслабься! ☐

Задание 12. **Ваша знакомая рассказывает вам, как она отмечала новогодние праздники. Примите участие в диалоге, выражая следующие интенции:**

Восхищение:
— К нам на Новый год приходили все родственники — человек двадцать!
— ....

Одобрение (похвала):
— Я столько всего вкусного наготовила, все просто объелись!
— ....

Неодобрение:
— Честно говоря, падаю от усталости, ведь никто мне не помогал.
— ....

Совет:
— Завтра сама должна в гости идти, а сил нет. Всё болит… Что делать?
— ....

Задание 13. **Ваша знакомая заказала организацию детского праздника (дня рождения сына) в развлекательном комплексе, а теперь жалеет об этом. Примите участие в диалоге и убедите собеседницу в том, что она поступила правильно. Приведите свои аргументы.**

— Поддалась я на уговоры сына, а теперь смотрю — дорого получается…
— ....

— Представляешь, говорит, что все его друзья так празднуют! А им всего-то по 12 лет!
— ....

— А народу наприглашал! Больше десяти человек!
— ....

— Ума не приложу, что с ним дальше будет!
— ....

Задание 14. **Вам поручили оформить помещение для проведения праздничного мероприятия. В газете вы нашли объявление, которое вас заинтересовало:**

Компания «Букет»
(15 лет на рынке)

ПОМОЖЕТ ОРГАНИЗОВАТЬ И ПРОВЕСТИ ПРАЗДНИК:
- праздничное оформление помещения (цветы, воздушные шары и др.)
- организация банкетов, коктейлей и др.
- разработка программы праздника
- место проведения: офисы, дома отдыха и др.

МЫ СДЕЛАЕМ ВАШ ПРАЗДНИК НЕЗАБЫВАЕМЫМ!
391-99-74, 391-98-33

Позвоните по указанному телефону и расспросите обо всём как можно более подробно, чтобы решить, стоит ли вам обращаться в эту фирму.

***ТРКИ-2 / Говорение, задание 14.**

Задание 15. **Вы — руководитель организации. Вы получили докладную записку от вашего сотрудника.**

Директору ЗАО «Вега»
Петрову В.Г.
от менеджера по работе
с персоналом
Ивановой Т.А.

ДОКЛАДНАЯ ЗАПИСКА

Довожу до вашего сведения, что расценки в агентствах по организации корпоративных праздников намного превышают сумму, выделенную бухгалтерией на проведение мероприятий, посвящённых юбилею компании. В сложившейся ситуации отдел не может гарантировать проведение праздника на должном уровне.

Прошу вас принять соответствующие меры.

24.05.2012 г. Иванова Т.А.

Проведите с сотрудником по работе с персоналом деловую беседу, цель которой — разрешение конфликтной ситуации. При этом вы должны:

— обозначить тему разговора;
— выяснить объективные и субъективные причины конфликта;
— высказать собственный взгляд на случившееся;
— объявить о своём решении.

***ТРКИ-3 / Говорение, задание 14.**

Задание 16. **Согласитесь или опровергните данные высказывания. Приведите свои аргументы.**

1. Праздник — это, прежде всего, дополнительное время для отдыха.
2. Чем больше праздников, тем лучше.
3. Канун Нового года — время подведения итогов.
4. Если человек не любит праздники — значит, с его психикой что-то не в порядке.

Задание 17. **Скажите, как вы обычно проводите праздники? Существует ли для вас проблема, как, где, с кем провести праздничные дни? Если да, как вы её решаете? Расскажите, как встречают Новый год в вашей стране и есть ли у вас какие-либо традиции встречи Нового года или других праздников.**

Задание 18. **Напишите эссе-рассуждение на тему «В жизни всегда есть место празднику». При этом:**
— сформулируйте проблему;
— приведите объективные и субъективные причины сложившейся ситуации;
— приведите различные точки зрения на решение проблемы;
— сравните образ жизни людей разных поколений;
— дайте прогноз на будущее.

***Время выполнения задания — 30 минут.**
Объём текста — 150–200 слов.

Основной тезис: ....

....

....

....

....

Аргументы, примеры: ....

....

....

....

....

....

....

....

....

....

....

....

....

....

....

....

Заключение в соответствии с основным тезисом: ....

....

....

....

....

....

....

....

ЛЕКСИКО-ГРАММАТИЧЕСКИЙ ТЕСТ

Часть 1

Инструкция к заданиям 1–16

Вам предъявляются предложения, в которых некоторые слова и группы слов представлены в начальной форме. Номера групп слов в таблице соответствуют номерам предложений. Ваша задача — восстановить предложения, употребив слова в нужной грамматической форме, используя там, где необходимо, предлоги. В правом столбце таблицы напишите правильный вариант.

1. (Статистика), свыше 15 % (люди) испытывают (грусть, апатия, страх) (новогодние праздники). **2.** Если («вторая половина») нет или вы недавно потеряли (она), вы чувствуете себя (лишний) даже (привычная компания). **3.** Если вы встречаете (праздник) среди (близкие друзья), (вы) может появиться (мысль), что (вы) позвали (жалость). **4.** Не приставайте (я) (свои поздравления), оставьте (я) (покой). **5.** Сделайте что-нибудь (себя), например, съешьте (ложка) (банка) (чёрная икра). **6.** Нет (лучшее средство) (своя тоска), как доставить (радость) (другие), особенно (те), (кто) хуже (ты). **7.** (Вы) не нужно ни (кто) отчитываться (работа), (проделанная) (себя). **8.** Не нужно создавать (искусственные рубежи): (вы) никто не мешает изменить (жизнь), (вы) просто (лень), (вы) пугают (перемены). **9.** Многие (праздники) чувствуют себя (маленькие и слабые). **10.** Возьмите (себя) (организация) (весь праздник) — (ёлка) (культурная программа). **11.** (Вы) будет повод гордиться (себя). **12.** (Вы) не нравится (суета)? Сделайте что-нибудь полезное (дом) или просто полежите (книга) (диван). **13.** Некоторые думают, что (праздники) (один вред). **14.** Не запирать же (себя) (все праздники) (четыре стены)! **15.** Будет ли (новогодняя ночь) (радостная или скучная), целиком зависит (вы). **16.** Не порти (я) (настроение).

1. статистика, люди, грусть, апатия, страх, новогодние праздники	**1.**
2. «вторая половина», она, лишний, привычная компания	**2.**
3. праздник, близкие друзья, вы, мысль, вы, жалость	**3.**
4. я, свои поздравления, я, покой	**4.**
5. себя, ложка, банка, чёрная икра	**5.**
6. лучшее средство, своя тоска, радость, другие, те, кто, ты	**6.**
7. вы, кто, работа, проделанная, себя	**7.**
8. искусственные рубежи, вы, жизнь, вы, лень, вы, перемены	**8.**
9. праздники, маленькие, слабые	**9.**
10. себя, организация, весь праздник, ёлка, культурная программа	**10.**
11. вы, себя	**11.**
12. вы, суета, дом, книга, диван	**12.**
13. праздники, один вред	**13.**
14. себя, все праздники, четыре стены	**14.**
15. новогодняя ночь, радостная или скучная, вы	**15.**
16. я, настроение	**16.**

Часть 2

Инструкция к заданиям17–27

Вам предъявляются предложения (тест «Насколько вы общительны»), в которых некоторые слова и группы слов представлены в начальной форме. Ваша задача — восстановить предложения, употребив слова в нужной грамматической форме, используя там, где необходимо, предлоги. В правом столбце таблицы напишите правильный вариант.

17. Будете ли вы здороваться (знакомый), если (видеть — увидеть) его (толпа) или (другая сторона улицы)?	**17.**
18. Если (вы) кто-то (шутить — пошутить), будете ли вы весело смеяться вместе (все)?	**18.**
19. Если (вы) (обращаться — обратиться) нахально и бесцеремонно, (отвечать — ответить) (такой же тон)?	**19.**
20. Случалось ли (вы) (первый) (рассказывать — рассказать) анекдот (компания) (малознакомые люди), чтобы (разгонять — разогнать) (тоска) или (снимать — снять) излишнее напряжение?	**20.**
21. Любите ли вы иногда посплетничать (разговор) (друзья или коллеги) — перемыть косточки (ваши общие знакомые или начальство)?	**21.**
22. Пред тем как включить новый прибор, (предпочитать — предпочесть) ли вы (читать — прочитать) инструкцию, прежде чем (пользоваться — воспользоваться) (советы) («знатоки»)?	**22.**
23. Трудно ли (вы) (первый) (переходить — перейти) («ты») (разговор) (сверстник), который называет (вы) («вы»)?	**23.**
24. (Молчать — промолчать) ли вы, если (ресторан или кафе) (вы) подали (еда) (плохое качество)?	**24.**
25. Трудно ли (вы) чмокнуть (щёчка) (знакомый или знакомая) (противоположный пол) (встреча или расставание)?	**25.**
26. Бывало ли так, что вы категорически (отказываться — отказаться), когда кто-нибудь (приглашать — пригласить) (вы) (танец) или (пытаться — попытаться) (что-то) угостить, хотя (душа) (вы) хотелось (соглашаться — согласиться)?	**26.**
27. (Каждый положительный) ответ (вопросы) 1–5 поставьте себе (5 балл).	**27.**

Инструкция к заданиям 28–33

Вам предъявляется текст (результаты теста «Насколько вы общительны») с пропусками части фраз. Справа даны пропущенные части предложений. Ваша задача — определить, в какой пропуск в тексте можно вставить каждый из фрагментов.

РЕЗУЛЬТАТЫ:

Меньше 15 баллов: Вы — человек чрезвычайно застенчивый. Это поправимо! Но работать журналистом или менеджером **-28-**.

От 15 до 20 баллов: Где-то вы проявляете коммуникабельность, **-29-**. Вы не всегда правильно определяете, **-30-**, а где следует держать дистанцию.

20 баллов и более: Вы — **-31-**. Но если вы вдруг почувствуете, что вам не хватает искренней привязанности со стороны окружающих, **-32-**, что вам иногда следует больше слушать, **-33-**.

Скажите, согласны ли вы с результатами теста? Если нет, то почему? Пытаетесь ли вы как-то регулировать свою способность к общению, или у вас всё получается само собой?

- ☐ **А.** … чем говорить
- ☐ **Б.** … мы вам всё же не советуем
- ☐ **В.** … то это значит, …
- ☐ **Г.** …, где уместно общение накоротке …
- ☐ **Д.** …— человек очень контактный
- ☐ **Е.** … а где-то скромность

Часть 3

Инструкция к заданиям 34–57

Вам предъявляются предложения с пропусками. В таблице даны видовые пары глаголов. Номера видовых пар глаголов соответствуют номерам пропусков. Ваша задача — выбрать глагол нужного вида и использовать его в соответствующей форме. В правом столбце таблицы напишите правильный вариант. Укажите все возможные варианты.

1. Психологи **-34-** семь основных причин «нелюбви» к новогодним праздникам. 2. Друзья так **-35-** вам, что в конце концов у вас **-36-** мысль, что вас **-37-**, потому что **-38-**. 3. Хочется, чтобы все **-39-** вас в покое и не **-40-** с поздравлениями. 4. Как Новый год **-41-**, так его и **-42-**. 5. Если общение невмоготу — просто **-43-** по городу. 6. Плюсы и галочки жизнь сама вам **-44-**. 7. А вы не **-45-**, что вас просто **-46-** перемены? 8. Вам **-47-**, чтобы **-48-** Дед Мороз и **-49-** все ваши проблемы? 9. Если вы **-50-** на себя организацию праздника, у вас на жалобы и времени не **-51-**. 10. Потом вы **-52-**, что вы всё **-53-**, если **-54-**. 11. Некоторые **-55-**, что в праздники того и **-56-** что-нибудь **-57-**.

34. называть — назвать	**34.**
35. сочувствовать — посочувствовать	**35.**
36. появляться — появиться	**36.**
37. приглашать — пригласить	**37.**
38. жалеть — пожалеть	**38.**
39. оставлять — оставить	**39.**
40. приставать — пристать	**40.**
41. встречать — встретить	**41.**
42. проводить — провести	**42.**
43. гулять — погулять	**43.**
44. ставить — поставить	**44.**
45. задумываться — задуматься	**45.**
46. пугать — испугать	**46.**
47. хотеться — захотеться	**47.**
48. приходить — прийти	**48.**
49. решать — решить	**49.**
50. брать — взять	**50.**
51. оставаться — остаться	**51.**
52. понимать — понять	**52.**
53. мочь — смочь	**53.**
54. хотеть — захотеть	**54.**
55. думать — подумать	**55.**
56. глядеть — поглядеть	**56.**
57. случаться — случиться	**57.**

Инструкция к заданиям 58–82

Вам предъявляются предложения с пропусками. В таблице даны видовые пары глаголов. Номера видовых пар глаголов соответствуют номерам пропусков. Ваша задача — выбрать глагол нужного вида. В правом столбце таблицы напишите правильный вариант.

1. Психологи дают советы, как **-58-** с нелюбовью к новогодним праздникам. 2. Принято **-59-**, что Новый год — семейный праздник. 3. Иногда оптимальный вариант — **-60-** Новый год не среди близких друзей. 4. Подойдёт компания, где вас мало знают и где у вас будет масса возможностей **-61-** себя и **-62-** с кем-нибудь интересным. 5. В такой ситуации можно **-63-** на диван и **-64-** одеялом. 6. Можно долго **-65-** **-66-** себя. 7. Не нужно **-67-** себя чего-то **-68-**. 8. Вы не обязаны **-69-** о работе, проделанной над собой. 9. Принимайте Новый год как возможность **-70-** и **-71-** салат в гостях. 10. **-72-** из рутины вам никто не мешает. 11. Совсем необязательно **-73-** куда-то, достаточно **-74-** пару гирлянд и **-75-** в ближайший лес **-76-** хоровод вокруг ёлки. 12. Зачем **-77-** за подарками и **-78-** в магазинах? 13. Не **-79-** же себя дома? 14. Давайте **-80-** и не **-81-** настроение другим. 15. Конечно, есть вещи, которых мы не можем **-82-**.

58. бороться — побороться	**58.**
59. считать — посчитать	**59.**
60. встречать — встретить	**60.**
61. проявлять — проявить	**61.**
62. знакомиться — познакомиться	**62.**
63. заваливаться — завалиться	**63.**
64. укрывать — укрыться	**64.**
65. продолжать — продолжить	**65.**
66. жалеть — пожалеть	**66.**
67. заставлять — заставить	**67.**
68. ждать — подождать	**68.**
69. отчитывать — отчитаться	**69.**
70. отдыхать — отдохнуть	**70.**
71. есть — поесть	**71.**
72. вырываться — вырваться	**72.**
73. мчаться — помчаться	**73.**
74. покупать — купить	**74.**
75. махать — махнуть	**75.**
76. водить — проводить	**76.**
77. бегать — сбегать	**77.**
78. толпиться — столпиться	**78.**
79. запирать — запереть	**79.**
80. веселиться — повеселиться	**80.**
81. портить — испортить	**81.**
82. исправлять — исправить	**82.**

Часть 4

Инструкция к заданиям 83–93

Восстановите предложения, используя глаголы совершенного вида: *сказать — высказать(ся) — предсказать — пересказать — подсказать — рассказать* и парные им. В правом столбце таблицы напишите подходящие по смыслу глаголы в нужной форме. Укажите все возможные варианты.

83. … , пожалуйста, что же там произошло?	**83.**
84. Я не верю, что можно … будущее.	**84.**
85. На собрании я не сдержалась и … руководству всё, что у меня накопилось.	**85.**
86. Иванов! Не … ! Пусть Петров сам решает!	**86.**
87. Не волнуйся, я никому ничего не … .	**87.**
88. Говорят, что наши предки умели … погоду по полёту птиц.	**88.**
89. — Что нам задали по английскому? — … текст из урока пять.	**89.**
90. Мы заслушали очень интересный доклад. Пожалуйста, кто хочет … ?	**90.**
91. Я никому не … об этом раньше.	**91.**
92. … , что же мне делать?	**92.**
93. Он обо мне так … ? Слушай, никогда не … мне, что … обо мне другие.	**93.**

Инструкция к заданиям 94–103

Восстановите предложения, используя глаголы: *ставить — поставить — вставать — встать — оставлять — оставить — оставаться — остаться — останавливать(ся) — остановить(ся) — стоять*. В правом столбце таблицы напишите подходящие по смыслу глаголы в нужной форме. Укажите все возможные варианты.

94. Приезжайте в Москву! Будем очень рады вас видеть! Вы всегда можете … у нас.	**94.**
95. Что ты …?! Идём!	**95.**
96. — Не уезжай, … у нас! Места всем хватит! — Спасибо, но я никак не могу … . Завтра утром обязательно нужно быть на работе. — Вот и хорошо, мне тоже завтра рано … . Вместе … и поедем.	**96.**
97. — Я сейчас схожу в магазин, а ты … дома. — Нет, я один не … ! Мамочка! Не … меня одного! Детей нельзя … одних! — Ну что ты! Ты же уже большой. … себе мультик или какой-нибудь фильм, а я скоро вернусь.	**97.**
98. — Куда ты бежишь? … ! Послушай меня. Я не могу бежать за тобой. Не … меня в дурацкое положение. — Ты сам … себя в такое положение! … меня!	**98.**
99. Не обижайся! … себя на моё место. Ты бы тоже так поступил.	**99.**
100. Где мой мобильник? Неужели я … его дома?	**100.**
101. Прекрасно провёл отпуск: жил в маленьком городке, поезда там … раз в неделю всего на три минуты. Погода … чудесная! С удовольствием … бы там ещё на пару недель!	**101.**
102. Рассказывай, что было дальше! Что ты всё время … ?!	**102.**
103. — Смотри, гаишник всех … . — Ну и что? Ничего страшного, … . У нас всё в порядке.	**103.**

Инструкция к заданиям 104–114

Восстановите предложения, используя глаголы: *рвать — разорвать(ся) — порвать — прервать(ся) — вырывать(ся) — вырвать(ся) — нарвать(ся) — нарываться — оторвать(ся) — прорваться — урвать.* В правом столбце таблицы напишите подходящие по смыслу глаголы в нужной форме. Укажите все возможные варианты.

104. — Смотри, у тебя пуговица … . Ох! Да ты вообще рубашку … ! — Я не … . — Ну не сама же она … !	**104.**
105. Ужасно болит зуб. Боюсь, придётся его … .	**105.**
106. Я не могу делать все ваши дела одновременно. Что мне — … между вами?!	**106.**
107. Где это ты … такой огромный букет?	**107.**
108. Держите его крепче! А то … и убежит!	**108.**
109. — Что ты делаешь?! Зачем ты … письма Юры?! Ты что, совсем его не любишь? — Все. Я хочу … с ним все отношения. Ненавижу людей, которые всё время стараются что-то … для себя.	**109.**
110. — Не надо спорить с начальством. Зачем … на неприятности? — Ничего, не горюй, … .	**110.**
111. Заболевший артист … гастроли и вернулся домой.	**111.**
112. Наши спортсмены … вперёд, обгоняют соперников! Да! Мы победили!	**112.**
113. Давайте ненадолго … ? Объявляется перерыв на десять минут.	**113.**
114. — Как ты могла такое сказать?! — Извини, сама не знаю, как это у меня … .	**114.**

Инструкция к заданиям 115–122

Восстановите предложения, используя глаголы: *одевать(ся) — одеть(ся) — надевать — надеть — раздевать(ся) — раздеть(ся) — снимать — снять.* В правом столбце таблицы напишите подходящие по смыслу глаголы в нужной форме. Укажите все возможные варианты.

115. Она всегда … по последней моде.	**115.**
116. — На что жалуетесь? — Доктор, мне трудно дышать. — Так, … , я вас послушаю.	**116.**
117. — Андрей пригласил меня в театр. А я не знаю, что … . — Ты же недавно купила платье, вот его и … .	**117.**
118. Зачем ты … Машеньку так тепло? Вспотеет же. … хотя бы один свитер.	**118.**
119. Хватит дома сидеть! … , пошли гулять!	**119.**
120. Зачем ты … шапку? На улице же тепло, …!	**120.**
121. — Смотри-ка, наш малыш заигрался и уснул. — Давай я его … и уложу.	**121.**
122. Зачем ты … очки? Врач же сказал, что телевизор нужно смотреть в очках. … и не … !	**122.**

ПРОБЛЕМЫ ЛИЧНОСТИ

3.3

Задание 1. Объясните значение данных слов и словосочетаний, составьте с ними предложения.

приятель
язвительный (человек)
добропорядочный (гражданин)
распорядок дня
ничегонеделание
самолюбование
романтическая мишура

Задание 2. Составьте пары из слов, близких по значению.

1. происшествие	а. деловой
2. неизменный	б. размеренный
3. разлад	в. окружающий мир
4. привлекательный	г. событие
5. прагматичный	д. постоянный
6. среда обитания	е. обязательный
7. упорядоченный	ж. переживание
8. неизбежный	з. симпатичный

Задание 3. Найдите синонимы.

1. обзывать	а. сильно ругать
2. швырять	б. усложнять ситуацию
3. подливать масла в огонь	в. думать
4. клеймить	г. подружиться
5. мыслить	д. дразнить
6. поладить	е. бросать

Задание 4. Составьте пары из слов, противоположных по значению.

1. напряжение	а. освобождение
2. накал страстей	б. запланированный
3. сокрушительный	в. трудолюбивый
4. заключение	г. прозрачный
5. мутный	д. импульсивный
6. нерадивый	е. разрядка
7. рациональный	ж. спокойствие
8. непредусмотренный	з. незначительный

Задание 5. Образуйте парные глаголы совершенного вида от глаголов:

исправлять — отправлять(ся) — заправлять(ся) — поправлять(ся) — направлять(ся) — справляться.

Задание 6. Передайте смысл данных предложений другими словами.

1. Человека сравнивают с винтиком огромной машины и обзывают его «марионеткой цивилизации». 2. Наша жизнь протекает упорядоченно. 3. Это неоднозначная ситуация, вызывающая разлад в душе и помутнение в мозгах. 4. Он до мозга костей рациональный человек. 5. Энергия просится наружу. 6. Нам не остаётся ничего лучше, как снимать напряжение алкоголем и экстримом. 7. Индустрия развлечений рада стараться. 8. Ну как тут не осерчать на жизнь. 9. Ненавистный будильник в семь часов утра неизменно зовёт к станку. 10. Мы всем сердцем стремимся к морю. 11. Каждый отправляющийся на отдых подвергает свой мозг опасности снижения мыслительной активности.

Задание 7. **Прочитайте текст и выполните задание после текста.**

ДОЛОЙ КРЫШУ!

Свободолюбивые философы любят сравнивать человека XXI века с винтиком огромной машины и язвительно обзывают его «марионеткой цивилизации». Они клеймят нас за то, что наша жизнь, в общем и целом, протекает упорядоченно: дом — офис — магазины, в выходные — дача, раз в месяц — очередной день рождения очередного приятеля. Современный человек живёт, подчиняясь своему деловому расписанию. От него требуют мыслить практично, жить прагматично, поступать рационально. А для всякой там романтической мишуры типа неожиданных встреч и непредсказуемых переживаний у этого занятого и до мозга костей рационального человека просто не остаётся времени.

И вот, наконец, глоток свежего воздуха — возможность на время вырваться из дома. Отправляясь в отпуск или командировку, мы неизбежно порываем с привычной средой обитания. Меняется всё: климат, природа, люди, распорядок дня. Любое изменение привычных условий среды, с точки зрения психологии, — это стресс. То есть неоднозначная ситуация, вызывающая разлад в душе и помутнение в мозгах.

По мнению психологов, человек, едущий в отпуск в новое для себя место, испытывает стресс, сравнимый с переживаниями на собственной свадьбе, который лишь чуть-чуть не дотягивает до уровня стресса при тюремном заключении. Сокрушительных последствий для здоровья такой стресс, конечно, не несёт, но поволноваться заставит порядочно.

Масла в огонь подливает ещё один психологический феномен, который психологи называют «фактором новизны и необычности». Наука гласит, что в любой новой и необычной для себя ситуации человек, даже не осознавая этого, испытывает сильное эмоциональное напряжение. Энергия просится наружу. Замечено, что чаще всего человек ищет энергетическую разрядку в сфере любовных отношений. Эксперименты показали, что человек противоположного пола, встреченный в момент высокого накала страстей, кажется нам более привлекательным, чем если бы мы увидели его, пребывая в спокойном состоянии души. Отсюда — пресловутые курортные романы и любовные приключения в отпусках и командировках.

Если же выход энергии через любовную сферу по каким-либо причинам невозможен (не находится достойного внимания объекта или человек покидает дом в компании своей лучшей половины, на которую подобные эффекты, по иронии судьбы, часто не распространяются), то срабатывает классический механизм сублимации, описанный ещё Фрейдом. Нам не остаётся ничего лучше, как снимать напряжение алкоголем и экстримом (индустрия развлечений и рада стараться: тут тебе и сплав на рафтах, и аквабайк, и полёт на дельтаплане и проч.) и, конечно, повышенным интересом ко всяким тайнам, загадкам и мистификациям. Недаром половина всех книжных и киношных преступлений и авантюр происходит не в благополучных домах добропорядочных граждан, а во всякого рода отелях, мотелях и пансионах.

А дома... А что дома? Скука, рутина, банальщина. Ненавистный монитор, вечно не закрытый по

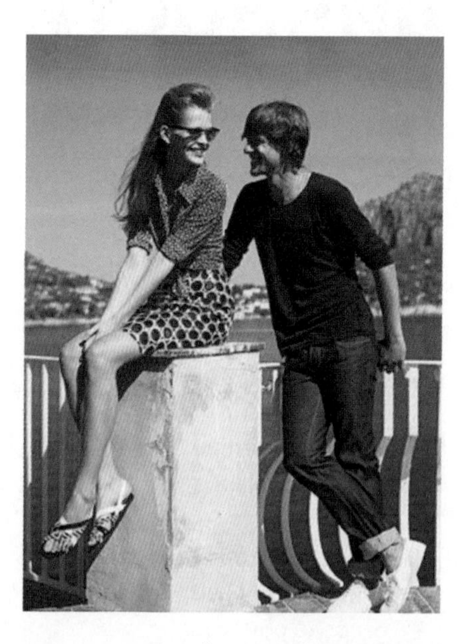

вине нерадивой лучшей половины тюбик зубной пасты. Ну как тут не осерчать на жизнь и не стремиться всем сердцем туда, где горы — высокие, море — тёплое, а лица — красивые. И не надо каждое утро швырять об стену ненавистный будильник, который в семь часов неизменно зовёт к станку.

И последнее. Психологи уверены: для того чтобы ум опять поладил с сердцем, а тело заново подружилось с душой, человеку требуется как минимум три недели. Но вот парадокс: оказывается, продолжительный отдых вреден... для мозгов! Те же психологи заявляют, что три недели абсолютного ничегонеделания снижают IQ человека на целых 20 пунктов. Каждый отправляющийся на отдых подвергает свой мозг опасности снижения мыслительной активности. Из-за недостатка мыслительной активности во время отдыха нервные клетки в лобной области начинают сокращаться. Так что, если не хотите поглупеть за время отпуска, лучше всё-таки совершать те самые безумства, а не тупо валяться на пляже.

(по материалам журнала «Psychologies»)

ЗАДАНИЕ: ваш друг интересуется тем, где и как люди проводят свой отпуск. Напишите ему письмо по материалам данной статьи. При этом укажите:
— источник информации;
— как психологи оценивают состояние человека во время отпуска;
— как психологи оценивают поведение человека во время отпуска;
— в чём психологи видят причины такого поведения;
— в чём, по мнению психологов, кроется опасность длительного отдыха;
— какие советы дают психологи отдыхающим;
— как вы оцениваете материал данной статьи;
— существует ли для вас проблема отдыха.

ТРКИ

***Время выполнения задания — 25 минут.**
Объём текста — 200–250 слов.
***ТРКИ-3 / Письмо, задание 1.**

Задание 8. **Вы говорите с подругой о жизни и о планах на отпуск. Примите участие в диалоге. Ваша задача:**

а) Согласитесь с указанным мнением, используя синонимичные средства.

б) Не согласитесь с указанным мнением, используя антонимы.

— Живём в каком-то диком темпе.
— ....

— Каждый день одно и то же: дом — работа, дом — работа.
— ....

— Все мечты только об отпуске…
— ....

— Вот уж где можно будет оторваться!
— ....

Задание 9. **Прочитайте предложенные выражения и определите, какие интенции они передают: 1) удивление, 2)одобрение (похвала), 3) пожелание, 4) предостережение.**

а. Вот и молодец! ☐
Так держать!

б. Да вы что? Вот это да! ☐
Круто!
Ничего себе!

в. Ты там поосторожнее! ☐
Всякое может случиться!
Будь осторожным!

г. Удачи тебе! ☐
Счастливого пути!
Хорошо отдохнуть!

Задание 10. **Подруга рассказывает вам о своих планах на ближайшие две недели. Примите участие в диалоге, выразите следующие интенции:**

Удивление:
— Знаешь, я три года работала без отпуска!
— ....

Одобрение (похвала):
— Всё, с понедельника еду отдыхать на две недели.
— ....

Предостережение:
— Еду на Кавказ, буду кататься на горных лыжах.
— ....

Пожелание:
— Извини, я спешу, ещё столько всего нужно сделать! Счастливо тебе.
— ....

Задание 11. **Ваша знакомая купила путёвку на лыжный курорт, а теперь жалеет об этом. Примите участие в диалоге и убедите собеседницу в том, что она поступила правильно. Приведите свои аргументы. Используйте различные языковые средства.**

— Еле дождалась отпуска. Решила провести его как-то необычно и купила поездку на неделю в Альпы. А теперь жалею. Я на лыжах уже сто лет не стояла.
— ....

— А на горных лыжах я вообще ни разу в жизни не каталась.
— ....

— И вообще у меня горных лыж нет.

— ....

— Да, всё это, конечно, верно. Но всё равно мне как-то страшно.

— ....

Задание 12. Ваш друг — владелец туристического агентства. Он обратился к вам с просьбой порекомендовать ему человека, который мог бы работать у него гидом.
Напишите неформальное письмо, в котором охарактеризуйте этого человека. Укажите:
— его личностные качества;
— профессиональные навыки;
— факты и события, подтверждающие вашу характеристику;
оцените, может ли этот человек работать в этой должности.

ТРКИ

***Время выполнения задания — 20 минут.**
Объём текста — 100–150 слов.
***ТРКИ-2 / Письмо, задание 3.**

Задание 13. **Согласитесь или опровергните данные высказывания. Приведите свои аргументы.**

1. Человек, не умеющий хорошо отдыхать, не умеет хорошо работать.
2. Лучший отдых — смена деятельности.

Задание 14. **Скажите, как вы понимаете название текста на стр. 148?**

Продолжите фразу: «Лучший отдых — это…».

Задание 15. **а) Причитайте текст и скажите, что вы думаете о любви к себе.**

Любовь к себе — это мужество принимать себя всерьёз. И свои таланты, и своё несовершенство. Любить себя — это значит хорошо обращаться с собой. Такое отношение к себе парадоксальным образом делает нас независимыми от внешних условий. Согласитесь: либо мы умеем с собой дружить и проходим по жизни через все её чёрно-белые полосы, имея тёплый и надёжный тыл в лице самих себя, либо всю дорогу стараемся не замечать, что внутри нас лишь холодная пустота (психотерапевт Светлана Кривцова).

б) Сравните понятия «любовь к себе», «эгоизм», «самолюбование».

в) Приведите аргументы «за» и «против» мнения Светланы Кривцовой.

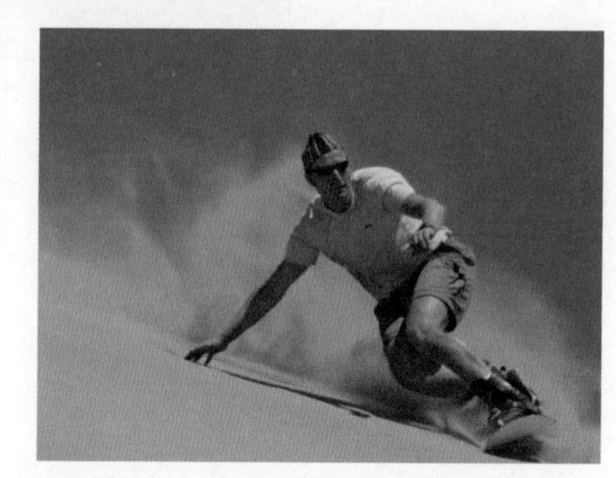

Задание 16. **Напишите эссе на одну из тем:**

1. Жить, чтобы работать, или работать, чтобы жить?
2. «Люби ближнего как самого себя».

***Время выполнения задания — 30 минут.**
Объём текста — 150–200 слов.

ЛЕКСИКО-ГРАММАТИЧЕСКИЙ ТЕСТ

Часть 1

Инструкция к заданиям 1–6

Вам предъявляются предложения, в которых некоторые слова и группы слов представлены в начальной форме. Номера групп слов в таблице соответствуют номерам предложений. Ваша задача — восстановить предложения, употребив слова в нужной грамматической форме, используя там, где необходимо, предлоги. В правом столбце таблицы напишите правильный вариант. Укажите все возможные варианты.

1. Философы сравнивают (человек) (винтик) (огромная машина) и упрекают (мы) (то), что наша жизнь, (общее и целое), протекает упорядоченно: (выходные) — дача, раз (месяц) — очередной день рождения (очередной приятель). **2.** (Современный человек) требуют мыслить практично. **3.** И вот появляется возможность вырваться (время) (дом). **4.** Отправляясь (командировка), мы (время) порываем (среда), (привычная) (мы). **5.** Незнакомая ситуация вызывает (разлад) (душа) и (помутнение) (мозги). 6. (Мнение) (психологи), человек, едущий (отпуск) (новое для себя место), испытывает стресс, сравнимый (переживания) (собственная свадьба).

1. человек, винтик, огромная машина, мы, то, общее и целое, выходные, месяц, очередной приятель	**1.**
2. современный человек	**2.**
3. время, дом	**3.**
4. командировка, время, среда, привычная, мы	**4.**
5. разлад, душа, помутнение, мозги	**5.**
6. мнение, психологи, отпуск, новое для себя место, переживания, собственная свадьба	**6.**

Часть 2

Инструкция к заданиям 7–13

Восстановите предложения, используя данные ниже видовые пары глаголов. Номера видовых пар глаголов соответствуют номерам пропусков. Ваша задача — выбрать глагол нужного вида и использовать его в соответствующей форме. В правом столбце таблицы напишите правильный вариант.

1. Отправляясь в отпуск, мы **-7-** с привычной средой обитания. 2. Половина всех киношных преступлений **-8-** во всяких отелях. 3. Каждый отдыхающий **-9-** свой мозг опасности снижения мыслительной активности. 4. От современного человека **-10-** мыслить практично. 5. Человек в отпуске **-11-** стресс, как на собственной свадьбе. 6. Энергия **-12-** наружу. 7. Чаще всего человек **-13-** разрядку в сфере любовных отношений.

7. порывать — порвать	**7.**
8. происходить — произойти	**8.**
9. подвергать — подвергнуть	**9.**
10. требовать — потребовать	**10.**
11. испытывать — испытать	**11.**
12. проситься — попроситься	**12.**
13. искать — найти	**13.**

Инструкция к заданиям 14–20

Восстановите предложения, используя данные ниже видовые пары глаголов. Номера видовых пар глаголов соответствуют номерам пропусков. Ваша задача — выбрать глагол нужного вида. В правом столбце таблицы напишите правильный вариант. Укажите все возможные варианты.

1. Философы любят **-14-** человека с винтиком огромной машины. 2. Отпуск — возможность на время **-15-** из дома. 3. Нам не остаётся ничего лучшего, как **-16-** напряжение алкоголем и экстримом. 4. Индустрия развлечений рада **-17-**. 5. Не надо **-18-** об стенку ненавистный будильник. 6. Если вам не хочется за время отпуска **-19-** — лучше **-20-** вышеописанные безумства.

14. сравнивать — сравнить	**14.**
15. вырываться — вырваться	**15.**
16. снимать — снять	**16.**
17. стараться — постараться	**17.**
18. швырять — швырнуть	**18.**
19. глупеть — поглупеть	**19.**
20. совершать — совершить	**20.**

Часть 3

Инструкция к заданиям 21–27

Закончите предложения, выберите все возможные правильные варианты.

21. Отправляясь в отпуск, мы сталкиваемся с неоднозначной ситуацией, … разлад в душе.
а) вызвавшей
б) вызывающей
в) вызванной
г) вызываемой

22. Человек в отпуске испытывает стресс, … с переживаниями на собственной свадьбе.
а) сравнённый
б) сравнивающий
в) сравнимый
г) сравнивший

23. Что же происходит в человеческой голове, … далеко от дома?
а) оказываемой
б) оказывающейся
в) оказывающей
г) оказавшейся

24. Человек, … в момент высокого накала страстей, кажется нам более привлекательным.
а) встречающийся
б) встреченный
в) встречающий
г) встречавшийся

25. Срабатывает закон сублимации, … ещё Фрейдом.
а) описанный
б) описывающий
в) описываемый
г) описавший

26. Дома нас раздражает … тюбик зубной пасты.
а) не закрывшийся
б) не закрыт
в) незакрытый
г) не закрываемый

27. Каждый … на отдых подвергает свой мозг опасности снижения мыслительной активности.
а) отправленный
б) отправляющийся
в) отправляемый
г) отправившийся

Часть 4

Инструкция к заданиям 28–38

Вам предъявляется текст, в котором некоторые слова и группы слов представлены в начальной форме. Номера групп слов соответствуют номерам предложений. Ваша задача — восстановить текст, употребив слова и словосочетания в нужной грамматической форме. В правом столбце таблицы напишите правильный вариант. Укажите все возможные варианты.

28. Первые три дня господин N (привычка) (вскакивать — вскочить) в семь утра, а потом слонялся (номер), не (зная — узнав), чем себя занять. **29.** Днём жарился (пляж), а вечером смотрел (телевизор) футбол. **30.** Так продолжалось (неделя), пока (один прекрасный день) господин N неожиданно не (ощущать — ощутить) в себе не свойственное (он) желание (кататься — покататься) (водные лыжи). **31.** Мысль эта была столь (неожиданная) ещё и потому, что плавать господин N умел, прямо (говорить — сказать), плохо. **32.** Но желание крепло не (дни), а (часы), и в конце концов господин N (решать — решить) (пробовать — попробовать). **33.** И (пробовать — попробовать). **34.** (Нравиться — понравиться). **35.** (Это) господин N не (останавливаться — остановиться). **36.** Он не только (прыгать — прыгнуть) (парашют) и (погружаться — погрузиться) (акваланг) (подводная пещера), но даже (петь — спеть) (серенада) (балкон) (симпатичная брюнетка) (соседний номер). **37.** Друзья недоумевали: (тишайший господин N) будто подменили! **38.** Да господин N и сам не подозревал, что он (способный) (такое)…

28. привычка, вскакивать — вскочить, номер, зная — узнав	**28.**
29. пляж, телевизор	**29.**
30. неделя, один прекрасный день, ощущать — ощутить, он, кататься — покататься, водные лыжи	**30.**
31. неожиданная, говорить — сказать	**31.**
32. дни, часы, решать — решить, пробовать — попробовать	**32.**
33. пробовать — попробовать	**33.**
34. нравиться — понравиться	**34.**
35. это, останавливаться — остановиться	**35.**
36. прыгать — прыгнуть, парашют, погружаться — погрузиться, акваланг, подводная пещера, петь — спеть, серенада, балкон, симпатичная брюнетка, соседний номер	**36.**
37. тишайший господин N	**37.**
38. способный, такое	**38.**

Часть 5

Инструкция к заданиям 39–48

Восстановите предложения, используя следующие глаголы: *звать — вызывать — позвать — назвать — называть — отозвать — обзывать(ся) — обозвать*. В правом столбце таблицы напишите подходящие по смыслу глаголы в нужной форме. Укажите все возможные варианты.

39. Какое интересное у вас имя! Кто вас так … ? А как вас … друзья?	**39.**
40. Меня … Мария Петровна. Можете … меня Маша.	**40.**
41. — Андрей! Вас … директор. — Спасибо, сейчас зайду. — Добрый день, Анатолий Иванович! …?	**41.**
42. Вась! Иди домой! Тебя мама … .	**42.**
43. В детстве я был очень полным. Как меня только ни … !	**43.**
44. Алло! Здравствуйте! … , пожалуйста, Антона!	**44.**
45. — Как тебе не стыдно! Зачем ты … ?! — Он сам первый меня … !	**45.**
46. Это ваша собачка? Какая милая. Как её … ?	**46.**
47. — Смотрел фильм «Девятая рота»? — Да. Знаешь, он … у меня двоякое чувство.	**47.**
48. В каком случае страна может … своего посла?	**48.**

Инструкция к заданиям 49–57

Восстановите предложения, используя следующие глаголы: *стоять — оставаться — остаться — оставлять — оставить — останавливать(ся) — остановить(ся)*. В правом столбце таблицы напишите подходящие по смыслу глаголы в нужной форме. Укажите все возможные варианты.

49. На этой маленькой станции поезда обычно … не больше двух минут.	**49.**
50. Сколько времени … до конца рабочего дня?	**50.**
51. Андрея очень трудно переубедить. Он всегда … при своём мнении.	**51.**
52. Когда я бываю в Петербурге, я всегда … у своих школьных друзей.	**52.**
53. В этом году я … без летнего отпуска: мне не с кем было … собаку.	**53.**
54. — Как ты могла уйти? Ты же знаешь, нельзя … детей без присмотра! — Не сердись, я их … одних только на пару минут.	**54.**
55. Сегодня утром, когда я ехал на работу, сотрудники полиции почему-то … все машины. Меня тоже … .	**55.**
56. Ну, рассказывай, что было дальше! Почему ты … ?	**56.**
57. Не … здесь, отойди, пожалуйста.	**57.**

Инструкция к заданиям 58–73

Восстановите предложения, используя глаголы: *управлять — исправлять — отправлять(ся) — заправлять(ся) — поправлять(ся) — направлять(ся) — справляться* и парные им. В правом столбце таблицы напишите подходящие по смыслу глаголы в нужной форме. Укажите все возможные варианты.

58. — Каким соусом ты … салат? — … его сметаной.	**58.**
59. — Куда это ты … ? — На почту. Мне нужно … посылку.	**59.**
60. После окончания вуза моего брата … на работу в школу.	**60.**
61. Ты всё время споришь со мной! … свою энергию на что-нибудь позитивное.	**61.**
62. Как же я … за новогодние праздники! Придётся сесть на диету.	**62.**
63. Если я неправ, … меня, пожалуйста.	**63.**
64. Родители хотели … нас с братом на каникулы к бабушке в деревню, а она сказала, что одна не … с нами.	**64.**
65. — Давай заедем на заправку, нужно … машину. — А вчера ты не мог … ?	**65.**
66. Я уже проверила ваши работы. Дома … ошибки.	**66.**
67. — Мне предложили пост замдиректора. — Поздравляю! — Боюсь, я не … с этой работой. — Ну что ты! Конечно, … !	**67.**
68. Граждане провожающие! Покиньте вагоны! Через две минуты поезд … !	**68.**
69. Во время выступления Владимир не … с волнением и поэтому допустил несколько ошибок.	**69.**
70. Наш директор решил … всех руководителей отделов на стажировку за границу.	**70.**
71. Почему ты так неопрятно выглядишь? … рубашку в брюки, … волосы!	**71.**
72. — Извини, я сегодня не смогу встретиться с тобой. Я заболела. — Ничего страшного, встретимся позже. … скорее!	**72.**
73. — Скажите, чем занимается управделами президента? — … работой президентской администрации.	**73.**

Инструкция к заданиям 74–84

Восстановите предложения, используя имена существительные: *расписание — режим — план — повестка дня — список — распорядок*. В правом столбце таблицы напишите подходящие по смыслу имена существительные в нужной форме.

74. Вот … студентов нашей группы.	**74.**
75. — Представляешь, на эти праздники ко мне хотят приехать родственники, пять человек! Где я их поселю? Что я с ними буду делать? — Послушай, у меня есть … .	**75.**
76. Некоторые психологи считают, что у маленьких детей не должно быть строгого … дня.	**76.**
77. Поезда московского метро ходят точно по … .	**77.**
78. — Боюсь, мы не успеем закончить всё вовремя. — Не нужно волноваться, всё идёт … .	**78.**
79. Больной! Вам необходим постельный … . Если вы будете выходить на улицу, я сообщу врачу, что вы … нарушаете.	**79.**
80. Работники офиса не должны нарушать правила внутреннего … .	**80.**
81. Я ещё не знаю нашего … на новый семестр.	**81.**
82. Коллеги! Сегодня … один вопрос: … работы нашей организации на следующий год.	**82.**
83. Нарисуй … своей квартиры.	**83.**
84. Давай встретимся на вокзале, у … электричек.	**84.**

Часть 6

Инструкция к заданиям 85–96

Вам предъявляется текст с пропусками. После текста даны группы слов. Номера групп слов соответствуют номерам пропусков. Укажите слова, подходящие по смыслу и характерные для научно-популярного стиля речи.

Избавиться от телемании – это фактически **-85-** образ жизни, **-86-**. В жизни должно быть много всяких дел и **-87-**, чтобы телевидению **-88-** мало места. Очень **-89-** **-90-**. В пути можно **-91-** много потрясающих **-92-**, несравнимых с теми, которые мы видим на экране. Беритесь за сложные **-93-**, и телевидение сразу станет **-94-** жизни, а не её содержанием. Психологические **-95-**, которые использует телевидение, **-96-** в моей книге «Телемания».

(О.И. Маховская, кандидат психологических наук, сотрудник Института психологии РАН)

85. а) обменять
б) разменять
в) поменять

86. а) приоритеты
б) раритеты
в) ценности

87. а) развлечений
б) хобби
в) увлечений

88. а) доставалось
б) оставалось
в) уделялось

89. а) помогают
б) способствуют
в) содействуют

90. а) приключения
б) путешествия
в) авантюры

91. а) приобрести
б) достать
в) получить

92. а) эмоций
б) волнений
в) впечатлений

93. а) задачи
б) проблемы
в) задания

94. а) картинкой
б) фоном
в) отражением

95. а) аффекты
б) эффекты
в) дефекты

96. а) расписаны
б) вписаны
в) описаны

ВОПРОСЫ ЛЮБВИ И БРАКА

3.4

Задание 1. **Объясните значение данных слов и словосочетаний, составьте с ними предложения.**

жених
невеста
холостяк
незамужняя
брачующиеся
великовозрастный
гражданский брак
брачный контракт
холостой образ жизни
бездетность
традиционные ценности
предосудительное явление

Задание 2. **Найдите синонимы.** 🗝

1. посулы
2. суровый
3. устойчивый
4. рядовой
5. репродукция

а. стабильный
б. обычный
в. строгий
г. воспроизводство
д. обещания

Задание 3. **Составьте пары из слов, близких по значению.** 🗝

1. обернуться
2. осуждать
3. опасаться
4. вступать в брак
5. игнорировать

а. жениться
б. бояться
в. не обращать внимания
г. превратиться
д. ругать

Задание 4. **Составьте пары из слов, противоположных по значению.** 🗝

1. великовозрастный
2. суровый
3. настырный
4. стремительно
5. незначительный
6. совместный

а. медленно
б. маленький
в. важный
г. раздельный
д. мягкий
е. скромный

Задание 5. **Найдите антонимы.** 🗝

1. разводиться
2. раздавать
3. утверждать
4. совпадать
5. убедиться
6. наказывать

а. отличаться
б. прощать
в. разувериться
г. отбирать
д. сходиться
е. опровергать

Задание 6. **Передайте смысл данных предложений другими словами.**

1. Мужчины и женщины всё дольше оттягивают радости супружеской жизни. 2. Народ ни в какую! 3. В США институт брака держится на «одноэтажной Америке». 4. Налицо жёсткая зависимость: чем выше уровень образования, тем позже люди вступают в брак. 5. Официальные отношения — это коллективная финансовая и правовая ответственность. 6. Государство всё настырнее лезет в отношения между супругами. 7. Рядовой семейный скандал грозит обернуться штрафом, а то и тюрьмой. 8. Крупные города склоняются к нынешней европейской моде. 9. Сначала нужно встать на ноги, а потом заводить ребёнка. 10. В Японии холостой мужчина или незамужняя женщина — явление предосудительное. 11. Мы женимся по любви.

Задание 7. **Прочитайте текст и выполните задание (тест) после текста.**

***Время выполнения задания — 15 минут.**
***ТРКИ-3 / Чтение, задание 1.**

БРАЧНЫЕ ИГРЫ ДЛЯ ВЕЛИКОВОЗРАСТНЫХ

По данным Всемирной организации здравоохранения (ВОЗ), мужчины и женщины в цивилизованных государствах всё дольше оттягивают радости супружеской жизни. Согласно последним исследованиям, позднее всего вступают в брак в Европе — в среднем в 32 года (в 2000 году — в 28,5). Та же тенденция наблюдается в США и в Японии.

Правительства стран «первого мира» всячески подталкивают своих граждан к семейным ценностям. Властям активно помогает церковь. Но народ ни в какую! Тенденция, по заверениям специалистов, устойчива и в ближайшие 10 лет вряд ли изменится.

Позднее других создают семьи в Северной Европе — в Норвегии, Швеции и Дании. Мужчины там женятся в 37 лет, а женщины выходят замуж в 35. Но зато разводы там весьма редки.

Центральная Европа — Великобритания, Германия, Франция — чуть поактивнее. Семьи здесь создаются примерно в 32 года, это средневзвешенный показатель по Европе. Держаться на этом уровне Евросоюзу помогает статистика Италии и Турции, где средний возраст брачующихся — 25 лет.

Чуть больше показатель в США и Японии (26,5 лет). Но в США институт брака держится на «одноэтажной Америке» с её традиционными ценностями. Мегаполисы решительно игнорируют как призывы правительства, так и финансовые посулы. Нью-Йорк даёт отметку в 33,5 года — даже выше, чем в Европе. С ним солидарны Бостон и Сан-Франциско.

Что же касается Японии, то там холостой мужчина или незамужняя женщина — явление издавна предосудительное. И всё-таки даже там традиции семьи стремительно уступают общемировой тенденции. В итоге средний возраст жениха и невесты с 22,5 лет в 2000 году трансформировался в 26 лет в настоящее время.

Налицо жёсткая зависимость: чем выше уровень образования — тем позже люди создают семьи. Один из авторов исследования, проведённого ВОЗ, прокомментировал эту причинно-следственную связь так:

— Любое высшее образование включает в себя курс психологии и основ права. Люди, получившие диплом, очень хорошо понимают разницу между любовью, чисто биологическим влечением и государственным институтом брака. Хорошее логическое мышление, сопутствующее высокому интеллектуальному развитию, гарантирует понимание, что любить можно друг друга и в частном порядке, в рамках так называемого гражданского брака. А вот официальные отношения — это коллективная финансовая и правовая ответственность, на которую решаются только те, кто вполне уверился во взаимных чувствах.

В переводе на житейский всё просто: любовь с поцелуями — это одно, а семья с детьми и финансовыми обязательствами — другое. В большинстве развитых стран официальная регистрация автоматически означает совместное владение имуществом. Как показывают статистика и соцопросы, брачные контракты защищают личную собственность каждого супруга далеко не так идеально, как об этом говорят адвокаты.

Кроме того, государство всё настырнее лезет в отношения между супругами, щедро раздавая суровые наказания за самые незначительные нарушения так называемых прав человека в рамках

семьи. Рядовой семейный скандал грозит обернуться штрафом, а то и тюрьмой. Кому это понравится?

Ещё один важный фактор — развитие социально ориентированной медицины. А именно — та её часть, которая касается репродукции. Если раньше женщина могла, как правило, нормально выносить и родить ребёнка до 35 лет, то сейчас в Европе, США и Японии дамы успешно рожают и в 40. Так что торопиться с браком исключительно ради ребёнка тоже вроде бы незачем.

А что же в России? Существует статистика, собранная российским институтом воспроизводства и развития семьи. И эти данные свидетельствуют: мировые тенденции имеют к нам пока ещё слабое отношение.

Так же, как и десять лет назад, средний возраст вступления в брак в России — 21 год для женщин и 24 года для мужчин. Это фактически совпадает с моментом появления в семье детей. Крупные города с миллионным населением склоняются к нынешней европейской моде — сначала встать на ноги, а потом уже заводить семью. Но более чем на 75 % Россия — страна сельская, с укоренившимися традициями, сурово осуждающими холостой образ жизни и в особенности бездетность. Мы женимся по любви и тут же заводим ребёнка. Серьёзной собственности у большинства россиян, считай, нет, опасаться за её сохранность пока не приходится. В итоге получается чисто романтический брак.

(по материалам журнала «Psychologies»)

ТЕСТ: Укажите, какие высказывания соответствуют содержанию текста.

1. Средний возраст вступающих в брак европейцев остаётся неизменным в течение последних десятилетий. ☐
2. Государство поддерживает пары, официально регистрирующие брак. ☐
3. Самые поздние браки — в Северной Европе. ☐
4. Активнее всего создают семьи итальянцы и турки. ☐
5. Американцы, живущие в крупных городах, вступают в брак позднее своих сограждан из маленьких городов. ☐
6. Японское общество осуждает холостую жизнь. ☐
7. В сельской Японии заключаются ранние браки. ☐
8. Между уровнем образования и возрастом вступающих в брак не прослеживается прямой зависимости. ☐
9. По мнению большинства европейцев, любовь и брак — это разные вещи. ☐
10. Брачные контракты гарантируют защиту личной собственности. ☐
11. В том, что касается возраста вступления в брак, Россия держится в русле европейских тенденций. ☐

Задание 8. **Напишите письмо своему знакомому, в котором обсудите проблемы, поднятые в статье. При этом:**

— укажите источник информации;

— сообщите о важнейших изменениях в обществе;

— перечислите факты и проанализируйте причины, вызвавшие изменения;

— дайте свой прогноз на будущее;

— выскажите своё отношение к информации, изложенной в статье.

ТРКИ

***Время выполнения задания — 25 минут.**
Объём текста — 200–250 слов.
***ТРКИ-3 / Письмо, задание 1.**

Задание 9. **Вы участвуете в работе семинара «Современная семья». Примите участие в диалоге. Ваша задача:**

а) Согласитесь с указанным мнением, используя синонимичные конструкции.

б) Не согласитесь с указанным мнением, используя антонимы.

— Специалисты утверждают, что мужчины и женщины всё позднее вступают в брак.

— ....

— Люди предпочитают сначала встать на ноги, а уж потом думать о семье.

— ....

— Я читала, что в европейских странах правительства пытаются стимулировать создание молодой семьи и рождение детей.

— ....

— Но пока это никак не меняет создавшуюся ситуацию.

— ....

Задание 10. **Прочитайте предложенные выражения и определите, какие интенции они передают: 1) удивление, 2) понимание, 3) заинтересованность, 4) сочувствие.**

а. И что?
А что в результате?
Ну и?..

б. Да вы что!
Никогда бы не подумал(а)!
Не может быть!
Ну и ну!

в. Да уж, пора!
Кому-кому, а ей (ему) пора!

г. Ну, что тут поделаешь!
Ничего не поделать!

Задание 11. **Вы говорите с подругой о ваших общих знакомых. Примите участие в диалоге, выразите следующие интенции:**

Удивление:
— У Петровых сейчас одна задача — выдать замуж свою дочь.
— ....

Понимание:
— Ей уже 29, а она замуж ещё и не собирается!
— ....

Заинтересованность:
— Уж с кем они её только не знакомили!
— ....

Сочувствие:
— А она ни в какую!
— ....

Задание 12. **Вы обсуждаете с подругой (другом) проблемы семьи и брака. Примите участие в диалоге и убедите собеседника в том, что он (она) поступил(а) правильно. Приведите свои аргументы. Используйте разные языковые средства.**

— Дочь вчера объявила, что они с другом собираются пожениться. Я её, конечно, поздравила, а теперь думаю, что напрасно они так спешат. Ведь им всего по 20 лет!

— ....

— Они же студенты! Им учиться надо! Семейная жизнь этому не способствует!

— ....

— Хотят жить с нами. По-моему, это не лучший вариант.

— ....

— И на что они будут жить? Они же почти ничего не зарабатывают!

— ....

Задание 13. **а) Расскажите, в каком возрасте вступают в брак в вашей стране. Какой возраст и почему кажется вам оптимальным для создания семьи? Как относятся в вашей стране к гражданским бракам? Каково ваше отношение к этому явлению?**
б) Скажите, как относятся к разводам в вашей стране? Как вы относитесь к этому явлению? Что, по вашему мнению, является наиболее частой причиной разводов?

Задание 14. **Напишите эссе на тему «Брак — дело серьёзное». При этом укажите:**
— в чём заключается проблема;
— важнейшие изменения в области семейных отношений;
— различные точки зрения на проблемы семьи;
— осознание обществом данной проблемы;
— прогноз на будущее;
— ваше отношение к традиционным семейным ценностям.

***Время выполнения задания — 30 минут.**
Объём текста — 150–200 слов.

....

....

....

....

....

....

....

....

....

....

....

....

....

....

ЛЕКСИКО-ГРАММАТИЧЕСКИЙ ТЕСТ

Часть 1

Инструкция к заданиям 1–10

Вам предъявляется текст, в котором некоторые слова и группы слов представлены в начальной форме. Номера групп слов в таблице соответствуют номерам предложений. Ваша задача — восстановить текст, употребив слова в нужной грамматической форме, используя там, где необходимо, предлоги. В правом столбце таблицы напишите правильный вариант. Укажите все возможные варианты.

1. (Данные ВОЗ), граждане (европейские страны) в среднем вступают (брак) (возраст) (32 года). **2.** Что касается (Япония), то даже там традиции (семья) уступают (общеевропейская тенденция). **3.** Люди (высшее образование) хорошо понимают (разница) (любовь и государственный институт брака). **4.** (Это) могут решиться только те, кто уверен (взаимные чувства). **5.** Государство всё активнее вмешивается (отношения) (супруги) и наказывает (свои граждане) (незначительные нарушения) (права человека) (рамки семьи). **6.** Торопиться (брак) ради (ребёнок) теперь незачем. **7.** Мировая тенденция имеет (мы) (слабое отношение). **8.** Средний возраст (мужчины и женщины), (вступающие в брак) (Россия) фактически совпадает (момент) (появление) (семья) (дети). **9.** Россия — более чем (75 %) страна сельская, (укоренившиеся традиции), (осуждающие) (холостяки). **10.** Большинство (россияне) не опасается (сохранность) (личная собственность) и вступает (брак) (любовь).

1. данные ВОЗ, европейские страны, брак, возраст, 32 года	**1.**
2. Япония, семья, общеевропейская тенденция	**2.**
3. высшее образование, разница, любовь и государственный институт брака	**3.**
4. это, взаимные чувства	**4.**
5. отношения, супруги, свои граждане, незначительные нарушения, права человека, рамки семьи	**5.**
6. брак, ребёнок	**6.**
7. мы, слабое отношение	**7.**
8. мужчины и женщины, вступающие в брак, Россия, момент, появление, семья, дети	**8.**
9. 75 %, укоренившиеся традиции, осуждающие, холостяки	**9.**
10. россияне, сохранность, личная собственность, брак, любовь	**10.**

Инструкция к заданиям 11–18

Вам предъявляется текст с пропусками части фраз. После текста даны пропущенные части предложений. Ваша задача — определить, в какой пропуск в тексте можно вставить каждый из фрагментов.

Согласно статистике, россияне и россиянки всё чаще ищут заморских принцев и принцесс себе в спутники. Это в советские годы брак с американцем был в диковинку, **-11-** ежегодно регистрируется более 10 тысяч интернациональных семей. Возможность путешествовать по миру, **-12-**, сделала своё дело. **-13-**, то чаще всего россияне вступают в брак с гражданами США, Турции, Германии, Франции.

Увеличивается в России и количество разводов. Так, в прошлом году в Москве **-14-**: более 45 тысяч семейных пар расторгло свои отношения. В списке причин развода, **-15-**, значатся алкоголизм или наркомания — 51 %, отсутствие жилища — 41 % и отсутствие средств к существованию — 29 %, вмешательство в дела семьи тёщи или тестя — 18 %, невозможность иметь детей — 10 %, длительное раздельное проживание — 8 %.

-16- неутешительная статистика разводов и в Европе. По данным, обнародованным Евросоюзом, на каждые 2,2 брака в странах альянса приходится один развод. За последние десять лет **-17-** в Португалии выросло на 89 %, в Италии — на 62 %, в Испании — на 59 %.

Граждане США стали меньше разводиться. Причины неоднозначны: уменьшение количества разводов связано с тем, что американцы стали реже жениться, **-18-**.

- ☐ **А.** Если говорить о странах дальнего зарубежья, …
- ☐ **Б.** … зато сейчас в одной только Москве …
- ☐ **В.** … по данным ВЦИОМ, …
- ☐ **Г.** … был зафиксирован настоящий «разводный» бум: …
- ☐ **Д.** … появившаяся у россиян сравнительно недавно, …
- ☐ **Е.** Впрочем, такая же …
- ☐ **Ж.** … предпочитая браку не оформленное документально сожительство.
- ☐ **З.** … количество разводов …

Часть 2

Инструкция к заданиям 19–26

Вам предъявляется текст с пропусками имён прилагательных и наречий. После текста даны имена прилагательные в начальной форме и наречия. Номера имён прилагательных и наречий соответствуют номерам пропусков. Ваша задача — восстановить текст, используя формы сравнительной степени имён прилагательных и наречий. В правом столбце таблицы напишите вариант ответа. Укажите все возможные варианты.

1. Мужчины и женщины всё **-19-** оттягивают радости супружеской жизни. 2. **-20-** всего вступают в брак в Северной Европе. 3. Разводы в странах Северной Европы случаются **-21-**, чем в Центральной Европе. 4. Средний возраст вступающих в брак в Нью-Йорке — 33,5 года, это **-22-**, чем в Европе. 5. Государство всё **-23-** вмешивается в дела семьи. 6. Прослеживается тенденция: чем **-24-** город, где проживают молодые люди, и чем **-25-** уровень их образования, тем, как правило, **-26-** они регистрируют брак.

19. далеко	**19.**	**23.** активно	**23.**
20. поздно	**20.**	**24.** крупный	**24.**
21. редко	**21.**	**25.** высокий	**25.**
22. высоко	**22.**	**26.** поздно	**26.**

Инструкция к заданиям 27–33

Вам предъявляются предложения с пропусками имён прилагательных. Ниже даны имена прилагательные в полной и краткой форме. Номера имён прилагательных соответствуют номерам пропусков. Ваша задача — восстановить предложения, используя полную или краткую форму имён прилагательных. В правом столбце таблицы напишите правильный вариант.

1. Тенденция к поздним бракам, по данным специалистов, в настоящее время **-27-** и вряд ли изменится. 2. Молодые японцы, **-28-** со своими американскими ровесниками, вступают в брак в 26 лет. 3. Перед нами **-29-** зависимость между уровнем образования и возрастом вступления в брак. 4. Жители Бостона и Сан-Франциско **-30-** с жителями Нью-Йорка. 5. Я надеюсь, что наши чувства **-31-**. 6. За такое незначительное нарушение это наказание слишком **-32-**. 7. Свадьбы молодых людей до 25 лет становятся в Европе всё более **-33-**.

27. устойчивая — устойчива	**27.**
28. солидарные — солидарны	**28.**
29. жёсткая — жестка	**29.**
30. солидарные — солидарны	**30.**
31. взаимные — взаимны	**31.**
32. суровое — сурово	**32.**
33. редкими — редки	**33.**

Инструкция к заданиям 34–48

Восстановите предложения, используя данные ниже видовые пары глаголов. Номера видовых пар глаголов соответствуют номерам пропусков. Ваша задача — выбрать глагол нужного вида и использовать его в соответствующей форме. В правом столбце таблицы напишите правильный вариант.

1. Позднее всего **-34-** в брак в Европе. 2. В ближайшее время эта тенденция вряд ли **-35-**. 3. Любое высшее образование **-36-** в себя курс психологии. 4. Обычный семейный конфликт **-37-** **-38-** большим штрафом. 5. Кому это может **-39-**? 6. **-40-** на брак могут только уверенные во взаимности своих чувств люди. 7. Раньше женщина **-41-** **-42-** ребёнка только до 35 лет. 8. Возраст людей, вступающих сейчас в брак в России, не **-43-** от возраста тех, кто **-44-** семью десять лет назад. 9. Жители крупных городов стараются сначала **-45-** на ноги, а уж потом **-46-** о браке. 10. Большинству россиян не **-47-** серьёзно **-48-** за личную собственность.

34. вступать — вступить	**34.**
35. изменяться — измениться	**35.**
36. включать — включить	**36.**
37. мочь — смочь	**37.**
38. оборачиваться — обернуться	**38.**
39. нравиться — понравиться	**39.**
40. решаться — решиться	**40.**
41. мочь — смочь	**41.**
42. рожать — родить	**42.**
43. отличаться — отличиться	**43.**
44. создавать — создать	**44.**
45. вставать — встать	**45.**
46. думать — подумать	**46.**
47. приходиться — прийтись	**47.**
48. переживать — пережить	**48.**

Часть 3

Инструкция к заданиям 49–58

Закончите предложения, выберите все возможные правильные варианты.

49. Современные тенденции, … в Северной Америке, наблюдаются и в Европе.

а) отметившие
б) отмеченные
в) отмечаемые
г) отмечавшие

50. Люди, … диплом, не спешат с созданием семьи.

а) получающие
б) полученные
в) получившие
г) получаемые

51. Хорошее логическое мышление, … высокому интеллектуальному развитию, гарантирует понимание разницы между любовью и вступлением в брак.

а) сопутствовавшее
б) сопутствующее
в) сопутствуемое
г) сопутствовав

52. Эти явления … во всех развитых странах.

а) отмечаются
б) отмеченные
в) отмечены
г) отмечавшиеся

53. Люди понимают, что можно любить друг друга и в рамках так … гражданского брака.

а) назвавшегося
б) названного
в) называемого
г) называющего

54. На брак решаются люди, … во взаимности своих чувств.

а) уверенные
б) уверяющие
в) уверившие
г) уверившиеся

55. В большинстве … стран регистрация брака означает совместное владение имуществом.

а) развиваемых
б) развившихся
в) развитых
г) развивающих

56. Важным фактором является развитие социально … медицины.

а) ориентирующейся
б) ориентированной
в) ориентируемой
г) ориентировавшейся

57. Эта статистика … российским институтом развития семьи.

а) собравшая
б) собирающая
в) собрана
г) собранная

58. Существуют сельские традиции, … холостой образ жизни.

а) осуждаемые
б) осуждающие
в) осуждённые
г) осуждавшиеся

Часть 4

Инструкция к заданиям 59–77

Восстановите предложения, используя следующие глаголы: *тянуть(ся) — протянуть — вытягивать — вытянуть — потянуть — притягивать — оттягивать — подтянуться — растянуть(ся) — затягивать(ся) — затянуть(ся) — дотянуть(ся)*. В правом столбце таблицы напишите подходящие по смыслу глаголы в нужной форме. Укажите все возможные варианты.

59. Когда же мы поедем? Сколько можно ждать? Почему ты … наш отъезд?	**59.**
60. Помоги мне, пожалуйста, достать книгу с верхней полки, я никак не … .	**60.**
61. Елена — такая молчунья! Слова из неё не … !	**61.**
62. Из-за аварии на шоссе пробка … на несколько километров.	**62.**
63. Сразу видно, что ты не занимаешься спортом. Даже двух раз не можешь … .	**63.**
64. Откуда-то … дымом.	**64.**
65. Ну что ты молчишь? Время … ?	**65.**
66. Меня неудержимо … в эти края.	**66.**
67. Когда же ты всё расскажешь родителям? Мне кажется, с этим не нужно … .	**67.**
68. Не молчи! Рассказывай, что там у вас случилось? Почему из тебя всё нужно … ?	**68.**
69. Горы … этого великого художника всю жизнь.	**69.**
70. Зачем ты погладила мой свитер? Видишь, как он … !	**70.**
71. На экзамене мне просто повезло: я … билет, который хорошо знал.	**71.**
72. «Распишитесь вот здесь», — сказал почтальон и … мне извещение о заказном письме.	**72.**
73. Всё живое … к солнцу.	**73.**
74. Строители … новую линию газопровода в Центральную Европу.	**74.**
75. Зачем же ты им всё рассказал? Ведь никто тебя за язык не … .	**75.**
76. Как медленно … зима!	**76.**
77. Наше собрание … .	**77.**

Инструкция к заданиям 78–95

Восстановите предложения, используя следующие глаголы: *держать(ся) — выдерживать — задерживать(ся) — придерживаться — поддерживать — удерживать* и парные им. В правом столбце таблицы напишите подходящие по смыслу глаголы в нужной форме.

78. Переходя дорогу, … ребёнка за руку.	**78.**
79. Извини, я погорячилась, нервы не … .	**79.**
80. Не сутулься, … голову прямо!	**80.**
81. Прости за опоздание, меня начальник … .	**81.**
82. Меня не интересует твоё мнение, … его при себе.	**82.**
83. Андрей — надёжный человек, он всегда … в трудную минуту.	**83.**
84. Это слабая работа, она не … никакой критики.	**84.**
85. Ире ничего нельзя рассказывать, она не умеет … язык за зубами.	**85.**
86. Не ждите меня к ужину, я … на работе.	**86.**
87. Не … меня, я всё равно уеду!	**87.**
88. Слышали? Виктора … за хулиганство!	**88.**
89. С тобой трудно разговаривать, ты совсем не … беседу.	**89.**
90. Таня … на даче кур.	**90.**
91. Дал слово — … !	**91.**
92. Многие европейцы всё дальше оттягивают радости супружеской жизни. Большинство американцев … такого же мнения.	**92.**
93. Во время проведения новогодних праздников порядок на улицах города … дополнительные наряды полиции.	**93.**
94. Актёр должен уметь … паузу.	**94.**
95. Я … кандидатуру, выдвинутую предыдущим выступающим.	**95.**

Часть 5

Инструкция к заданиям 96–109

Восстановите предложения, используя имена существительные: *ценность — цена — стоимость — оценка — отметка*. В правом столбце таблицы напишите подходящие по смыслу имена существительные в нужной форме. Укажите все возможные варианты.

96. В школе я училась с удовольствием, почти всегда получала хорошие … .	**96.**
97. Дорогие друзья! Благодарю вас за высокую … моей работы!	**97.**
98. Несмотря на бурный прогресс науки и техники, обычные человеческие … мало меняются.	**98.**
99. В январе нас ожидает повышение … .	**99.**
100. Ты всё только обещаешь. Знаю я … твоим словам!	**100.**
101. Летом я прекрасно отдохнула. А главное, почти 50 % … моей путёвки в дом отдыха оплатил наш профсоюз!	**101.**
102. «Уважаемые пассажиры! … билета, приобретаемого у водителя, 25 рублей».	**102.**
103. На границе мне поставили … в паспорте.	**103.**
104. Хороший бухгалтер всегда будет в … .	**104.**
105. В прошлом году в нашем городе было ужасное наводнение. Уровень воды достигал почти двухметровой … !	**105.**
106. С нового года … перевозок возрастёт в полтора раза!	**106.**
107. Каждый должен знать себе … .	**107.**
108. С ростом терроризма … человеческой жизни падает.	**108.**
109. Специалисты рекомендуют не хранить … дома.	**109.**

Инструкция к заданиям 110–125

Восстановите предложения, используя имена прилагательные: *каждый — любой — всякий — разный — другой*. В правом столбце таблицы напишите подходящие по смыслу имена прилагательные в нужной форме. Укажите все возможные варианты.

110. В этом книжном магазине можно купить … книги.	**110.**
111. По Трудовому кодексу … работник имеет право на отдых.	**111.**
112. Звони мне в … время.	**112.**
113. Тебя теперь и не узнать. Ты стал совсем … человеком.	**113.**
114. Этот фильм можно посмотреть практически в … кинотеатре.	**114.**
115. — У тебя такой же мобильник, как и у меня! — Нет, у меня немного … , смотри. — Да, они … .	**115.**
116. … раз, как это случается, ты обещаешь, что больше этого не повторится.	**116.**
117. Мне нужно срочно попасть в Петербург. У вас есть билеты на сегодня? Меня устроит … место!	**117.**
118. К сожалению, часто человек говорит одно, а думает совсем … .	**118.**
119. В тайге водятся … звери.	**119.**
120. Я рад, что ты всё исправил. Теперь совсем … дело.	**120.**
121. Что же ты такой неблагодарный! … бы спасибо сказал, а ты всё недоволен! Всё-таки мы с тобой абсолютно … люди!	**121.**
122. Это лекарство нужно принимать … два часа.	**122.**
123. Вы отлично поработали! … сделал всё, что мог.	**123.**
124. Этот человек пытается добиться успеха … ценой.	**124.**
125. … знает, что первым человеком, полетевшим в космос, был Юрий Гагарин.	**125.**

СЕМЕЙНЫЕ ОТНОШЕНИЯ

3.5

Задание 1. **Объясните значение данных слов и словосочетаний, составьте с ними предложения.**

добытчик
подкаблучник
первенец
аутсайдер
пораженец
патриархат
распад семьи
взаимопомощь
«высший пилотаж»
рычаги власти
место жительства

Задание 2. **Составьте пары из слов, близких по значению.** 🗝

1. главенство
2. стычка
3. повод
4. бесконечно
5. переживание
6. властный
7. безоговорочно
8. зря

а. постоянно
б. волнение
в. напрасно
г. абсолютно
д. причина
е. бой
ж. лидерство
з. авторитарный

Задание 3. **Составьте пары из слов, противоположных по значению.** 🗝

1. упрекать
2. чинить
3. перестать
4. руководить
5. сдаваться
6. заставлять

а. начать
б. потакать
в. сражаться
г. ломать
д. подчиняться
е. хвалить

Задание 4. **Образуйте парные глаголы совершенного вида от следующих глаголов:** 🗝

а) убивать — разбивать — выбивать — отбивать — взбивать — подбивать — сбивать — забивать — добивать(ся) — перебивать;

б) насчитывать(ся) — подсчитывать — рассчитывать — просчитывать(ся) — пересчитывать.

Задание 5. **Образуйте парные глаголы несовершенного вида от глаголов:** 🗝

достроить — надстроить — пристроить — подстроить — застроить — устроить(ся) — перестроить — расстроить(ся) — настроить(ся).

Задание 6. **Передайте смысл данных предложений другими словами.**

1. Существовать на равных удаётся редким парам. 2. Муж — всему голова. 3. У меня опустились руки. 4. Какая же женщина не мечтает подчиняться? 5. Властная женщина охотно взваливает всё себе на плечи. 6. Начинать боевые действия за передел власти ни в коем случае не стоит. 7. Жене беспомощность мужа только на руку. 8. Беспомощного мужа можно бесконечно упрекать без зазрения совести.

Задание 7. **Прочитайте текст и выполните задание (тест) после текста.**

***Постарайтесь не пользоваться словарём.**
***Время выполнения задания — 15 минут.**
***ТРКИ-3 / Чтение, задание 1.**

КТО В ДОМЕ ХОЗЯИН?

Ст. 31 Семейного кодекса РФ:
1. Каждый из супругов свободен в выборе рода занятий, профессии, мест пребывания и жительства. 2. Вопросы материнства, отцовства, воспитания, образования детей и другие вопросы семейной жизни решаются супругами совместно исходя из принципа равенства супругов. 3. Супруги обязаны строить свои отношения в семье на основе взаимоуважения и взаимопомощи, содействовать благополучию и укреплению семьи, заботиться о благосостоянии и развитии своих детей.

В любой семье обязательно есть лидер — существовать на равных удаётся лишь редким парам. Это нормально. Хуже, когда ни один из супругов не желает считать себя «аутсайдером», и начинается жестокая затяжная борьба за власть.

По словам психолога Николая Петухова, исторически русским людям ближе патриархат, когда мужчина — всему голова. Он должен добывать деньги, решать все проблемы и за всё отвечать. На деле же мужчина, особенно современный, оказывается полноценным «хозяином» далеко не всегда. Вот тут-то и начинаются трагедии.

Говоря о семейных взаимоотношениях, психологи выделяют следующие типы мужчин: пораженец, подкаблучник, умный.

Мужчина типа «пораженец» поначалу пытается руководить в семье. Но скоро понимает, что многие принятые им решения неверны, и у него опускаются руки. И хотя жена не настаивает на собственном главенстве, пораженец легко сдаётся без боя. А зря. Конечно, нынешняя жизнь заставляет слабый пол быть сильным, но какая же женщина не мечтает подчиняться? Но только не всякому, а тому, кому она безоговорочно доверяет.

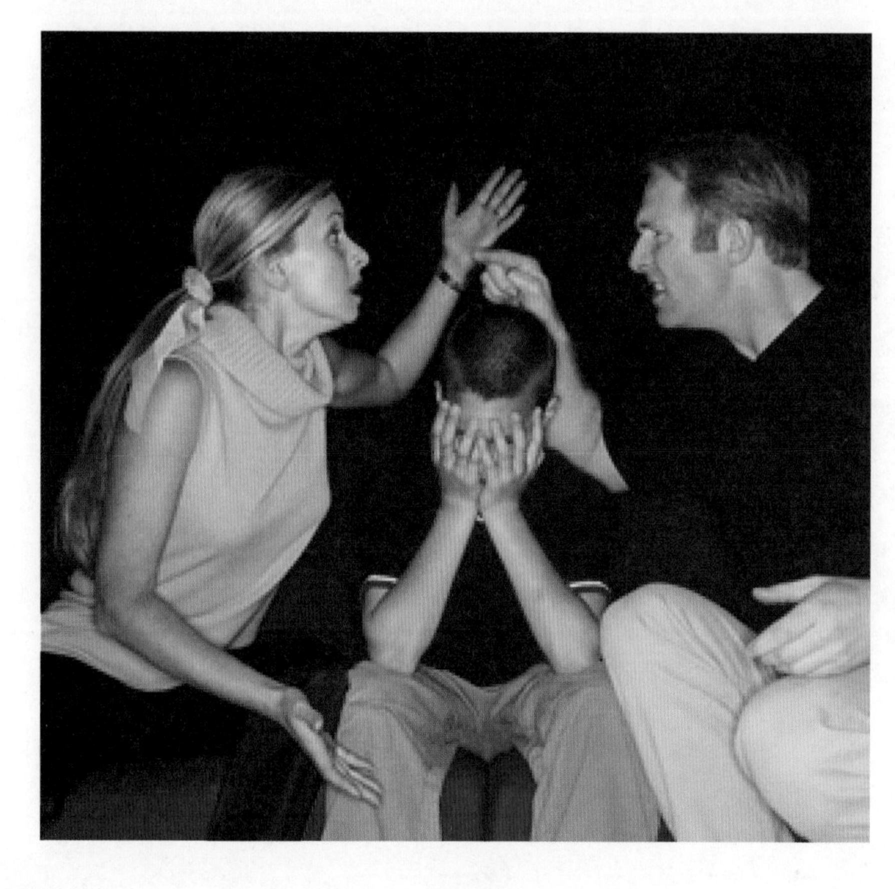

«Умный». Часто женщине приходится исполнять роль «серого кардинала» — фактического лидера. О таких семьях говорят: муж — умный, а жена — мудрая. Высший женский пилотаж — стопроцентно руководить любимым, но так, чтобы он этого не заметил. Умный и не замечает. Или делает вид, что не замечает.

Когда властная жена взваливает всё себе на плечи, мужчина типа «подкаблучник» даже не скрывает радости. Такие женщины часто привлекают мужчин до свадьбы (кстати, не только слабых и безвольных, но и достаточно самостоятельных, реализовавшихся в жизни) своей уверенностью и независимостью. Хорошо, если и в браке собственная незначительная роль мужа будет устраивать. Но если он ошибочно думал, что после свадьбы всё чудом переменится, его ждёт немало переживаний.

Начинать боевые действия за передел власти по прошествии

короткого отрезка семейного марафона не стоит ни в коем случае. Ни к чему хорошему это не приведёт. Власть, возможно, вернётся к мужчине сама. Но этого момента нужно дождаться.

Как это ни парадоксально, но в первые десять лет совместной жизни у женщины гораздо больше шансов стать лидером. Молодой муж, как правило, занят карьерой и пока ещё зарабатывает немного. Это его большой минус: ведь он как мужчина хочет быть добытчиком.

А молодая жена тем временем занимается хозяйством, от которого муж полностью освобождён: он же ужасно устаёт на работе (ведь ему нужно изо всех сил карабкаться по служебной лестнице). И к тому же он попросту некомпетентен. Ему поручается только сугубо мужская работа: вбить гвоздь, починить розетку и т. п. Стычки «местного масштаба», возникающие из-за ерунды типа кому вынести мусор, жене только на руку: беспомощного в вопросах домашнего хозяйства мужа можно бесконечно упрекать без зазрения совести.

И самое главное. Социологические исследования показывают, что молодые мужья больше жён боятся развода. И хоть женщины сильнее стремятся быстрее выйти замуж, они же чаще становятся и инициаторами распада семьи. Поэтому жёны, умело манипулирующие подобными угрозами, в результате доводят мужей до сильнейшего стресса.

А поводов поугрожать становится со временем всё больше. Они множатся вместе с рождением первенца. Ещё бы: несчастная женщина крутится как белка в колесе, а муж живёт прежней полноценной и беззаботной жизнью! Молодая мамочка тут же начинает анализировать вновь открывшиеся недостатки супруга и грустить о своих несбывшихся надеждах на брак. А это развивает в супруге чувство вины. К тому же угроза развода наталкивает мужчину ещё и на мысль, что придётся расстаться с ребёнком.

Таким образом, у женщины в начале семейной жизни куда больше рычагов власти.

Но с годами ситуация меняется. Мужчина полностью взрослеет: у него складывается карьера, меняется социальный статус, он начинает хорошо зарабатывать и становится материально независим. У него появляется чувство уверенности в себе и в завтрашнем дне.

Закон природы гласит: женщина с годами выглядит старше, мужчина — солиднее. Он делается всё более привлекателен не только для ровесниц жены, но и для совсем юных женщин. Да и сам он засматривается на молоденьких, так что теперь у жены появляется проблема: как и чем удержать своё сокровище.

А развод мужчину уже не пугает: детей он не потеряет в любом случае. Они подросли и сами определили своё отношение и к матери, и к отцу. Даже если они останутся жить с матерью, с отцом общаться не перестанут.

(по материалам газеты «Труд»)

ТЕСТ: Укажите, какие высказывания соответствуют содержанию текста. 🗝

1. Согласно Семейному кодексу РФ, супруги равны в правах и обязанностях. ☐
2. Родители должны совместно заботиться о воспитании и развитии своих детей. ☐
3. Реальное равенство супругов — большая редкость. ☐
4. Типичная русская семья строится на принципах патриархата. ☐
5. Многие женщины с радостью подчинялись бы своим мужьям. ☐
6. Умный мужчина всегда против лидерства женщины. ☐
7. Если муж делает вид, что не замечает главенства жены, он поступает мудро. ☐
8. Молодой муж часто свободен от всех домашних обязанностей. ☐
9. Молодые жёны стараются не упрекать мужей в беспомощности. ☐
10. Женские упрёки прекращаются, как только возникает угроза развода. ☐
11. С рождением ребёнка роль мужа кардинально меняется. ☐
12. С годами женщины теряют лидерские позиции в семье. ☐

Задание 8. **Вы присутствуете на семинаре по проблемам семьи и брака. Примите участие в диалоге. Ваша задача:**

а) Согласитесь с указанным мнением, используя синонимичные средства.

б) Не согласитесь с указанным мнением, используя антонимы.

— Сейчас семейные отношения строятся совсем не так, как прежде.
— ....

— Раньше главой семьи был муж.
— ....

— Он зарабатывал, содержал семью, он и принимал важнейшие решения.
— ....

— А сейчас типичной стала ситуация, когда лидирует жена, а муж подчиняется её решениям.
— ....

Задание 9. **Прочитайте предложенные выражения и определите, какие интенции они передают: 1) заинтересованность, 2) удивление, 3) недоумение, 4) несогласие.**

а. Вот те раз! [ ]
Подумать только!
С ума сойти!

б. Правда? И что? [ ]
И в чём это проявляется?
И чем они тебя заинтересовали?
Ну и как тебе?

в. Ну уж нет! [ ]
Это не для меня!
Ни за что!
Что-что, но только не это!

г. Зачем это? [ ]
С какой стати?
Мне не понять!
Даже не знаю что сказать…

Задание 10. **Подруга рассказывает вам о своих новых знакомых. Примите участие в диалоге, выразите следующие интенции:**

Заинтересованность:
— Знаешь, я познакомилась с очень оригинальной парой.
— ....

Удивление:
— Жена работает, а муж занимается домом.
— ....

Недоумение:
— Да, он и детьми занимается. Их сыну пять, а дочке — два годика.
— ....

Несогласие:
— А что? Я бы тоже так хотела: весь день работаешь, а вечером придёшь домой, а там — ужин готов, дети уложены… Красота!
— ....

Задание 11. **Ваша знакомая решила уволиться с работы, а теперь жалеет об этом. Примите участие в диалоге и убедите собеседницу в том, что она поступила правильно. Приведите свои аргументы. Используйте разные языковые средства.**

— Муж уговорил меня уйти с работы. Говорит: всё, хватит, надо семьёй заниматься. Я согласилась, уже и заявление об увольнении написала. А теперь сомневаюсь — что я буду дома делать?
— ....

— Да, конечно, можно целыми днями ходить за продуктами, готовить, убираться… но разве это жизнь?
— ....

— А вдруг нам не будет хватать денег?
— ....

— Больше всего я боюсь, что дети станут относиться ко мне по-другому. Скажут, что я домохозяйка, ничего не знаю, отстала от жизни…
— ....

Задание 12. **Известный сатирик М. Жванецкий предложил свою формулу выбора невесты: сначала выбирай весёлых, затем из весёлых самых красивых, а из красивых — умную.**

1. Согласны ли вы с этими критериями?
2. Как вы думаете, применим ли принцип Жванецкого при выборе жениха?
3. На что вы советуете обратить внимание при выборе партнёра?

Задание 13. **Прочитайте «Советы молодожёнам» работников службы психологической поддержки семьи и предложите свой «Кодекс семейной жизни» (что должны и чего не должны делать муж и жена).**

1. Решите для себя, кто какую долю (не только материальную) вносит в общий семейный бюджет. Возможно, муж и жена зарабатывают одинаково и поровну делят домашние обязанности. Или жена занимается бизнесом и зарабатывает много, а муж гораздо меньше, потому что трудится на непрестижной, но любимой работе (в школе учителем, например). Зато он взваливает на свои плечи много других обязанностей: больше общается с детьми, чаще занимается уборкой и т. п.

2. В вопросе воспитания ребёнка попробуйте разделить ненадолго свои роли на «доброго и злого следователей». Понаблюдайте, какая будет пользоваться у ребёнка большим авторитетом. Исходя из этого, решите объективно, за кем в семье решающее слово.

3. Не забывайте, что дом — это общая территория. Наиболее гармоничны с психологической точки зрения те семьи, в которых муж и жена поровну делят обязанности по хозяйству. Кстати, они могут быть как сугубо женскими или мужскими (классическая готовка и забивание гвоздей), так и просто по принципу «кто что умеет». Любая женщина оценит, если муж время от времени будет радовать домочадцев своими фирменными блюдами.

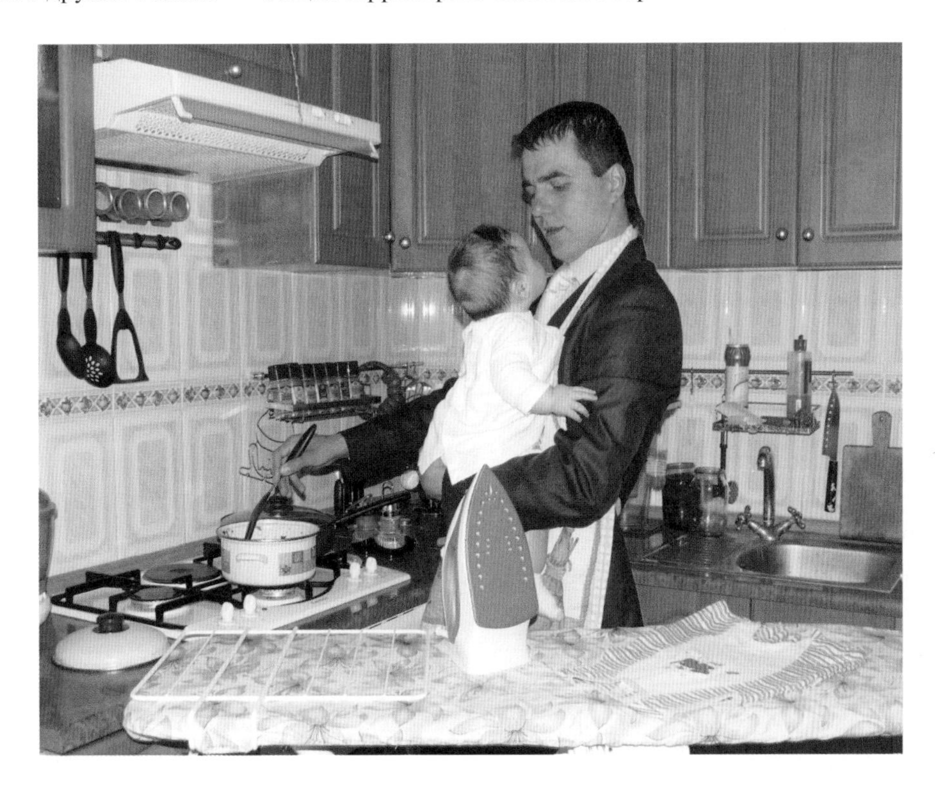

Задание 14. **Используя информацию текстов в заданиях № 7 и № 13, напишите письмо личного характера подруге (другу), у которой (которого) проблемы в семье. При этом укажите:**
— источник информации;
— суть проблемы;
— субъективные и объективные факторы;
— пути решения проблемы;
— вашу оценку ситуации.

ТРКИ

***Время выполнения задания — 25 минут.**
Объём текста — 200–250 слов.
***ТРКИ-3 / Письмо, задание 1.**

ЛЕКСИКО-ГРАММАТИЧЕСКИЙ ТЕСТ

Часть 1

Инструкция к заданиям 1–10

Вам предъявляется текст, в котором некоторые слова и группы слов представлены в начальной форме. Номера групп слов в таблице соответствуют номерам предложений. Ваша задача — восстановить текст, употребив слова в нужной грамматической форме, используя там, где необходимо, предлоги. В правом столбце таблицы напишите правильный вариант.

1. Вопросы (материнство, отцовство, воспитание и образование) (дети) и другие вопросы (жизнь) (семья) решаются (супруги) совместно исходя (принцип) (равенство) (супруги). **2.** Супруги обязаны строить (свои отношения) (основа) (взаимопомощь), содействовать (благополучие) (семья), заботиться (развитие) (дети). **3.** Плохо, когда ни (один) (супруги) не хочет считать себя (аутсайдер), и начинается борьба (власть). **4.** Такие властные женщины часто привлекают (мужчины) ещё (свадьба) (своя уверенность). **5.** (Первые десять лет) (совместная жизнь) (женщина) больше (шансы) стать (лидер). **6.** (Мужчина) поручается только (мужская работа): вбить (гвоздь) (стена), починить (розетка), погулять (собака). **7.** Стычки, возникающие (ерунда), (жена) только (рука): (беспомощный) (вопросы) (домашнее хозяйство) (муж) легче упрекать (неприспособленность). **8.** Решите (себя): кто (какая доля) вносит (семейный бюджет). **9.** Возможно, жена занимается (бизнес), а муж трудится (не престижная, но любимая работа). **10.** Наиболее гармоничны, (психологическая точка зрения), те семьи, (которые) муж и жена поровну делят (обязанности) (хозяйство).

1. материнство, отцовство, воспитание и образование, дети, жизнь, семья, супруги, принцип, равенство, супруги	**1.**
2. свои отношения, основа, взаимопомощь, благополучие, семья, развитие, дети	**2.**
3. один, супруги, аутсайдер, власть	**3.**
4. мужчины, свадьба, своя уверенность	**4.**
5. первые десять лет, совместная жизнь, женщина, шансы, лидер	**5.**
6. мужчина, мужская работа, гвоздь, стена, розетка, собака	**6.**
7. ерунда, жена, рука, беспомощный, вопросы, домашнее хозяйство, муж, неприспособленность	**7.**
8. себя, какая доля, семейный бюджет	**8.**
9. бизнес; не престижная, но любимая работа	**9.**
10. психологическая точка зрения, которые, обязанности, хозяйство	**10.**

Часть 2

Инструкция к заданиям 11–25

Вам предъявляется текст с пропусками. После текста даны видовые пары глаголов. Номера видовых пар глаголов соответствуют номерам пропусков. Ваша задача — выбрать инфинитив нужного вида. В правом столбце таблицы напишите правильный вариант.

1. Каждый из супругов свободен **-11-** место жительства. 2. Вопросы воспитания детей должны **-12-** супругами совместно. 3. Супруги обязаны **-13-** свои отношения на основе взаимопомощи. 4. Молодожёнам важно **-14-**, кто какую долю вносит в семейный бюджет. 5. **-15-** на равных удаётся редким парам. 6. В глубине души любая женщина мечтает **-16-**. 7. Не стоит **-17-** боевые действия за передел власти. 8. Возможно, власть вернётся к мужчине, но этого момента нужно **-18-**. 9. В первые годы семейной жизни у жены больше шансов **-19-** лидером. 10. Мужчина занимается сугубо мужской работой: он может **-20-** гвозди, **-21-** розетки и т. п. 11. Беспомощного мужа можно бесконечно **-22-**. 12. Женщины сильнее стремятся **-23-** замуж. 13. Муж боится, что после развода придётся **-24-** с ребёнком. 14. С годами женщины начинают волноваться: как и чем **-25-** своё сокровище?

11. выбирать — выбрать	**11.**
12. решаться — решиться	**12.**
13. строить — построить	**13.**
14. решать — решить	**14.**
15. существовать — просуществовать	**15.**
16. подчиняться — подчиниться	**16.**
17. начинать — начать	**17.**
18. дожидаться — дождаться	**18.**
19. становиться — стать	**19.**
20. вбивать — вбить	**20.**
21. чинить — починить	**21.**
22. упрекать — упрекнуть	**22.**
23. выходить — выйти	**23.**
24. расставаться — расстаться	**24.**
25. удерживать — удержать	**25.**

Инструкция к заданиям 26–35

Вам предъявляется текст с пропусками. После текста даны видовые пары глаголов. Номера видовых пар глаголов соответствуют номерам пропусков. Ваша задача — выбрать глагол нужного вида и использовать его в соответствующей форме. В правом столбце таблицы напишите правильный вариант.

1. Любая женщина **-26-**, если муж иногда **-27-** домочадцев своими блюдами. 2. Даже если жена не **-28-** на своём лидерстве, «пораженец» **-29-** без боя. 3. Если мужчина **-30-**, что после свадьбы его отношения с женой **-31-**, то его **-32-** немало переживаний. 4. Может быть, в будущем власть **-33-** к мужчине. 5. Угроза развода **-34-** мужчину на мысль, что **-35-** расстаться с ребёнком.

26. оценивать — оценить	**26.**
27. радовать — обрадовать	**27.**
28. настаивать — настоять	**28.**
29. сдаваться — сдаться	**29.**
30. думать — подумать	**30.**
31. изменяться — измениться	**31.**
32. ждать — подождать	**32.**
33. возвращаться — вернуться	**33.**
34. наталкивать — натолкнуть	**34.**
35. приходиться — прийтись	**35.**

Часть 3

Инструкция к заданиям 36–43

Вам предъявляются предложения с пропусками имён прилагательных и наречий. В таблице даны имена прилагательные и наречия в начальной форме. Номера имён прилагательных и наречий соответствуют номерам пропусков. Ваша задача — восстановить предложения, используя формы сравнительной степени имён прилагательных и наречий. В правом столбце таблицы напишите правильный вариант.

1. **-36-**, когда в семье начинается борьба за власть. 2. Исторически русским людям **-37-** патриархат. 3. В первые десять лет совместной жизни у жены гораздо **-38-** шансов стать лидером. 4. Женщины, как правило, **-39-** стараются **-40-** выйти замуж. 5. Молодые женщины **-41-** становятся инициаторами развода. 6. С годами женщины выглядят **-42-**, а мужчины — **-43-**.

36. плохо	**36.**
37. близкий	**37.**
38. много	**38.**
39. сильно	**39.**
40. быстро	**40.**
41. часто	**41.**
42. старо	**42.**
43. солидно	**43.**

Инструкция к заданиям 44–53

Закончите предложения, выберите все возможные варианты.

44. Каждый из супругов … в выборе рода занятий.
а) свободный | в) свободен
б) освобождён | г) освобождённый

45. Довольно скоро «пораженец» понимает, что … им решения неверны.
а) принявшие | в) принимаемые
б) принятые | г) принимавшие

46. Высший женский пилотаж — стопроцентно руководить своим … .
а) любящим | в) любимым
б) любившим | г) любим

47. Молодой муж нередко полностью … от домашнего хозяйства.
а) свободен | в) свободный
б) освобождён | г) освободившийся

48. Мелкие стычки, … порой из-за ерунды, жене только на руку.
а) возникшие | в) возникавшие
б) возникнувшие | г) возникающие

49. Жены, … своими мужьями, часто доводят их до сильнейшего стресса.
а) манипулируемые | в) манипулирующие
б) манипулировавшие | г) манипулируя

50. Молодая жена начинает анализировать … недостатки мужа.
а) открытые | в) открываемые
б) открывшиеся | г) открывающиеся

51. Часто молодые женщины грустят о … надеждах на брак.
а) несбывшихся | в) сбывшихся
б) несбывающихся | г) несбыточных

52. С годами мужчина делается всё более … для женщин разных возрастов.
а) привлекательным | в) привлекающим
б) привлекателен | г) привлекшим

53. Наиболее … те семьи, в которых муж и жена делят поровну обязанности по хозяйству.
а) гармоничные | в) гармонизованы
б) гармонизируемые | г) гармоничны

Часть 4

Инструкция к заданиям 54–73

Восстановите предложения, используя глаголы совершенного вида: *построить(ся) — достроить — надстроить — пристроить — подстроить — застроить — устроить(ся) — перестроить — расстроить(ся) — настроить(ся)* и парные им. В правом столбце таблицы напишите подходящие по смыслу глаголы в нужной форме. Укажите все возможные варианты.

54. Первые станции московского метро … в 1935 году.	**54.**
55. Скажи честно, зачем ты … этот скандал?	**55.**
56. Раньше в этом здании располагался магазин, но недавно его … и открыли здесь клуб.	**56.**
57. По современным технологиям высотные дома … за полгода.	**57.**
58. Под моими окнами уже второй год что-то … и всё никак не … .	**58.**
59. У нас была маленькая одноэтажная дача. В прошлом году мы … наш дачный домик, теперь его не узнать. Он стал больше: мы … к нему веранду и … второй этаж.	**59.**
60. Ещё несколько лет назад здесь была деревня. А сейчас весь район … новыми многоэтажными домами.	**60.**
61. Друг обещал, но так и не приехал, и я очень … .	**61.**
62. Когда я ездил в Петербург, я жил у друзей. А ты где хочешь … ?	**62.**
63. — Что ты сидишь один дома? Давай … вечеринку, пригласим кого-нибудь! — Подожди, я не могу так быстро, мне надо … .	**63.**
64. … , пожалуйста, по росту.	**64.**
65. Ну, что? Все … ? Можно ехать?	**65.**
66. Вчера ты опять вернулся очень поздно. Дома ничего не делаешь. Почему ты всё время меня … ?	**66.**
67. Моя соседка — безработная, никак не может … на работу.	**67.**
68. В детективах герои часто попадают в аварии. И конечно, не случайно. Кто-то специально всё это … .	**68.**
69. Что тебе не нравится? Чем тебя не … моё предложение?	**69.**
70. Скажи, зачем ты рассказываешь обо мне какие-то небылицы? Почему ты … людей против меня?	**70.**
71. Ну вот, пианино опять … , пора его … .	**71.**
72. Мы … на поездку за город, но дождь … наши планы.	**72.**
73. Хочу съездить отдохнуть, да собаку некуда … .	**73.**

Инструкция к заданиям 74–85

Восстановите предложения, используя глаголы несовершенного вида: *бить — убивать — разбивать — выбивать — отбивать — взбивать — подбивать — сбивать — забивать — добивать(ся) — перебивать* и парные им. В правом столбце таблицы напишите подходящие по смыслу глаголы в нужной форме. Укажите все возможные варианты.

74. Кто … мою любимую вазу?!	**74.**
75. Зачем ты … Петю?! Как тебе не стыдно! Он же маленький! Малышей … нельзя!	**75.**
76. — Не играйте в футбол прямо перед домом. Вы можете случайно … чьё-нибудь окно. — Не волнуйтесь, наш вратарь отлично … все удары!	**76.**
77. Зимой моя бабушка всегда … на снегу одеяла и ковры.	**77.**
78. — Как ты решился съехать с такой высокой горы?! — Это Олег меня … : «Давай! Тут невысоко, невысоко!..» — Ну вот, видишь. Сам виноват, что … нос. Как ещё зубы не … !	**78.**
79. Боже мой! С кем это ты подрался?! Кто тебе … глаз?! Да он же мог тебя … ! Ты … мне сердце!!!	**79.**
80. Недалеко от нашего дома … парк.	**80.**
81. Перед тем как жарить, это мясо нужно … .	**81.**
82. Во время войны мой дед был лётчиком. Однажды его самолёт … и он чудом спасся.	**82.**
83. Дай мне сказать! Почему ты всё время меня … ?	**83.**
84. Чтобы тесто получилось воздушным, яйца и сахар надо … минут 20.	**84.**
85. Я горжусь своим сыном: он … замечательных результатов!	**85.**

Инструкция к заданиям 86–101

Восстановите предложения, используя глаголы несовершенного вида: *считать(ся) — насчитывать(ся) — подсчитывать — рассчитывать — просчитывать(ся) — пересчитывать* и парные им. В правом столбце таблицы напишите подходящие по смыслу глаголы в нужной форме. Укажите все возможные варианты.

86. Московский университет … старейшим в России.	**86.**
87. Мой трёхлетний внук уже … до десяти!	**87.**
88. Ну вот, ты опять со мной споришь. Не понимаю, на что ты … ?	**88.**
89. Иван Петрович … лучшим врачом в нашей клинике.	**89.**
90. — Это очень богатый человек! Но не зря говорят: «От трудов праведных не наживёшь палат каменных!» — Не знаю, не люблю … чужие деньги.	**90.**
91. — … , сколько ошибок вы сделали. — Ужасно! Я … у себя двадцать ошибок! — Не может быть, … ! Наверное, вы ошиблись.	**91.**
92. — Ну что, скоро отпуск? — Да, уже дни … .	**92.**
93. Представляешь, вчера мой брат попал в автомобильную аварию. К счастью, он не пострадал, не … нескольких ссадин и царапин.	**93.**
94. Давай … , сколько же мы заработали за сегодняшний день.	**94.**
95. Мы сели в автобус, и экскурсовод нас … .	**95.**
96. — Не знаю, чем тебе не понравилась вчерашняя поездка. Все, не … тебя, остались довольны. — А вы никогда не … с моим мнением!	**96.**
97. — Спасибо, что заплатил за меня. Сколько я тебе должен? — Не будем … . Завтра ты меня угостишь кофе.	**97.**
98. Все мы надеялись на победу нашей сборной. Как же мы … !	**98.**
99. Анна с детства … красавицей.	**99.**
100. По последним данным, население Москвы … около двенадцати миллионов человек.	**100.**
101. Плохо, когда ни один из супругов не желает … себя «аутсайдером».	**101.**

Инструкция к заданиям 102–111

Восстановите предложения, используя следующие слова: *много — очень — многий — некоторый — несколько*. В правом столбце таблицы напишите подходящие по смыслу слова в правильной форме. Укажите все возможные варианты.

102. Скоро экзамены, нужно … заниматься.	**102.**
103. Напрасно ты вчера не пошёл с нами, было … интересно.	**103.**
104. … лет назад на месте этих домов был огромный пустырь.	**104.**
105. С … пор … его поступки мне стали совершенно непонятны. Мы … спорили, ссорились, а через … время мы вообще расстались.	**105.**
106. Мне нравится Андрей Битов, я прочитал … его книг.	**106.**
107. Этой зимой моя сестра … тяжело болела.	**107.**
108. Поздравляю! … хорошая работа! Как всегда, … новых идей. … рад за вас, хотя у меня и есть … замечания.	**108.**
109. Во время экскурсии я сделала … фотографий. К сожалению, … оказались не очень чёткими.	**109.**
110. Я … люблю Бёрнса и знаю наизусть … его стихов.	**110.**
111. … думают, что МГУ — это первый российский университет.	**111.**

Часть 5

Инструкция к заданиям 112–128

Вам предъявляется текст («Усатые няни») с пропусками. После текста даны группы слов. Номера пропусков соответствуют номерам групп. Ваша задача — выбрать слова, подходящие по смыслу и соответствующие газетно-публицистическому стилю. Укажите все возможные варианты.

УСАТЫЕ НЯНИ

На роль **-112-** домашнего очага и **-113- -114-** поколения сегодня всё чаще претендуют представители сильного пола. Причины просты: немало наших соотечественниц **-115- -116-** больше, чем мужчины. Свою лепту в наметившуюся тенденцию **-117-** и принятый не так давно закон, **-118-** папам **-119-** оплачиваемый отпуск по **-120-** за ребёнком. Как показывают социологические **-121-**, именно семейный бюджет **-122-** основным мотивом, который **-123-** мужчин отказываться от привычной роли добытчика и **-124-** фартук. По **-125-** фонда «Общественное мнение», 58 % мужчин не **-126-**, что «жена-спонсор» — это **-127-**. Такого же мнения **-128-** 64 % женщин.

(по материалам сайта www.newsland.ru)

112. а) хранителей
б) охранников
в) сторожей

113. а) учителей
б) тренеров
в) воспитателей
г) воспитанников

114. а) подрастающего
б) подросткового
в) растущего

115. а) начали
б) решили
в) стали

116. а) брать
б) получать
в) иметь

117. а) принёс
б) занёс
в) внёс

118. а) разрешающий
б) позволяющий

119. а) иметь
б) брать
в) получать

120. а) наблюдению
б) уходу
в) слежке
г) слежению

121. а) допросы
б) расспросы
в) вопросы
г) опросы

122. а) восстановится
б) становится
в) встаёт

123. а) наставляет
б) заставляет
в) требует

124. а) одевать
б) носить
в) надевать

125. а) справке
б) информации
в) данным
г) словам

126. а) думает
б) считает
в) полагает

127. а) кошмар
б) плохо
в) ужасно

128. а) придерживается
б) держится
в) хватается

КЛЮЧИ

3.1. ТЕМП ЖИЗНИ

Задание 2. 1. г. 2. д. 3. а. 4. е. 5. в. 6. б.

Задание 3. 1. д. 2. в. 3. е. 4. а. 5. б. 6. г.

Задание 4. 1. д. 2. е. 3. ж. 4. а. 5. з. 6. б. 7. г. 8. в.

Задание 5. **а)** справляться — направляться — заправляться — поправиться — переправиться; **б)** заснуть — разбудить — выспаться — присниться — проснуться — пробудиться

Задание 9. 1. в. 2. г. 3. а. 4. б.

Лексико-грамматический тест

1. окружающей нас среды; при погружении в глубины; с выпученными глазами; **2.** по данным психологов; о том, в нашей жизни; смысла; **3.** в некоторых людях / у некоторых людей; с трудностями; сильнее; здоровее; **4.** из нас; с лёгкой завистью; на тех; утром; холодной водой; к полезным результатам; **5.** в том; в состоянии; собственную мобилизацию; **6.** в кулак; проблему; закалённее; **7.** у которых; вся жизнь; в состоянии; полной демобилизации; мобилизацию; с ней; **8.** главным; нам; на пользу; к происходящему; **9.** на то; на что; **10.** в событиях; их; **11.** в случае, шанс в следующий раз; урок / урока; **12.** называют; **13.** справляются; **14.** становятся; **15.** описали; **16.** назвали; **17.** помогло; **18.** происходят; **19.** искать; **10.** происходит; **21.** радует; **22.** даёт; **23.** уравновешивает; **24.** Б. **25.** А. **26.** Г. **27.** Е. **28.** В. **29.** Ж. **30.** Д. **31.** а. / в. **32.** а. / г. **33.** г. **34.** а. **35.** а. / б. **36.** а. / в.; **37.** поливал; разлил; **38.** налить, налей; подлей; **39.** облился; **40.** вылить; **41.** разолью / налью, облей, пролить; **42.** льёт, залило; **43.** вливай — влей / подливай — подлей; **44.** сливаются, разливаются, заливают; **45.** перелей; **46.** налил; отлей; переливается / льётся; **47.** слить; **48.** полить; **49.** влилась; **50.** переливать; **51.** подлила; **52.** справишься; **53.** заправиться; **54.** поправилась; **55.** переправимся; **56.** направляешься / направился; отправляйся; **57.** поправляйтесь / поправляйся; **58.** отправляется; **59.** спать; **60.** проспала; **61.** заснуть; **62.** заснула; **63.** снились; **64.** приснилось; **65.** будить; **66.** проснусь; **67.** разбудил(а); **68.** проснулась; **69.** проспишь; **70.** спать / поспать; **71.** поспишь / выспишься; **72.** стройкой; строительство, строителей; **73.** строение; **74.** перестройка; **75.** устройство; **76.** настроение, расстройство, построение; **77.** строение; **78.** постройки

3.2. РАБОТА И ОТДЫХ

Задание 2. 1. е. 2. ж. 3. д. 4. б. 5. а. 6. в. 7. г.

Задание 3. 1. г. 2. з. 3. ж. 4. б. 5. а. 6. д. 7. в. 8. е.

Задание 4. 1. е. 2. д. 3. г. 4. а. 5. в. 6. б.

Задание 5. 1. д. 2. г. 3. е. 4. б. 5. а. 6. в.

Задание 6. высказываться — предсказывать — пересказывать — подсказывать — рассказывать

Задание 8. 1. Да. 2. Нет. 3. Нет. 4. Нет. 5. Да. 6. Да. 7. Да. 8. Да. 9. Да. 10. Нет. 11. Да. 12. Нет.

Задание 11. 1. в. 2. б. 3. г. 4. а.

Лексико-грамматический тест

1. по статистике; людей; грусть, апатию, страх; в новогодние праздники / перед новогодними праздниками; **2.** второй половины; её; лишним; в привычной компании; **3.** праздник; близких друзей; у вас; мысль; вас; из жалости; **4.** ко мне; со своими поздравлениями; меня; в покое; **5.** для себя; ложкой; банку; чёрной икры; **6.** лучшего средства; от своей тоски; радость; другим; тем; кому; тебя / чем тебе; **7.** Вам; перед кем; о работе; проделанной; над собой; **8.** искусственные рубежи / искусственных рубежей; вам; жизнь; вам; лень; вас; перемены; **9.** в праздники;

маленькими; слабыми; **10.** на себя; организацию; всего праздника; от ёлки до культурной программы; **11.** у вас; собой; **12.** Вам; суета; дома / для дома; с книгой; на диване; **13.** от праздников; один вред; **14.** себя; на все праздники; в четырёх стенах; **15.** новогодняя ночь; радостной или скучной; от вас; **16.** мне; настроение; **17.** со знакомым; увидите; в толпе; на другой стороне улицы; **18.** над вами; пошутит; со всеми; **19.** с вами; обращаются; отвечаете / обратятся; ответите; в таком же тоне; **20.** вам; первому; рассказывать/рассказать; в компании; малознакомых людей; разогнать; тоску; снять; **21.** в разговоре; с друзьями или коллегами; вашим общим знакомым или начальству; **22.** предпочитаете; прочитать; воспользоваться; советами; «знатоков»; **23.** вам; первому; перейти; на «ты»; в разговоре; со сверстником; вас; на «вы»; **24.** промолчите; в ресторане или кафе; вам; еду; плохого качества; **25.** вам; в щёчку; знакомого или знакомую; противоположного пола; при встрече или расставании; **26.** отказывались; приглашал; вас; на танец; пытался; чем-то; в душе; вам; согласиться; **27.** за каждый положительный ответ; на вопросы; по пять баллов; **28.** Б. **29.** Е. **30.** Г. **31.** Д. **32.** В. **33.** А. **34.** называют / назвали; **35.** будут сочувствовать; **36.** появится; **37.** пригласили / приглашают; **38.** пожалели / жалеют; **39.** оставили; **40.** приставали; **41.** встретишь; **42.** проведёшь; **43.** погуляйте; **44.** поставит; **45.** задумывались; **46.** пугают; **47.** хочется; **48.** пришёл; **49.** решил; **50.** возьмёте; **51.** останется; **52.** поймёте; **53.** можете / сможете; **54.** захотите; **55.** думают; **56.** гляди; **57.** случится; **58.** бороться; **59.** считать; **60.** встречать; **61.** проявить; **62.** познакомиться; **63.** завалиться; **64.** укрыться; **65.** продолжать; **66.** жалеть; **67.** заставлять; **68.** ждать; **69.** отчитываться; **70.** отдохнуть; **71.** поесть; **72.** вырваться; **73.** мчаться; **74.** купить; **75.** махнуть; **76.** водить; **77.** бегать; **78.** толпиться; **79.** запирать; **80.** веселиться; **81.** портить; **82.** исправить; **83.** расскажи / скажи; **84.** предсказать / предсказывать; **85.** высказала; **86.** подсказывай; **87.** скажу; **88.** предсказывать; **89.** пересказывать; **90.** высказаться; **91.** рассказывал(а); **92.** скажи; **93.** сказал / говорил; рассказывай / говори / пересказывай; говорят; **94.** остановиться; **95.** стоишь / остановился (-лась); **96.** оставайся, остаться, вставать, встанем; **97.** останешься / оставайся; останусь; оставляй; оставлять, поставь; **98.** остановись; ставь, ставишь; оставь; **99.** поставь; **100.** оставил(а); **101.** останавливаются, стояла; остался; **102.** останавливаешься; **103.** останавливает, остановимся; **104.** оторвалась, порвал / разорвал, рвал / порвал / разорвал; порвалась / разорвалась; **105.** вырывать / вырвать; **106.** разорваться; **107.** нарвал(а); **108.** вырвется; **109.** рвешь, разорвать, урвать; **110.** нарываться, прорвёмся; **111.** прервал; **112.** вырываются; **113.** прервёмся; **114.** вырвалось; **115.** одевается; **116.** раздевайтесь / разденьтесь; **117.** надеть, надень / надевай; **118.** сними / снимай; **119.** одевайся; **120.** надел(а) / одел(а) / одеваешь; сними; **121.** раздену; **122.** снял(а); надень / надевай, снимай

3.3. ПРОБЛЕМЫ ЛИЧНОСТИ

Задание 2. 1. г. 2. д. 3. ж. 4. з. 5. а. 6. в. 7. б. 8. е.

Задание 3. 1. д. 2. е. 3. б. 4. а. 5. в. 6. г.

Задание 4. 1. е. 2. ж. 3. з. 4. а. 5. г. 6. в. 7. д. 8. б.

Задание 5. исправить — отправить(ся) — заправить(ся) — поправить(ся) — направить(ся) — справиться.

Задание 9. 1. б. 2. а. 3. г. 4. в.

Лексико-грамматический тест

1. человека; с винтиком; огромной машины; нас; в том; в общем и целом; по выходным / в выходные; в месяц; очередного приятеля; **2.** от современного человека; **3.** на время; из дома; **4.** в командировку; на время; со средой; привычной; нам; **5.** разлад в душе; помутнение в мозгах; **6.** по мнению; психологов; в отпуск; в новое для себя место; с переживаниями; на собственной свадьбе / во время собственной свадьбы; **7.** порываем; **8.** происходит; **9.** подвергает; **10.** требуют; **11.** испытывает; **12.** просится; **13.** ищет; **14.** сравнивать; **15.** вырваться; **16.** снимать; **17.** стараться; **18.** швырять; **19.** поглупеть; **20.** совершать / совершить; **21.** б. **22.** в. **23.** б. / г. **24.** а. / б. **25.** а. **26.** в. **27.** б. **28.** по привычке; вскакивал; по номеру; зная; **29.** на пляже; по телевизору; **30.** неделю; в один прекрасный день; ощутил; ему; покататься; на водных лыжах; **31.** неожиданной; сказать / скажем; **32.** по дням; по часам; решил; попробовать; **33.** попробовал; **34.** понравилось; **35.** на этом; остановился; **36.** прыгнул; с парашютом; погрузился; с аквалангом; в подводную пещеру; спел; серенаду; под балконом; симпатичной брюнетки; из соседнего номера; **37.** тишайшего господина N; **38.** способен на такое; **39.** назвал, называют / зовут; **40.** зовут, называть / звать; **41.** вызывает, вызывали; **42.** зовёт; **43.** обзывали; **44.** позовите; **45.** обзываешься, обозвал; **46.** зовут; **47.** вызывает / вызвал; **48.** отозвать; **49.** стоят; **50.** осталось / остаётся; **51.** остаётся; **52.** останавливаюсь; **53.** остался, оставить; **54.** оставлять, оставила; **55.** останавливали, остановили; **56.** остановился; **57.** стой; **58.** заправляешь, заправь; **59.** направляешься / отправился, отправить; **60.** направили; **61.** направь; **62.** поправился; **63.** поправь(те); **64.** отправить, справится; **65.** заправить; заправиться; **66.** исправьте; **67.** справлюсь, справишься; **68.** отправляется; **69.** справился; **70.** направить / отправить; **71.** заправь, поправь; **72.** поправляйся; **73.** управляет; **74.** список; **75.** план; **76.** режима; **77.** расписанию; **78.** по плану; **79.** режим, режим; **80.** распорядка; **81.** расписания; **82.** на повестке дня план; **83.** план; **84.** расписания; **85.** в. **86.** а. **87.** а. **88.** б. **89.** а. **90.** б. **91.** в. **92.** в. **93.** а. **94.** б. **95.** б. **96.** в.

3.4. ВОПРОСЫ ЛЮБВИ И БРАКА

Задание 2. 1. д. 2. в. 3. а. 4. б. 5. г.

Задание 3. 1. г. 2. д. 3. б. 4. а. 5. в.

Задание 4. 1. б. 2. д. 3. е. 4. а. 5. в. 6. г.

Задание 5. 1. д. 2. г. 3. е. 4. а. 5. в. 6. б.

Задание 7. 1. Нет. 2. Да. 3. Да. 4. Нет. 5. Да. 6. Да. 7. Нет. 8. Нет. 9. Да. 10. Нет. 11. Нет.

Задание 10. 1. б. 2. в. 3. а. 4. г.

Лексико-грамматический тест

1. по данным ВОЗ, европейских стран / в европейских странах, в брак, в возрасте, тридцати двух лет; **2.** Японии, семьи, общеевропейской тенденции; **3.** с высшим образованием, разницу, между любовью и государственным институтом брака; **4.** на это, во взаимных чувствах; **5.** в отношения, супругов, своих граждан, за незначительные нарушения, прав человека, в рамках семьи; **6.** с браком, ребёнка; **7.** к нам, слабое отношение; **8.** мужчин и женщин, вступающих в брак; в России, с моментом, появления, в семье, детей; **9.** на 75 процентов, с укоренившимися традициями, осуждающими, холостяков; **10.** россиян, за сохранность, личной собственности, в брак, по любви; **11.** Б. **12.** Д. **13.** А. **14.** Г. **15.** В. **16.** Е. **17.** З. **18.** Ж. **19.** дальше; **20.** позже / позднее; **21.** реже; **22.** выше; **23.** активнее; **24.** крупнее; **25.** выше; **26.** позже / позднее; **27.** устойчива; **28.** солидарные; **29.** жёсткая; **30.** солидарны; **31.** взаимны; **32.** сурово; **33.** редкими; **34.** вступают; **35.** изменится; **36.** включает; **37.** может; **38.** обернуться; **39.** понравиться; **40.** решиться; **41.** могла; **42.** родить; **43.** отличается; **44.** создавал; **45.** встать; **46.** думать; **47.** приходится; **48.** переживать; **49.** б. / в. **50.** в. **51.** б. **52.** а. / в. **53.** в. **54.** а. **55.** в. **56.** б. **57.** в. **58.** б. **59.** оттягиваешь / затягиваешь; **60.** дотянусь; **61.** вытянешь; **62.** растянулась; **63.** подтянуться; **64.** потянуло / тянет; **65.** тянешь; **66.** тянет / тянуло / потянуло; **67.** тянуть / затягивать; **68.** вытягивать; **69.** притягивали; **70.** растянулся; **71.** вытянул(а); **72.** протянул; **73.** тянется; **74.** тянут; **75.** тянул; **76.** тянется; **77.** затянулось; **78.** держите; **79.** выдержали; **80.** держи; **81.** задержал; **82.** держи; **83.** поддержит; **84.** выдерживает; **85.** держать; **86.** задержусь; **87.** удерживай; **88.** задержали; **89.** поддерживаешь; **90.** держит; **91.** держи; **92.** придерживается; **93.** будут поддерживать; **94.** держать; **95.** поддерживаю; **96.** отметки / оценки; **97.** оценку; **98.** ценности; **99.** цен; **100.** цену; **101.** стоимости; **102.** цена; **103.** отметку; **104.** цене; **105.** отметки; **106.** стоимость; **107.** цену; **108.** ценность; **109.** ценности; **110.** любые / всякие / разные; **111.** каждый; **112.** любое; **113.** другим; **114.** любом; **115.** другой, разные; **116.** каждый / всякий; **117.** любое; **118.** другое; **119.** разные; **120.** другое; **121.** другой, разные; **122.** каждые; **123.** каждый; **124.** любой; **125.** каждый

3.5. СЕМЕЙНЫЕ ОТНОШЕНИЯ

Задание 2. 1. ж. 2. е. 3. д. 4. а. 5. б. 6. з. 7. г. 8. в.

Задание 3. 1. е. 2. г. 3. а. 4. д. 5. б. 6. в.

Задание 4. **а)** убить — разбить — выбить — отбить — взбить — подбить — сбить — забить — добить(ся) — перебить;
б) насчитать — подсчитать — рассчитать — просчитать(ся) — пересчитать

Задание 5. достраивать — надстраивать — пристраивать — подстраивать — застраивать — устраивать(ся) — перестраивать — расстраивать(ся) — настраивать(ся)

Задание 7. 1. Да. 2. Да. 3. Да. 4. Нет. 5. Да. 6. Нет. 7. Да. 8. Да. 9. Да. 10. Нет. 11. Нет. 12. Да.

Задание 9. 1. б. 2. а. 3. г. 4. в.

Лексико-грамматический тест

1. материнства, отцовства, воспитания и образования; детей; жизни; семьи; супругами; из принципа; равенства; супругов; **2.** свои отношения; на основе; взаимопомощи; благополучию; семьи; о развитии; детей; **3.** один из супругов; аутсайдером; за власть; **4.** мужчин; до свадьбы; своей уверенностью; **5.** в первые десять лет; совместной жизни; у женщины; шансов; лидер; **6.** мужчине; мужская работа; гвоздь; в стену; розетку; с собакой; **7.** из-за ерунды; жене; на руку; беспомощного; в вопросах; домашнего хозяйства; мужа; в неприспособленности; **8.** для себя; какую долю; в семейный бюджет; **9.** бизнесом; на не престижной, но любимой работе; **10.** с психологической точки зрения; в которых; обязанности; по хозяйству; **11.** выбирать; **12.** решаться; **13.** строить; **14.** решить; **15.** существовать; **16.** подчиняться; **17.** начинать; **18.** дождаться; **19.** стать; **20.** вбивать; **21.** чинить; **22.** упрекать; **23.** выйти; **24.** расстаться; **25.** удержать; **26.** оценит; **27.** будет радовать / радует; **28.** настаивает; **29.** сдаётся; **30.** думает; **31.** изменятся; **32.** ждёт; **33.** вернётся; **34.** наталкивает; **35.** придётся; **36.** хуже; **37.** ближе; **38.** больше; **39.** сильнее; **40.** быстрее; **41.** чаще; **42.** старше; **43.** солиднее; **44.** в. **45.** б. / в. **46.** в. **47.** а. / б. **48.** г. **49.** в. / г. **50.** б. / г. **51.** а. **52.** а. / б. **53.** г.; **54.** построили; **55.** устроил; **56.** перестроили; **57.** строят; **58.** строят, построят; **59.** перестроили, пристроили, надстроили; **60.** застроили; **61.** расстроилась; **62.** устроиться; **63.** устроим, настроиться; **64.** постройтесь; **65.** устроились; **66.** расстраиваешь; **67.** устроиться; **68.** подстраивает; **69.** устраивает; **70.** настраиваешь; **71.** расстроилось, настраивать; **72.** настроились, расстроил; **73.** пристроить; **74.** разбил; **75.** побил, бить; **76.** разбить; **77.** выбивает / выбивала; **78.** подбил, разбил, выбил; **79.** подбил; убить, разбиваешь; **80.** разбили; **81.** отбить; **82.** подбили; **83.** перебиваешь; **84.** взбивать; **85.** добился; **86.** считается; **87.** считает; **88.** рассчитываешь; **89.** считается; **90.** считать; **91.** посчитайте / сосчитайте, насчитал, пересчитайте; **92.** считаю; **93.** считая; **94.** посчитаем / подсчитаем; **95.** пересчитал / сосчитал / посчитал; **96.** считая; считаетесь / считались; **97.** считаться; **98.** просчитались; **99.** считается / считалась; **100.** насчитывает; **101.** считать; **102.** много; **103.** очень; **104.** несколько / много; **105.** некоторых, многие, много, некоторое; **106.** много / несколько; **107.** очень; **108.** очень, много, очень, некоторые; **109.** много / несколько, некоторые; **110.** очень, много / несколько; **111.** многие; **112.** а. **113.** в. **114.** а. **115.** а. / в. **116.** б. **117.** в. **118.** а. / б. **119.** б. **120.** б. **121.** г. **122.** б. **123.** б. **124.** в. **125.** в. **126.** а. / б. **127.** б. **128.** а.

4 НАУКА — ПРОГРЕСС ИЛИ УГРОЗА?

Наука и технологии

Тема 4.1. **Открытия, которые изменили мир**

Тема 4.2. **Технологии и личность в современном мире**

Тема 4.3. **Наука и будущее человечества**

ОТКРЫТИЯ, КОТОРЫЕ ИЗМЕНИЛИ МИР

4.1

Задание 1. **Объясните значение данных слов и словосочетаний, составьте с ними предложения.**

изобретение
приоритеты
(социологический) бум
чёрный список
судьбоносный
высокотехнологичный
микроволновая печь
бытовая техника
консервы
контактные линзы
пластическая хирургия
клонирование

Задание 2. **Составьте пары из слов, близких по значению.** 🗝

1. держава
2. несерьёзность
3. рубеж
4. тупость
5. легитимность
6. назойливость

а. глупость
б. граница
в. надоедливость
г. законность
д. легкомыслие
е. страна

Задание 3. **Составьте пары из слов, противоположных по значению.** 🗝

1. сомнение
2. ненавистный
3. чопорный
4. респондент
5. недостаток
6. кардинальный
7. продвинутый

а. отсталый
б. интервьюер
в. любимый
г. незначительный
д. уверенность
е. простой
ж. избыток

Задание 4. **Образуйте парные глаголы совершенного вида от следующих глаголов:** 🗝

а) затрачивать — растрачивать — утрачивать;
б) выяснять — объяснять(ся) — прояснять(ся) — уяснять.

Задание 5. **Передайте смысл данных предложений другими словами.**

1. По планете прокатился бум социологических опросов. 2. Разные страны не сходятся в приоритетах. 3. Трудно было ожидать от чопорных англичан такой несерьёзности. 4. В Африке первое место среди самых судьбоносных изобретений занимают одноразовые шприцы. 5. Легитимность подобных социологических опросов легко поставить под сомнение. 6. Что делать, если в глубинку прогресс ещё не добрался, застрял где-то на полпути. 7. Это какой-то заколдованный круг! 8. Что может быть важнее возможности общаться с людьми на другой половине планеты, не выходя из дома, да ещё без всякого контроля со стороны властей?

Задание 6. **Прочитайте текст и выполните задание после текста.**

И ВСЁ-ТАКИ ПАМПЕРСЫ

Есть мнение, что 1980 год — это рубеж, после которого наш мир кардинально изменился в связи с появлением компьютеров, сотовой связи и других высокотехнологичных новинок. Поэтому в начале XXI столетия по планете прокатился бум социологических опросов, целью которых было выяснить, какие именно изобретения люди считают самыми судьбоносными.

Параллельно изучали, что больше всего народ раздражает. Результаты показали: разные страны не сходятся в приоритетах, а их население часто любит и ненавидит одно и то же.

Начать следует с Америки, самой «продвинутой» державы. Телекомпания CNN, проводившая опрос своих зрителей, зафиксировала: изобретение № 1 для американцев — компьютер (61 % респондентов). На втором месте сотовая связь (24 %). На третьем — дистанционные пульты управления теле- и радиотехникой (9 %). Но вот что интересно: сотовый телефон оказался и самым ненавистным предметом. В США в чёрный список его внесли более 42 % американцев. Сразу за мобильником «антиизобретением» назвали кредитные карты: они, по мнению опрошенных, «помогают тратить деньги на ерунду».

В Великобритании 48 % британцев назвали самым полезным изобретением пластиковый кружочек в пивной банке, который позволяет при наливании в бокал получать такую же пену, как в баре. Вот уж трудно было ожидать от чопорных англичан такой несерьёзности! С огромным отрывом далее в списке самых приятных достижений идут Интернет (13 %) и мобильная связь (7 %). А такие «мелочи», как клонирование, микроволновая печь, пластическая хирургия и контактные линзы, набрали всего по 5 % голосов.

В Индии абсолютным чемпионом по популярности стали американские армейские консервы с функцией автоподогрева при вскрытии. Такой выбор можно понять: индусы вот уже который век голодают, все мысли о еде. В Латинской Америке и Африке первые позиции почему-то занимают медицинские одноразовые шприцы для инъекций. В Китае и Южной Корее на первом месте по полезности находятся Интернет и компьютеры.

А теперь о России. Легитимность отечественных опросов легко поставить под сомнение: мониторинг, как правило, затрагивает только крупные города. Но что делать, если в российскую глубинку прогресс ещё не добрался, застрял где-то на полпути. Так вот, российским чемпионом в списке самых полезных изобретений (61 % благодарных голосов) стали детские памперсы. По 10 % досталось стиральным машинам и микроволновым печам. Они решительно оставили позади компьютеры и Интернет (6 %) и сотовую связь (5 %).

Ненавидят же россияне больше всего автомобильные пробки, появившиеся у нас после 1980 года. До этого момента никаких пробок быть не могло в связи с недостатком автомашин, то есть того же прогресса. Заколдованный круг!

А вот как на этот вопрос ответили наши эксперты:

Борис Гребенщиков, поэт и музыкант:

Самые важные изобретения за последние 25 лет — это компьютеры и Интернет. Они дают ту степень свободы для личности, которой раньше и близко не было. Что может быть важнее возможности общаться с людьми на другой половине планеты, не выходя из дома, да ещё без всякого контроля со стороны властей? Или возьмём музыку: её на компьютере можно делать, не вставая с кресла. А ненавижу я больше всего телевидение последних двух десятилетий: самое тупое и вредное изобретение в истории человечества!

Михаил Боярский, актёр:

Самое полезное изобретение — мобильная связь. И дистанционный пульт управления телевизором: я дико ленивый человек. А насчёт вреда... Да всё те же мобильники! Одно дело, когда ты звонишь, а другое, когда тебе названивает кто угодно и в любое время суток.

Елена Ханга, телеведущая:

Без Интернета и сотового телефона я как-нибудь проживу, а без стиральной машины вряд ли. Считаю её самым большим достижением научно-технического прогресса. А на втором месте — автоматическая коробка передач в автомобиле. Если бы не она, левая нога, которая на педаль сцепления всё время нажимает в наших пробках, стала бы у меня вдвое толще правой.

Станислав Говорухин, кинорежиссёр:

Всё, что связано с цифровыми носителями и высокими технологиями, — CD, DVD, компьютер, Интернет — это самые важные изобретения за последние 25 лет. Информация правит миром, возможность её накапливать и передавать чрезвычайно важна. Из бытовой техники я больше всего люблю, наверное, микроволновку и кондиционер. А раздражает сотовая связь. Нужно, полезно, но очень назойливо.

(по материалам газеты «Труд»)

ЗАДАНИЕ: На основе прочитанного текста составьте письменное информационное сообщение делового характера тому, кто занимается проблемами и достижениями научно-технического прогресса. При этом:
— укажите источник информации;
— в своём сообщении используйте общепринятые сокращения;
— оформите адрес и указания на адресата, как это принято при передаче информации / сообщения по электронным каналам связи.

ТРКИ

***Время выполнения задания — 20 минут.**
Объём текста — 60–70 слов.
***ТРКИ-3 / Письмо, задание 2.**

Задание 7. **Вы с другом обсуждаете полезные изобретения конца прошлого века. Примите участие в диалоге. Ваша задача:**

а) Согласитесь с указанным мнением, используя синонимичные конструкции.

б) Не согласитесь с указанным мнением, используя антонимичные языковые средства.

— Мобильник — самое полезное изобретение конца двадцатого века.
— ....

— Не представляю своей жизни без него!
— ....

— Что может быть лучше возможности связаться с кем угодно и когда угодно!
— ....

— Одно плохо: когда тебе начинают названивать в неподходящий момент.
— ....

Задание 8. **Прочитайте выражения и определите, какие интенции они передают:**
1) удивление, 2) затруднение с ответом, 3) согласие, 4) недоверие. 🗝

а) Да ну, не может этого быть! ☐
Здесь какая-то ошибка!

б) Ну да, конечно… ☐
Это, конечно, так…
Естественно.

в) Да?! Никогда бы не подумал(а)! ☐
И только?!

г) Трудно сказать… ☐
Никогда об этом не задумывался (-лась)…
Прямо так сразу и не скажешь…

Задание 9. **Ваш друг рассказывает вам о результатах опроса «Самое полезное изобретение конца XX века». Примите участие в диалоге, выразите следующие интенции:**

Недоверие:
— В России самым важным изобретением за последние 25 лет считают памперсы.
— ....

Согласие:
— А что? Родителям маленького ребёнка памперсы очень облегчают жизнь.
— ....

Удивление:
— А за компьютеры и Интернет проголосовало только 5 % опрошенных.
— ....

Затруднение с ответом:
— А ты что считаешь самым важным изобретением конца двадцатого века?
— ....

Задание 10. **Ваша подруга купила своему пятилетнему ребёнку компьютер, а теперь жалеет об этом. Примите участие в диалоге и убедите собеседницу в том, что она поступила правильно. Приведите свои аргументы. Используйте различные языковые средства.**

— Купила ребёнку компьютер, а теперь ругаю себя. Ведь ему только пять лет! Рано, наверное.
— ....

— Говорят, компьютер помогает детям учиться читать и писать. Но разве он может заменить учителя?
— ....

— Вот подруга тоже купила сыну компьютер, так он теперь и сидит перед ним целыми днями!
— ....

— И на зрение, наверное, компьютер плохо влияет. Ох, чувствую, придётся нам скоро очки заказывать…
— ....

Задание 11. Составьте свой рейтинг важных и полезных открытий и изобретений конца XX — начала XXI века. Пофантазируйте: что будет открыто и изобретено до конца XXI века, что нового появится, например, в медицине, строительстве, других областях человеческой деятельности?

Задание 12. Напишите эссе-рассуждение на тему «Самое полезное изобретение человечества». При этом:
— сформулируйте проблему;
— приведите примеры положительного и отрицательного влияния научного прогресса на жизнь общества;
— дайте оценку научным открытиям;
— опишите самое полезное изобретение;
— аргументируйте свою точку зрения;
— представьте своё видение развития научно-технического прогресса.

***Время выполнения задания — 30 минут.**
Объём текста — 150–200 слов.

ЛЕКСИКО-ГРАММАТИЧЕСКИЙ ТЕСТ

Часть 1

Инструкция к заданиям 1–16

Вам предъявляются предложения, в которых некоторые слова и группы слов представлены в начальной форме. Номера групп слов в таблице соответствуют номерам предложений. Ваша задача — восстановить предложения, употребив слова в нужной грамматической форме, используя там, где необходимо, предлоги. В правом столбце таблицы напишите правильный вариант.

1. Мир совершенно изменился (связь) (появление) (компьютеры). **2.** (Планета) прокатился бум (социологические опросы), (цель) (которые) было выяснить, какие изобретения люди считают (самые главные). **3.** (Разные страны) (приоритеты) не сходятся. **4.** Изобретение № 1 (американцы) — компьютер. **5.** Более (42 %) (американцы) внесли (мобильник) (чёрный список). **6.** (Мнение) (опрошенные) кредитки помогают тратить деньги (ерунда). **7.** (Великобритания) 48 (проценты) (британцы) назвали (самое полезное изобретение) пластиковый кружочек (пивная банка), который позволяет (наливание) (бокал) получать (такая же пена), как (бар). **8.** Трудно было ожидать (англичане) (такая несерьёзность). **9.** (Индия) (чемпион) (популярность) стали (армейские консервы) (функция автоподогрева) (вскрытие). **10.** Все их мысли (еда). **11.** (Китай, Южная Корея) (первое место) (полезность) — компьютеры и Интернет. **12.** Легитимность (эти опросы) легко поставить (сомнение). **13.** До этого момента (пробки) быть не могло в связи (недостаток) (автомашины). **14.** Что может быть важнее (возможность) общаться (люди) (другая половина планеты), не выходя (дом), да ещё (всякий контроль) (сторона) (власти). **15.** (Бытовая техника) я больше всего ценю (микроволновка). **16.** (Самые важные изобретения) (последние 25 лет) являются те, что связаны (высокие технологии).

1. связь, появление, компьютеры	**1.**
2. планета, социологические опросы, цель, которые, самые главные	**2.**
3. разные страны, приоритеты	**3.**
4. американцы	**4.**
5. 42 %, американцы, мобильник, чёрный список	**5.**
6. мнение, опрошенные, ерунда	**6.**
7. Великобритания, проценты, британцы, самое полезное изобретение, пивная банка, наливание, бокал, такая же пена, бар	**7.**
8. англичане, такая несерьёзность	**8.**
9. Индия, чемпион, популярность, армейские консервы, функция автоподогрева, вскрытие	**9.**
10. еда	**10.**
11. Китай, Южная Корея, первое место, полезность	**11.**
12. эти опросы, сомнение	**12.**
13. пробки, недостаток, автомашины	**13.**
14. возможность, люди, другая половина планеты, дом, всякий контроль, сторона, власти	**14.**
15. бытовая техника, микроволновка	**15.**
16. самые важные изобретения, последние 25 лет, высокие технологии	**16.**

Часть 2

Инструкция к заданиям 17–25

Вам предъявляются предложения с пропусками и видовые пары глаголов. Номера видовых пар глаголов соответствуют номерам пропусков. Ваша задача — выбрать глагол нужного вида. В правом столбце таблицы напишите правильный вариант. Укажите все возможные варианты.

1. Такой выбор можно **-17-**. 2. Цель опроса — **-18-**, какие изобретения можно **-19-** судьбоносными. 3. Что **-20-**, если в российскую глубинку прогресс ещё не смог **-21-**. 4. **-22-**, например, музыку, теперь её можно **-23-**, не вставая с кресла. 5. Возможность **-24-** и **-25-** информацию сейчас чрезвычайно важна.

17. понимать — понять	**17.**
18. выяснять — выяснить	**18.**
19. считать — посчитать	**19.**
20. делать — сделать	**20.**
21. добираться — добраться	**21.**
22. брать — взять	**22.**
23. писать — написать	**23.**
24. накапливать — накопить	**24.**
25. передавать — передать	**25.**

Инструкция к заданиям 26–34

Вам предъявляются предложения с пропусками и видовые пары глаголов. Номера видовых пар глаголов соответствуют номерам пропусков. Ваша задача — выбрать глагол нужного вида и употребить его в правильной форме. В правом столбце таблицы напишите правильный вариант. Укажите все возможные варианты.

1. После 1980 года наш мир кардинально **-26-**. 2. Сотовый телефон **-27-** самым ненавистным прибором. 3. Американцы **-28-**, что кредитные карты **-29-** **-30-** деньги на ерунду. 4. Клонирование, пластическая хирургия и т. п. в ходе опросов **-31-** всего по 5 % голосов. 5. Мониторинг общественного мнения **-32-** только крупные города. 6. Без Интернета телеведущая как-нибудь **-33-**, а вот без стиральной машины не **-34-**.

26. изменяться — измениться	**26.**
27. оказываться — оказаться	**27.**
28. считать — посчитать	**28.**
29. помогать — помочь	**29.**
30. тратить — потратить	**30.**
31. набирать — набрать	**31.**
32. затрагивать — затронуть	**32.**
33. жить — прожить	**33.**
34. мочь — смочь	**34.**

Часть 3

Инструкция к заданиям 35–40

Закончите предложения, выберите все возможные варианты.

35. 1980 год называют годом, кардинально … наш мир.

а) изменяющим
б) изменившим
в) измененным
г) изменяемым

36. По планете прокатился бум социологических опросов, …, какие изобретения люди считают самыми важными.

а) выяснявших
б) выяснивших
в) выясненных
г) выясняемых

37. Американская телекомпания, … опрос, зафиксировала, что изобретением №1 для американцев является компьютер.

а) проводимая
б) проведённая
в) проводившаяся
г) проводившая

38. Сотовый телефон оказался и самым … прибором.

а) ненавидящим
б) ненавидевшим
в) ненавидимым
г) ненавистным

39. 48 % … британцев назвали самым полезным изобретением пластиковый кружок для пивной банки.

а) опрашиваемых
б) опросивших
в) опрошенных
г) опрашивающих

40. Россияне больше всего ненавидят автомобильные пробки, … у нас после 1980 года.

а) появляющиеся
б) появлявшиеся
в) появляются
г) появившиеся

Часть 4

Инструкция к заданиям 41–51

Восстановите предложения, используя глаголы движения. В правом столбце таблицы напишите подходящие по смыслу глаголы в правильной форме. Укажите все возможные варианты.

41. Мы не … во взглядах.	**41.**
42. После университета наши дороги … .	**42.**
43. По стране … волна демонстраций и митингов протеста.	**43.**
44. … меня, пожалуйста, в список едущих на экскурсию.	**44.**
45. «Первый человек на Луне!» Эта новость мгновенно … по всему миру.	**45.**
46. Как быстро … время! Вот и отпуск кончился.	**46.**
47. — Как же ты мог забыть о нашей договорённости? — Извини, совсем из головы … .	**47.**

48. Ты же меня совсем не слушаешь. У тебя в одно ухо … , а из другого … !	**48.**
49. Послушай! Мне в голову … отличная идея!	**49.**
50. Пока вы все не … , хочу … одно предложение.	**50.**
51. Это ты окно разбил? Ты что, с ума … ?! Кто же … мяч перед домом?! Ох, и … же тебе сейчас!	**51.**

Инструкция к заданиям 52–57

Восстановите предложения, используя следующие глаголы: *тратить — затрачивать — растрачивать — утрачивать* и парные им. В правом столбце таблицы напишите подходящие по смыслу глаголы в правильной форме. Укажите все возможные варианты.

52. Боже мой! На что ты … время.	**52.**
53. На решение этой ужасной задачи я … две недели.	**53.**
54. Ты можешь объяснить, на что ты … все деньги?	**54.**
55. Этот закон уже … силу.	**55.**
56. Всю жизнь она … своё здоровье, все свои силы на какие-то авантюры. Нельзя … себя на какую-то ерунду.	**56.**
57. После автомобильной аварии Игорь … трудоспособность и стал инвалидом.	**57.**

Инструкция к заданиям 58–63

Восстановите предложения, используя парные глаголы совершенного вида: *выяснять — объяснять(ся) — прояснять(ся) — уяснять*. В правом столбце таблицы напишите подходящие по смыслу глаголы в правильной форме. Укажите все возможные варианты.

58. Ну что, ты … , когда заканчиваются занятия?	**58.**
59. — Ничего не понимаю. Кто может мне … , что происходит? — Сейчас я тебе всё … . — Спасибо, твой рассказ … ситуацию.	**59.**
60. Я не люблю, когда меня обманывают. … это для себя.	**60.**
61. … мне причину своего опоздания.	**61.**
62. С утра всё небо было в тучах, но после полудня небо … .	**62.**
63. Мне кажется, ты меня избегаешь. Чем я тебя обидела? Давай … .	**63.**

Часть 5

Инструкция к заданиям 64–86

Восстановите предложения, используя следующие имена существительные: *рубеж — граница — край — окраина — предел — уровень* и необходимые предлоги. В правом столбце таблицы напишите подходящие по смыслу предложно-падежные формы имён существительных. Возможны варианты.

64. Москва уже давно вышла … МКАД.	**64.**
65. Отодвинь вазу, она стоит … , может упасть.	**65.**
66. Его наглость переходит все … .	**66.**
67. Концерт выпускников музыкальной школы прошёл на высоком … .	**67.**
68. Выключи воду! Смотри, сейчас … польётся!	**68.**
69. Большое тебе спасибо! Твоя доброта не знает … !	**69.**
70. Мой брат несколько лет проработал … .	**70.**
71. Я первый раз в этих … . Какая же здесь красота!	**71.**
72. Иногда хочется убежать от всех … света.	**72.**
73. Человек издавна стремился преодолеть … возможного.	**73.**
74. Я что-то слышала об этом … уха. Но точно ничего сказать не могу.	**74.**
75. Этот удивительный город находится ниже … моря.	**75.**
76. Краснодар — столица Краснодарского … .	**76.**
77. Эту гостиницу построили … высших мировых стандартов.	**77.**
78. Раньше мы жили в центре города, а сейчас переехали … .	**78.**
79. Всё, больше я не могу. Моё терпение достигло … .	**79.**
80. Несмотря на рост цен, … жизни людей постепенно растёт.	**80.**
81. … скорости в городе — 60 километров в час.	**81.**
82. После проливных дождей … воды в реке поднялся почти на метр.	**82.**
83. Какая у вас прекрасная дача! … мечтаний!	**83.**
84. Специалисты говорят, что общий культурный … молодёжи постепенно снижается.	**84.**
85. Недавно состоялась встреча лидеров европейских государств на высшем … .	**85.**
86. Кинематограф зародился … двух веков.	**86.**

ТЕХНОЛОГИИ И ЛИЧНОСТЬ В СОВРЕМЕННОМ МИРЕ

4.2

Задание 1. **Объясните значение данных слов и словосочетаний, составьте с ними предложения.**

обыватель
соискатель
аналитик
сливки общества
спонтанный
норма жизни
зрелость
подсознание
суеверие
спусковой крючок

Задание 2. **Составьте пары из слов, близких по значению.** 🗝

1. раскрепощение	а. чудовище
2. шарлатан	б. разрешение
3. монстр	в. освобождение
4. интерпретация	г. популярность
5. лицензия	д. чаща
6. дебри	е. обманщик
7. слава	ж. стыд
8. позор	з. толкование

Задание 3. **Найдите синонимы.** 🗝

1. возрастать	а. сопровождать
2. протекать	б. установить
3. выявить	в. повышаться
4. сопутствовать	г. простить
5. отпустить (грехи)	д. происходить

Задание 4. **Составьте пары из слов, противоположных по значению.** 🗝

1. расходовать	а. запутаться
2. способствовать	б. копить
3. осуждать	в. унифицировать
4. разобраться	г. мешать
5. варьировать	д. поощрять

Задание 5. **Передайте смысл данных предложений другими словами.**

1. «С жиру бесятся», — говорит обыватель, посмотрев очередное американское кино. 2. Я сам себе психолог. 3. Ваше предложение звучит заманчиво. 4. Этот метод — не панацея. 5. Чаще всего ваш психоаналитик будет далёк от каких-либо оценочных суждений. 6. За возможность выложить всё, что накопилось на душе, придётся выложить чуть ли не всё, что имеешь за душой. 7. Психоаналитик не будет поощрять вас или отпускать вам грехи. 8. Эти стрессы снимать и снимать. 9. Пройдёт время, и этот рынок труда будет заполнен, однако пока поле не пахано. 10. Психоанализ показан только психически здоровым людям.

Задание 6. **Прочитайте текст и выполните тест.**

***Постарайтесь не пользоваться словарём.**
Время выполнения задания — 15 минут.
***ТРКИ-3 / Чтение, задание 1.**

УШЁЛ В ПСИХОАНАЛИЗ. ВЕРНУСЬ НЕ СКОРО

Если в США и Европе психоанализ — норма жизни (по крайней мере, для элиты общества), то для нас он пока — полнейшая экзотика. «С жиру бесятся», — рассуждают обыватели, посмотрев очередное западное кино на эту тему. «Зачем мне аналитик, когда я сам себе психолог?» — убеждены другие. «Где ж найти профессионала, а не шарлатана?» — вздыхают третьи. Чем же славна профессия психоаналитика и почему «за разговоры» её представителям платят большие деньги?

Самому психоанализу (как теории, так и методу) более ста лет, а имя автора известно абсолютно всем. Это Зигмунд Фрейд.

Фрейд доказывал, что большая часть психической жизни человека протекает вне его сознания (т. е. является бессознательной), а сам метод исследования бессознательного был назван психоанализом. Эта техника предоставляет пациенту возможность «вынуть из подсознания» и заново пережить личную историю, чтобы выявить источник собственного невроза, взглянуть на него по-новому, «переработать» и навсегда «убрать» его из жизни — излечиться. Считается, что при этом высвобождается большое количество внутренней энергии, до того расходовавшейся на борьбу с собственным «монстрами», человек чувствует себя увереннее, спокойнее, возрастают его творческие возможности. Звучит заманчиво. Однако этот метод — не панацея: психоанализ показан лишь психически здоровым людям, стремящимся к самопознанию и внутреннему раскрепощению.

Психоанализ — это не консультация психолога. Это длительное, интенсивное лечение, к тому же недешёвое. Ведь за возможность выложить всё, что накопилось на душе, придётся выложить чуть ли не всё, что имеешь за душой. Это не просто каламбур: средняя продолжительность курса составляет от 3 до 5 лет. При том, что пациент встречается с врачом несколько раз в неделю на сеансах, длящихся около часа. За рубежом стоимость одной сессии варьируется от 100 до 170 долларов. В некоторых странах посещение психоаналитика частично или полностью покрывается медицинской страховкой.

Во время сеансов психоаналитик располагается так, чтобы пациент не мог его видеть. Отсутствие контакта «глаза в глаза» способствует тому, что человек может почувствовать себя более свободно и спонтанно заговорить о своих мыслях, сновидениях, фантазиях. Именно эта ничем не сдерживаемая речь и её интерпретация психологом являются основой классической техники психоанализа.

Психолог не станет комментировать ваши мысли, чувства и поступки, осуждать вас, поощрять или отпускать грехи. Чаще всего он будет вообще далёк от каких-либо оценочных суждений. Его задача — помочь вам разобраться, например, откуда идёт агрессия, почему она направлена именно в эту точку и где здесь «спусковой крючок». Естественно, всё, о чём говорится на приёме, должно храниться в строжайшей тайне.

По мнению зарубежных и отечественных психологов, психоанализ в нашей стране просто необходим. Ведь самые успешные люди сталкиваются с затруднениями, нарушающими их душевную гармонию. Бессонница, головные боли, страхи, суеверия — типичные симптомы неврозов, сопутствующие большинству индивидуумов в мегаполисе. Эти состояния необходимо «убирать», иначе в дальнейшем они могут привести человека совсем в другую клинику. Так что стрессы, перенесённые россиянами за последние десятилетия, снимать и снимать. Только вот кому? Пройдёт время, и этот рынок труда будет заполнен, однако пока поле не пахано.

Зигмунд Фрейд

Главное в подготовке психоаналитика — это посещение собственно тренинг-анализа. Будущий специалист, независимо от того, есть у него в голове «тараканы» или нет, должен «отлежать на кушетке» стандартное количество часов (от 300 до 1200). Причём платить соискателю придётся из своего кармана. Затем наступает период ведения пациентов, но под наблюдением более опытных коллег-консультантов, что также оплачивается претендентом. Именно они решают, готов ли врач приступить к собственной практике, и дают соответствующую рекомендацию. Её рассматривает «Общество психоаналитиков», оно же выдаёт врачу лицензию на работу. Как правило, подобная подготовка длится 5–6 лет. Неудивительно, что, например, в США средний возраст психоаналитика, получающего лицензию, составляет 40 лет.

По мнению экспертов, главная черта успешного психоаналитика — личная зрелость. Без этого можно и самому уйти в дебри, и пациента увести за собой.

(по материалам журнала «Карьера»)

ТЕСТ: Укажите, какие высказывания соответствуют содержанию текста, а какие нет.

1. Весь мир знает автора психоанализа.
2. Во всём мире психоанализ является привычным явлением для высоких слоев общества.
3. Лечение у психоаналитика многим не по карману.
4. Некоторые люди полагают, что сами могут оказать себе психологическую помощь.
5. С помощью метода психоанализа пациент может решить все свои проблемы.
6. Прямой контакт «глаза в глаза» способствует успешному проведению сеанса психоанализа.
7. Достаточно нескольких сеансов у психоаналитика, и пациент почувствует облегчение.
8. Будущий психоаналитик обязательно должен некоторое время побыть пациентом.
9. Специалисты советуют пройти курс психоанализа только психически здоровым людям.
10. Психоанализ противопоказан людям, стремящимся познать себя и внутренне раскрепоститься.
11. Главная задача психоаналитика — выслушать пациента.
12. Успешных людей порой одолевают проблемы.
13. За последние годы в России подготовлено много психоаналитиков.
14. Ничто не мешает хорошо подготовленному молодому специалисту стать прекрасным психоаналитиком.

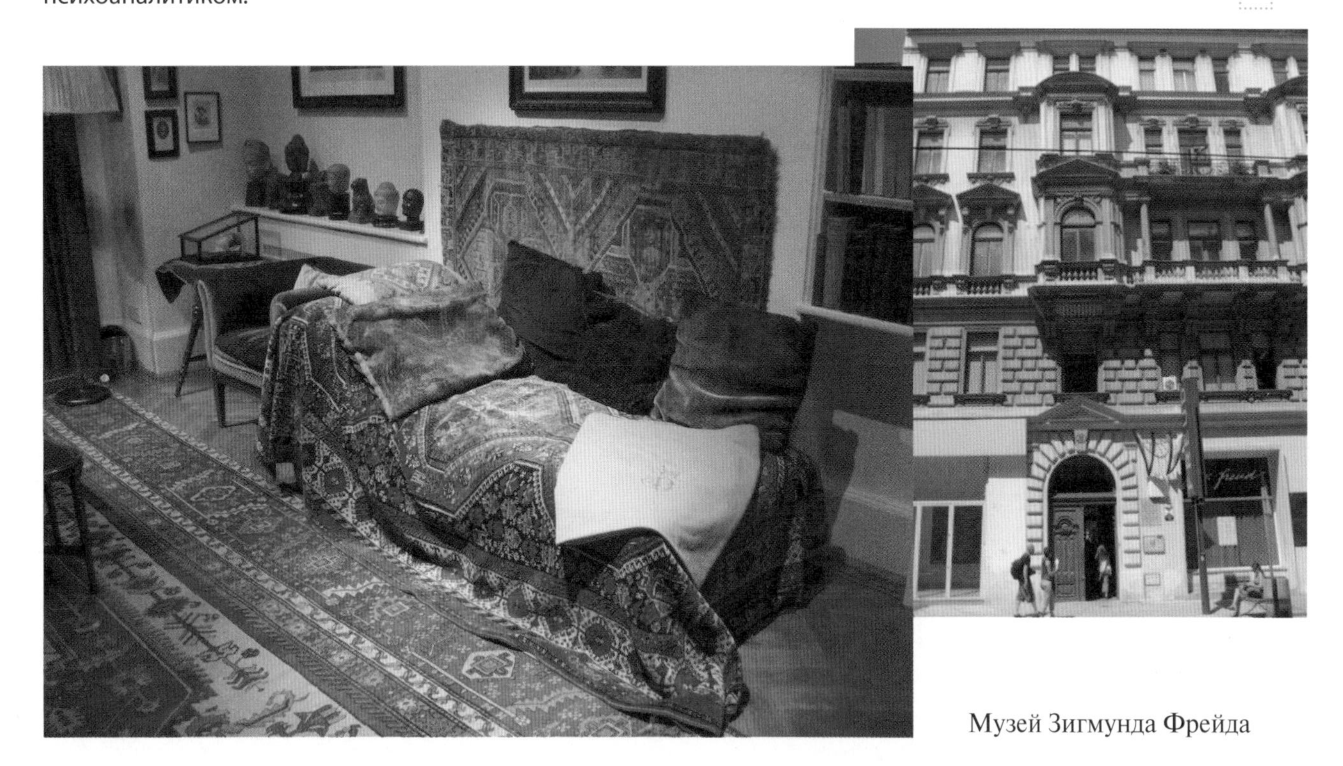

Музей Зигмунда Фрейда

Задание 7. **Ваш друг (подруга) переживает сложный период, вы хотите его (её) поддержать и советуете обратиться к помощи психолога. Напишите письмо личного характера, в котором используйте информацию текста. При этом укажите:**
— источник информации;
— мнение автора статьи;
— характер проблемы;
— ваше отношение к полученной информации.

ТРКИ

***Время выполнения задания — 25 минут.**
Объём текста — 200–250 слов.
***ТРКИ-3 / Письмо, задание 1.**

Задание 8. **Ваша молодая знакомая выбирает профессию. Примите участие в диалоге. Ваша задача:**

а) Согласитесь с указанным мнением, используя синонимичные средства.

б) Не согласитесь с указанным мнением, используя антонимы.

— По-моему, психоаналитик — очень интересная профессия.
— ....

— Единственный минус: чтобы стать хорошим психоаналитиком, нужно учиться и учиться.
— ....

— Кроме теоретических знаний нужен большой практический опыт.
— ....

— Ну и надо просто любить людей.
— ....

Задание 9. **Прочитайте предложенные выражения и определите, какие интенции они передают: 1) несогласие, 2) ирония, 3) затруднение с ответом, 4) отказ.** 🗝

а. Нет уж, спасибо!
Я уж сам(а) как-нибудь разберусь!
Спасибо, не надо! ☐

б. Ну не знаю…
Ничего вроде бы такого…
Да как сказать… ☐

в. Да уж, ты всё объяснишь (сделаешь)!
Ну конечно. Ты у нас на все руки мастер! ☐

г. Не скажи!..
Я бы не говорила так категорично.
Какая же это ерунда? Это очень важно! ☐

Задание 10. **Ваша знакомая не считает психоанализ серьёзным делом. Примите участие в диалоге, выразите следующие интенции:**

Несогласие:
— По-моему, психоанализ — это полная ерунда.
— ....

Иронию:
— Я сама могу всё объяснить лучше всякого психолога.
— ....

Затруднение с ответом:
— Вот скажи: какая у тебя проблема?
— ....

Отказ:
— Если у тебя будут какие-то трудности — приходи, я тебе помогу.
— ....

Задание 11. **Ваша подруга обратилась за помощью к психотерапевту, а теперь жалеет об этом. Примите участие в диалоге и убедите собеседницу в том, что она поступила правильно. Приведите свои аргументы.**

— Записалась на 10 сеансов к психотерапевту, а теперь думаю, зачем я с ним связалась?
— ....

— Что там полезного? Сижу на диванчике, пялюсь в стену и говорю сама с собой!
— ....

— Чем он мне поможет? Ни одного путного совета, только какие-то дурацкие вопросы задаёт!
— ....

— Да с любой подружкой поговоришь, поплачешься в жилетку, и вроде как всё в порядке!
— ....

Задание 12. **У вашего друга психологические проблемы, вы хотите ему помочь. В газете вы увидели объявление:**

ДЕПРЕССИЯ?
МЫ ВАМ ПОМОЖЕМ ОБРЕСТИ ГАРМОНИЮ С МИРОМ

Консультации:
• психолога • психотерапевта • психоаналитика •

В стационаре и на дому. Круглосуточно.
223-2363.
www.hippocrat.info.ru
Лицензия № 77-01-001499

ПРОКОНСУЛЬТИРУЙТЕСЬ СО СПЕЦИАЛИСТОМ!

Это объявление вас заинтересовало. Позвоните по указанному телефону, расспросите обо всём как можно более подробно, чтобы решить, стоит ли обращаться к этому специалисту.

***ТРКИ-2 / Говорение, задание 14.**

Задание 13. **Согласитесь или опровергните данные высказывания. Приведите свои аргументы.**

1. В жизни каждого человека бывают времена, когда ему требуется психологическая помощь.
2. Оказать психологическую помощь может не только специалист с высшим психологическим образованием.
3. С помощью психолога (или психоаналитика) можно решить любую психологическую проблему.
4. Психолог (или психоаналитик) имеет право публиковать материалы, полученные во время консультаций.

Задание 14. **Напишите эссе (рассуждение) повествовательного типа на тему: «Служба психологической поддержки: роскошь или необходимость?». При этом:**
— сформулируйте проблему;
— сопоставьте различные точки зрения на эту проблему;
— изложите свою точку зрения (приведите аргументы);
— дайте свою оценку современного общества.

***Время выполнения задания — 30 минут.**
Объём текста — 150–200 слов.

ЛЕКСИКО-ГРАММАТИЧЕСКИЙ ТЕСТ

Часть 1

Инструкция к заданиям 1–7

Вам предъявляется текст, в котором некоторые слова и группы слов представлены в начальной форме. Номера групп слов в таблице соответствуют номерам предложений. Ваша задача — восстановить текст, употребив слова в нужной грамматической форме, используя там, где необходимо, предлоги. В правом столбце таблицы напишите правильный вариант, укажите все возможные варианты.

1. Если (США) и (Европа) психоанализ — норма (жизнь), по (крайняя мера), (элита общества), то (мы) он пока — настоящая экзотика. **2.** (Что) же славится профессия (психоаналитик), почему («разговоры») (представители) (эта профессия) платят (большие деньги)? **3.** (Возможность) выложить всё, что накопилось (душа), (пациент) придётся выложить чуть ли не всё, что имеется (он) (душа). **4.** (Ничто) не сдерживаемая речь (пациент) (сеанс) психоанализа и её интерпретация (психолог) являются (основа) (классическая техника) (психоанализ). **5.** Как правило, психоаналитик далёк (какие-либо оценочные суждения). **6.** Естественно, что всё, (что) говорится (приём) (психоаналитик), должно храниться (строжайшая тайна). **7.** (Мнение) (зарубежные и отечественные психологи), психоанализ (наша страна) просто необходим.

1. США, Европа, жизнь, крайняя мера, элита общества, мы	**1.**
2. что, психоаналитик, «разговоры», представители, эта профессия, большие деньги	**2.**
3. возможность, душа, пациент, он, душа	**3.**
4. ничто, пациент, сеанс, психолог, основа, классическая техника, психоанализ	**4.**
5. какие-либо оценочные суждения	**5.**
6. что, приём, психоаналитик, строжайшая тайна	**6.**
7. мнение, зарубежные и отечественные психологи, наша страна	**7.**

Часть 2

Инструкция к заданиям 8–15

Вам предъявляются предложения с пропусками. В таблице даны видовые пары глаголов. Номера видовых пар глаголов соответствуют номерам пропусков. Ваша задача — выбрать глагол нужного вида и употребить его в правильной форме. В правом столбце таблицы напишите правильный вариант.

1. «С жиру **-8-**», — **-9-** многие обыватели после просмотра очередного западного фильма. 2. Фрейд **-10-**, что большая часть психической жизни человека **-11-** вне его сознания. 3. Обычно опытные врачи-консультанты **-12-**, готов ли врач приступить к собственной практике, и **-13-** ему соответствующую рекомендацию. 4. Как правило, подготовка психоаналитика **-14-** пять-шесть лет. 5. В США средний возраст психоаналитика с лицензией **-15-** 40 лет.

8. беситься — взбеситься	**8.**
9. рассуждать — рассудить	**9.**
10. доказывать — доказать	**10.**
11. протекать — протечь	**11.**
12. решать — решить	**12.**
13. давать — дать	**13.**
14. длиться — продлиться	**14.**
15. составлять — составить	**15.**

Часть 3

Инструкция к заданиям 16–27

Вам предъявляются предложения с пропусками. В таблице даны видовые пары глаголов. Номера видовых пар глаголов соответствуют номерам пропусков. Ваша задача — выбрать инфинитив нужного вида. В правом столбце таблицы напишите правильный вариант. Укажите все возможные варианты.

1. «Где же **-16-** профессионала, а не шарлатана?» — вздыхают люди. 2. Во время сеансов психоаналитик располагается так, чтобы пациент не мог его **-17-**. 3. Техника психоанализа предоставляет пациенту возможность **-18-** из подсознания и заново **-19-** личную историю. 4. Задача психолога — **-20-** вам **-21-**, откуда идёт ваша агрессия. 5. Отсутствие прямого контакта способствует тому, что человек может **-22-** себя более свободно и **-23-** о своих мыслях и фантазиях. 6. Психолог не станет **-24-** вас или **-25-** грехи. 7. **-26-** соискателю лицензии психоаналитика придётся самому. 8. Опытные коллеги-консультанты решают, готов ли врач **-27-** к собственной практике.

16. искать — найти	**16.**
17. видеть — увидеть	**17.**
18. «вынимать» — «вынуть»	**18.**
19. переживать — пережить	**19.**
20. помогать — помочь	**20.**
21. разбираться — разобраться	**21.**
22. чувствовать — почувствовать	**22.**
23. говорить — заговорить	**23.**
24. осуждать — осудить	**24.**
25. отпускать — отпустить	**26.**
26. платить — заплатить	**26.**
27. приступать — приступить	**27.**

Часть 4

Инструкция к заданиям 28–36

Закончите предложения, выберите все возможные варианты.

28. «Я сам себе психолог», — … многие.

а) убеждаются
б) убеждены
в) убедились
г) убеждённые

29. Во время сеанса психоанализа высвобождается много энергии, до того … на борьбу с собственными «монстрами».

а) расходовавшей
б) расходующий
в) расходовавшейся
г) расходуемой

30. Психоанализ … лишь психически здоровым людям.

а) показан
б) показанный
в) показался
г) показывается

31. Пациент встречается с врачом на сеансах, … около часа.

а) длившихся
б) длящихся
в) длительных
г) продлившихся

32. Даже самые успешные люди сталкиваются с затруднениями, … их душевную гармонию.

а) нарушившими
б) нарушаемыми
в) нарушающими
г) нарушенными

33. Бессонница, головные боли, страхи — типичные симптомы, … большинству индивидуумов в мегаполисе.

а) сопутствуемые
б) сопутствуют
в) сопутствовавшие
г) сопутствующие

34. Стрессы, … россиянами, снимать и снимать.

а) перенёсшие
б) переносящие
в) переносимые
г) перенесённые

35. Пройдёт время, и рынок труда … .

а) заполнится
б) будет заполняться
в) будет заполнен
г) заполняется

36. Средний возраст психоаналитика, … лицензию, составляет 40 лет.

а) получаемого
б) полученного
в) получающего
г) получившего

Часть 5

Инструкция к заданиям 37–48

Восстановите предложения, используя следующие глаголы: *выглядеть — выглядывать — выглянуть — заглянуть — подглядывать — разглядывать — взглянуть — переглядываться — вглядеться — приглядеться — оглядывать(ся) — оглянуться*. В правом столбце таблицы напишите подходящие по смыслу глаголы в нужной форме.

37. Что ты всё время … ?! Идём!	**37.**
38. Ты … усталой. Что, много работы?	**38.**
39. Петров! Не … ! Пиши сам!	**39.**
40. Что это у вас? Можно … ?	**40.**
41. Что вы смотрите друг на друга? Хватит … ! Отвечайте: согласны вы или нет.	**41.**
42. Что за шум на улице? … в окно! Что там случилось?	**42.**
43. Мне нужно с вами кое о чём поговорить. Будет минутка — … ко мне.	**43.**
44. Эта девочка очень талантливая, … к ней. Из неё может выйти неплохая гимнастка.	**44.**
45. Ну что ты меня … ? Я же не картина!	**45.**
46. … на эту картину. «Портрет старика» работы Рембрандта. … в лицо этого старого человека.	**46.**
47. Не … из окна трамвая! Это опасно.	**47.**
48. Знаете, когда-то была такая песня: «Я … посмотреть: не … ли она, чтоб посмотреть: не … ли я»?	**48.**

Инструкция к заданиям 49–59

Восстановите предложения, используя следующие глаголы: *платить — оплачивать — оплатить — отплатить — выплачивать — заплатить — расплачиваться — расплатиться — переплатить*. В правом столбце таблицы напишите подходящие по смыслу глаголы в нужной форме.

49. — Сколько вы … за эту поездку? — Я ничего не … . Поездку … наш профсоюз.	**49.**
50. Нам … зарплату в начале каждого месяца.	**50.**
51. Этот счёт нужно … в ближайшее время.	**51.**
52. Ты смеёшься надо мной? Хорошо же, я тебе … .	**52.**
53. Есть такие ошибки, за которые мы … всю жизнь.	**53.**
54. Я забыла деньги дома. … , пожалуйста, за меня.	**54.**
55. Рабочие уже закончили работу. Ты со всеми … ?	**55.**
56. Ты … за эту книгу 300 рублей?! Извини, но ты … . Я купил её за 250.	**56.**
57. У вас нет билета? … штраф.	**57.**
58. Я купила телевизор в кредит. Теперь нужно … этот кредит в течение года.	**58.**
59. Она сама виновата: нельзя быть такой беспечной. Вот теперь и … за своё легкомыслие.	**59.**

Инструкция к заданиям 60–73

Восстановите предложения, используя следующие глаголы: *говорить — поговорить — выговаривать — выговорить(ся) — договорить(ся) — заговорить(ся) — наговаривать — наговорить(ся) — отговаривать(ся) — отговорить — оговаривать — оговорить — проговаривать — проговорить(ся) — разговаривать — разговорить(ся) — сговориться — уговаривать — уговорить*. В правом столбце таблицы напишите подходящие по смыслу глаголы в нужной форме.

60. Мой маленький внук не … звук «р».	**60.**
61. Почему ты отказываешься делать эту работу? Мы же … с тобой, что ты возьмёшь это на себя. А теперь ты … какими-то другими делами.	**61.**
62. Как?! Он на это согласился?! Ну, нет! Я его … .	**62.**
63. Мне нужно с вами … .	**63.**
64. Ты нормальный человек, не … на себя.	**64.**
65. Мы … и не заметили, что проехали свою станцию.	**65.**
66. — Посиди ещё! Ведь мы так толком и не … ! — Нет-нет, не … меня, я очень спешу. Как-нибудь в другой раз … , а сейчас я должен бежать.	**66.**
67. Я никогда этого не делал, я на такое просто не способен. Кто-то … меня.	**67.**
68. — Не перебивай, дай мне … до конца, а потом … ты. — Да ты уже всех … . Сколько же можно … !	**68.**
69. Не молчи, тебе нужно … . Расскажи, что случилось.	**69.**
70. Это секрет, смотри, не … !	**70.**
71. Сначала все были какими-то робкими, стеснялись, а потом ничего, … .	**71.**
72. — Вы … , что концерт будет завтра в девять? — Извините. Я … , в десять.	**72.**
73. — Почему ты не … с нами? — Потому что вы все … против меня. И теперь никто не соглашается с моим предложением.	**73.**

Часть 6

Инструкция к заданиям 74–83

Восстановите предложения, используя следующие имена существительные: *пациент — больной — врач — доктор — консультант — эксперт — советник — советчик*. В правом столбце таблицы напишите подходящие по смыслу имена существительные в нужной форме. Укажите все возможные варианты.

74. Законопроект об эвтаназии, разрешающий по просьбе неизлечимого … ускорить его смерть, разрабатывается в Совете Федерации. … должен заявить о желании уйти из жизни лечащему … . До последнего времени легализацию эвтаназии в России поддерживали только организации по защите прав … . Другие … считают, что общество не готово к принятию подобного закона.	**74.**
75. Посещение … в нашей больнице — с 16:00 до 20:00.	**75.**
76. В ЗАГСе нашего района работает … по вопросам семьи и брака.	**76.**
77. Это замечательный … . Многие известные люди были его … .	**77.**
78. Мой муж успешно защитил диссертацию, теперь он … наук.	**78.**
79. Этому … разрешили вставать уже через три часа после операции.	**79.**
80. Давать советы легко, сколько у меня … ! А помочь никто не хочет.	**80.**
81. И кто такой этот Иванов? Почему президент назначил его своим … ?	**81.**
82. — Здравствуйте, … ! — Добрый день. На что жалуетесь?	**82.**
83. Вы слышали: ещё один самолёт упал! Чёрный ящик уже нашли, сейчас … его изучают.	**83.**

Инструкция к заданиям 84–94

Восстановите предложения, используя следующие имена существительные: *задача — задание — пример — проблема — трудность*. В правом столбце таблицы напишите подходящие по смыслу имена существительные в нужной форме. Укажите все возможные варианты.

84. На фестивале «Дни прессы» специалисты могли обсудить свои насущные … . Было заявлено, что одной из главных … СМИ является формирование позитивного имиджа России.	**84.**
85. Редактор дал мне … : проверить факты, указанные в письме.	**85.**
86. Во время экспедиции нам пришлось преодолевать … , возникшие из-за нехватки воды.	**86.**
87. С развитием науки учёные всё ближе подходят к решению … возникновения жизни на Земле.	**87.**
88. Ты прекрасно живёшь, какие у тебя могут быть … ?	**88.**
89. У моей дочери сейчас одна … — поступить в университет.	**89.**
90. В начальной школе ученики решают уже довольно трудные … и … .	**90.**
91. В школе у меня были … с физикой. Мне было очень трудно решать … .	**91.**
92. Ты уже сделал … по истории?	**92.**
93. Ну, что у тебя там случилось? Сейчас мы решим все твои … .	**93.**
94. Когда я тебя обманывала? Ты можешь привести … ?	**94.**

Часть 7

Инструкция к заданиям 95–104

Вам предъявляется текст (информационное сообщение) с пропусками. После текста даны группы слов. Номера групп слов соответствуют номерам пропусков. Ваша задача — выбрать в каждой группе правильный вариант, подходящий по смыслу и характерный для официально-делового стиля речи.

На семь лет дольше других **-95-** живут москвичи. К такому **-96-** пришли демографы, которые **-97-**, что за последние двенадцать лет **-98-** жизни столичных **-99-** **-100-** на девять лет, а в целом у **-101-** — лишь на полтора года. По **-102-** проведённого **-103-**, дольше всех живут **-104-** центральных районов города.

95. а) русских
б) россиян
в) российских

96. а) результату
б) знанию
в) выводу
г) заключению

97. а) решили
б) узнали
в) выяснили
г) объяснили

98. а) течение
б) протяжённость
в) продолжительность
г) длительность

99. а) жителей
б) жильцов
в) людей

100. а) умножилась
б) выросла
в) возросла
г) протянулась
д) увеличилась

101. а) россиян
б) русских
в) российских

102. а) словам
б) справкам
в) информации
г) данным

103. а) обследования
б) эксперимента
в) опыта
г) исследования
д) следствия
е) расследования

104. а) жильцы
б) жители
в) обитатели
г) люди

НАУКА И БУДУЩЕЕ ЧЕЛОВЕЧЕСТВА

4.3

Задание 1. **Объясните значение данных слов и словосочетаний, составьте с ними предложения.**

футуролог	хаос
управленец	ураган
индивидуум	цензура
киборг	симбиоз
облик	альтернатива

Задание 2. **Составьте пары из слов, близких по значению.** 🗝

1. нашествие	а. бедствие
2. новодел	б. ограничение
3. катаклизм	в. окраина
4. глубинка	г. оккупация
5. предел	д. стилизация
6. расползание	е. переезд
7. переселение	ж. расширение

Задание 3. **Найдите синонимы.** 🗝

1. возобладать	а. слишком
2. накладно	б. детально
3. охотно	в. сконцентрироваться
4. чересчур	г. дорого
5. поглотить	д. вобрать в себя
6. досконально	е. с удовольствием
7. ибо	ж. победить
8. сосредоточиться	з. поскольку

Задание 4. **Составьте пары из слов, противоположных по значению.** 🗝

1. шокировать	а. сохранить
2. утратить	б. сокращать
3. искажать (пропорции)	в. восхищать
4. задавать (тон)	г. приобрести
5. продлевать	д. следовать
6. уничтожить	е. соблюдать

Задание 5. **Найдите антонимы.** 🗝

1. скупой	а. типичный
2. преуспевающий (человек)	б. щедрый
3. уникальный	в. тесный
4. неблагоустроенный	г. управляемый
5. просторный	д. комфортный
6. неподвластный	е. неудачник

Задание 6. **Образуйте парные глаголы совершенного вида от глаголов:** 🗝

выделывать — подделывать — поделывать — разделывать — переделывать — приделывать.

Задание 7. **Передайте смысл данных предложений другими словами.**

1. Москва — зеркало России. 2. Вкусы владельцев финансовых потоков задают тон столице. 3. Чиновники, которыми забит весь центр, — дополнительная головная боль. 4. Нужно не скупиться на новоделы, восстанавливающие исторический облик. 5. Ряд освободившихся зданий можно отдать под отели. 6. Город растёт не только размерами, но и аппетитами. 7. Уговорами тут не поможешь. 8. Чуть ли не вся Россия и её природные богатства работают на мегаполис. 9. На Интернет можно возложить управление такими процессами, которые человеку неподвластны. 10. То, над чем ломают голову наши управленцы, решит компьютер. 11. Нужно взять курс на восстановление привлекательных для туристов зданий и мест.

Задание 8. **Прочитайте фрагменты интервью с известным социологом и футурологом академиком Игорем Бестужевым-Ладой. В предлагаемом тексте даны высказывания Бестужева-Лады, после текста перечислены реплики журналиста. Ваша задача — определить, каким репликам соответствуют высказывания. Реплик больше, чем высказываний.** 🗝

ТРКИ

***Время выполнения задания — 15 минут.**
***ТРКИ-3 / Чтение, задание 2.**

ПЕРЕД НАШЕСТВИЕМ КИБОРГОВ

1. ....

— Москва сегодняшняя — сложный феномен. С одной стороны — она зеркало России. Здесь живут люди многих национальностей, представляющие самые отдалённые уголки нашего государства, ближнего и дальнего зарубежья. С другой — это и своеобразный анклав. Не секрет, что здесь сосредотачивается 80 % всех национальных ресурсов... Вкусы распорядителей и владельцев этих финансовых потоков так или иначе задают тон новой столице, новой столичной архитектуре, кого-то шокирующей, а кого-то радующей схожестью с американскими и европейскими образцами. Впрочем, есть и попытки развивать нашу традиционную архитектуру конца XIX и начала XX века.

Финансовые потоки влияют также и на уровень жизни москвичей, на их вкусы, взгляды, потребности. На нас по-прежнему смотрит и ориентируется глубинка, тянется за московской модой. Поэтому справедливо и такое суждение: Москва сегодня — это Россия в миниатюре, где многие пропорции искажены. И судить о России, побывав только в Москве, конечно же, нельзя.

2. ....

— Сейчас прослеживается тенденция именно к расползанию. И в отдалённой перспективе столица может поглотить не только Московскую, но и другие области. С каждым годом увеличивается число тех, кто приезжает сюда на заработки и остаётся здесь навсегда — точно так же, как это происходит в других европейских городах.

Есть некоторые конструктивные предложения и программы, позволяющие сдерживать разбухание, разрастание территории мегаполиса. Из Москвы, например, выводятся промышленные предприятия. Не должно быть в Москве и кварталов, занятых чиновниками. Чиновники и клерки банков, которыми забит весь центр, — дополнительная головная боль. Они не могут обходиться без просторных офисов, без престижного автотранспорта, многочисленной обслуги. Я бы их расселил в специальные городки рядом с Москвой, где всё будет в пешеходной доступности от дома. Так легче и менее накладно решать дела, заниматься бизнесом. Такие городки есть на Западе. Почему бы нам не последовать этому примеру?

3. ....

— Москва должна развиваться по нескольким направлениям.

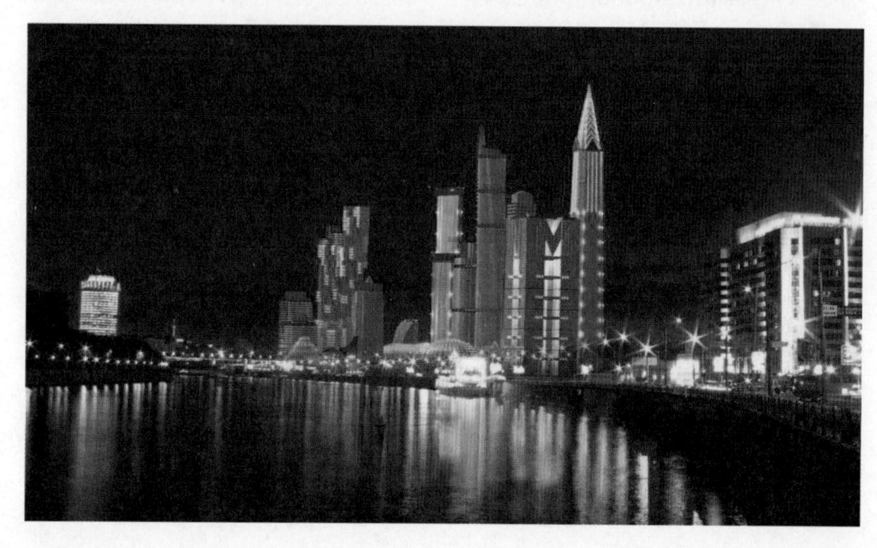

Во-первых, как научный и образовательный центр с самым крупным в мире университетом. Здесь должны жить сотни тысяч студентов и сотни тысяч преподавателей и учёных. Во-вторых, Москва должна стать всемирным центром туризма, ибо имеет для этого все основания. И потому ряд освободившихся зданий я отдал бы под отели.

4. ....

— Необходимо сохранить и реставрировать всё, что можно. И не скупиться на новоделы, восстанавливающие исторический облик Москвы. Думаю, городские власти поступят мудро, если возьмут курс на восстановление всего того, что может привлечь туристов.

5. ....

— Нас ожидают качественные перемены. Развитие техники, компьютеризация, Интернет, мобильная связь в недалёкой перспективе создадут новые условия для поведения индивидуума. Системный блок компьютера и дисплей мобильника в скором будущем перекочуют на специальный шлем, который можно носить на голове, или даже на оправу очков. А возможно, их смогут вживить в тело — и тогда появится человек-киборг. Сейчас, в самом начале эпохи киборгизации, возникает вопрос: как нам при всём этом не потерять человеческий облик?

6. ....

— Специалисты по научно-техническому прогнозированию досконально разработали модели четырёх последующих поколений компьютеров и Интернета. Первое поколение — не надо никуда ездить, второе — ты покупаешь программу, допустим «поликлиника на дому»: каждый день компьютер делает анализы, ставит диагноз, назначает лечение и таким образом продлевает нашу жизнь. Поколение третье — с помощью компьютерных программ можно будет изменять физический и психический облик ребёнка, а возможно, даже взрослого — в определённых пределах, разумеется. И, наконец, четвёртое поколение — когда человек образует симбиоз с компьютером...

7. ....

— Да, который способен жить на Луне или в глубинах океана. Всё это произойдёт в течение ближайших двух-трёх десятилетий.

Теперь об Интернете. Интернет сейчас представляет собой хаос, причём очень опасный. Стало быть, в сети должна появиться цензура.

Но на Интернет можно возложить управление такими процессами, которые человеку неподвластны. Например, только информационная сеть способна вычислить время (в секундах) и место зарождения урагана, каких-то других природных катаклизмов, спрогнозировав последующие события. С помощью компьютера можно создать (и это уже происходит!) систему интеллектуальных, умных городов, умных домов, которые смогут минимизировать потребности в тепле, воде, свете... Появятся новые источники энергии. То, над чем ломают головы управленцы, решит компьютер.

8. ....

— Тем, что ему прилично. То есть творчеством. Начиная от обдумывания теории относительности и кончая уборкой собственной квартиры. Но самое важное — конструирование отношений с людьми. С близкими и любимыми — в особенности. В этом суть жизни человечества. Всё остальное сделает Интернет.

(по материалам газеты «Московская среда»)

А. Сотни уникальных, чисто московских памятников город за последние 90 лет утратил. Если уничтожение старины продолжится, что будем туристам показывать? Безликий город?

Б. Вот это-то и интересно!

В. И превращается в киборга?!

Г. В последние годы у нас возобладала модель потребительского общества, погоня за комфортом. Город растёт не только размерами, но и аппетитами. Можно ли изменить психологию людей, чтобы они сознательно пошли на какие-то разумные ограничения?

Д. Как вы полагаете, сегодняшняя столица воплощает наши традиционные культурные ценности или постепенно превращается в некий чужеродный анклав?

Е. Вы предлагаете освободить город от рабочих, торговцев, чиновников. Кто же в нём останется?

Ж. Проживание в таком большом и довольно комфортном городе формирует определённый менталитет. Чуть ли не вся Россия и её природные богатства работают на мегаполис. Комфорт убивает человека, он отрывает его от реальной жизни, от природы и превращает в некое странное существо.

З. Но чем же тогда будет заниматься человек?

И. Если взглянуть на наш город как на один из мегаполисов мира, есть ли предел его развитию?

К. Как футуролог вы можете спрогнозировать, какими станут Москва и москвичи лет эдак через пятьдесят?

Задание 9. **Прочитайте текст и напишите личное письмо другу о современной Москве. При этом:**
— укажите источник информации;
— сформулируйте объективные и субъективные причины проблем;
— представьте точку зрения известного учёного;
— приведите аргументы в защиту своей позиции.

ТРКИ

***Время выполнения задания — 20 минут.**
Объём текста — 200–250 слов.
***ТРКИ-3 / Письмо, задание 1.**

Задание 10. **Вы присутствуете на семинаре по проблеме «Москва и Россия». Примите участие в диалоге. Ваша задача:**

а) Согласитесь с указанным мнением, используя синонимичные средства.

б) Не согласитесь с указанным мнением, используя антонимы.

— Говорят, что Москва — это не просто столица России. Это символ российской цивилизации.
— ....

— Но, если ты видел только Москву, ты не можешь судить о России.
— ....

— Поэтому обязательно нужно съездить в провинцию.
— ....

— Именно в провинции можно понять, что такое «русская душа».
— ....

Задание 11. **Прочитайте выражения и определите, какие интенции они передают: 1) опасение, 2) восхищение, 3) недовольство, 4) недоверие.** 🗝

а. Вот здорово! ☐
Великолепно!
Это мечта (всей жизни)!

б. Вряд ли!
Не думаю, что это возможно! ☐
Скажешь тоже!
Чего только не выдумают!

в. Отвратительно! ☐
Безобразно!
Хуже не придумаешь!

г. Думаю, что это очень опасно.
Представляешь, чем это может кончиться?! ☐
Последствия могут быть ужасными!

Задание 12. **Ваша подруга делится с вами впечатлениями от прочитанной статьи «Компьютер в XXI веке». Примите участие в диалоге, выразите следующие интенции:**

Восхищение:
— Представляешь, экран компьютера или мобильник скоро будут прикрепляться прямо на очки!
— ....

Недоверие:
— А потом компьютер будут вживлять в тело человека.
— ....

Опасение:
— Зря ты не веришь. Я читала об этом в каком-то научном журнале.
— ....

Недовольство:
— Интересно, как мы при этом будем выглядеть?
— ....

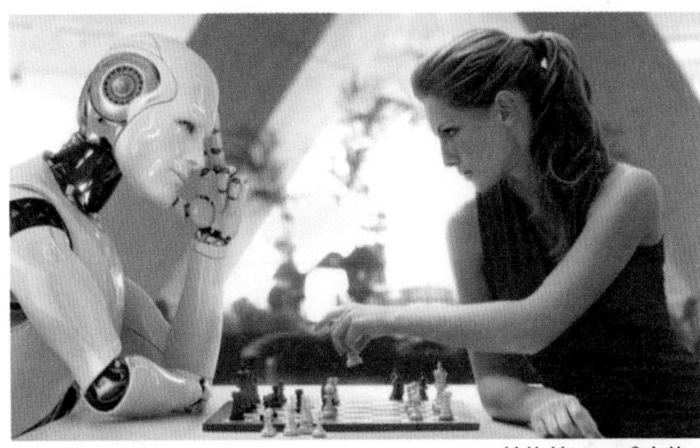

Задание 13. **Ваша подруга купила современный дом, а теперь жалеет об этом. Примите участие в диалоге и убедите собеседницу в том, что она поступила правильно. Приведите свои аргументы. Используйте разные языковые средства.**

— Представляешь,поддалась на рекламу, купила себе «умный дом», а теперь с ума схожу от этой техники…
— ....

— Ничего хорошего! Свет сам выключается, когда хочет, плита «решает» как ей работать…
— ....

— Такое впечатление, что живу в виртуальной реальности!
— ....

— Честно говоря, еду домой и боюсь: вдруг дверь не захочет открываться…
— ....

Задание 14. **Согласитесь или опровергните данные высказывания. Приведите свои аргументы.**

1. Увидев только столицу, нельзя говорить, что ты видел страну.
2. Столица должна быть самым современным городом страны. Старые города должны стать музеями под открытым небом.
3. Органы управления страной и бизнес-центры не должны находиться в столице.
4. Облик современного человека скоро изменится — он станет похож на биологического робота.
5. Лет через пятьдесят управлять страной будет искусственный интеллект. А человек будут заниматься творчеством в широком смысле этого слова.

Задание 15. **а) Скажите, с какими положениями, высказанными в интервью академиком Бестужевым-Ладой, вы (не) согласны и почему. Каким вы представляете себе человека будущего?**

б) Вы решили баллотироваться на пост мэра города. Предложите свою предвыборную программу.

Задание 16. **Напишите эссе на одну из тем:**

1. «Город и человек будущего».
2. «Общество и проблемы новых технологий».

***Время выполнения задания — 30 минут.**
Объём текста — 150–200 слов.

ЛЕКСИКО-ГРАММАТИЧЕСКИЙ ТЕСТ

Часть 1

Инструкция к заданиям 1–16

Вам предъявляются предложения, в которых некоторые слова и группы слов представлены в начальной форме. Номера групп слов в таблице соответствуют номерам предложений. Ваша задача — восстановить предложения, употребив слова в нужной грамматической форме, используя там, где необходимо, предлоги. В правом столбце таблицы напишите правильный вариант.

1. (Последние годы) (мы) возобладала модель (потребительское общество), погоня (комфорт). **2.** Новая столичная архитектура радует (некоторые люди) (схожесть) (европейские образцы). **3.** Если взглянуть (наш город) как (один) (мегаполисы мира), можешь подумать: а есть ли предел (его развитие)? **4.** Финансовые потоки влияют (уровень жизни) (москвичи), (их потребности). **5.** (Москва) выводятся (промышленные предприятия). **6.** Я предлагаю освободить город (рабочие, торговцы, чиновники). **7.** Не должно быть (Москва) (кварталы), (занятые) (чиновники). **8.** Чиновники не могут обходиться (просторные офисы). **9.** Нужно расселить (чиновники) (специальные городки) рядом (Москва), где всё будет (пешеходная доступность) (дом). **10.** (Последние 90 лет) город утратил сотни (уникальные памятники). **11.** Комфорт открывает (человек) (реальная жизнь, природа), превращает (некое странное существо). **12.** Специалисты (научно-техническое прогнозирование) разработали модели (четыре) (последующие поколения) (компьютеры). **13.** Человек образует симбиоз (компьютер) и превратится (киборг). **14.** Киборг способен жить (Луна) и (глубины океана). **15.** (Интернет) можно возложить управление (такие процессы), которые (человек) неподвластны. **16.** (Помощь) (компьютер) можно создать (система) (умные города), которые смогут минимизировать потребности (тепло, вода, свет).

1. последние годы, мы, потребительское общество, комфорт	**1.**
2. некоторые люди, схожесть, европейские образцы	**2.**
3. наш город, один, мегаполисы мира, его развитие	**3.**
4. уровень жизни, москвичи, их потребности	**4.**
5. Москва, промышленные предприятия	**5.**
6. рабочие, торговцы, чиновники	**6.**
7. Москва, кварталы, занятые, чиновники	**7.**
8. просторные офисы	**8.**
9. чиновники, специальные городки, Москва, пешеходная доступность, дом	**9.**
10. последние 90 лет, уникальные памятники	**10.**
11. человек, реальная жизнь, природа, некое странное существо	**11.**
12. научно-техническое прогнозирование, четыре, последующие поколения, компьютеры	**12.**
13. компьютер, киборг	**13.**
14. Луна, глубины океана	**14.**
15. Интернет, такие процессы, человек	**15.**
16. помощь, компьютер, система, умные города, тепло, вода, свет	**16.**

Часть 2

Инструкция к заданиям 17–36

Вам предъявляются предложения с пропусками. В таблице даны видовые пары глаголов. Номера видовых пар глаголов соответствуют номерам пропусков. Ваша задача — выбрать глагол нужного вида и употребить его в правильной форме. В правом столбце таблицы напишите правильный вариант. Укажите все возможные варианты.

1. Если уничтожение старины **-17-**, что туристам **-18-**? 2. На нас по-прежнему **-19-** глубинка, **-20-** за московской модой. 3. Сейчас постоянно **-21-** число тех, кто **-22-** сюда на заработки и **-23-** здесь. 4. Ряд освободившихся зданий я **-24-** бы под отели. 5. Я **-25-**, что городские власти **-26-** мудро, если **-27-** курс на восстановление исторических памятников. 6. Развитие техники и компьютеризация в недалёкой перспективе **-28-** новые условия жизни. 7. Дисплей мобильника в скором времени **-29-** на оправу очков. 8. Всё это **-30-** в скором будущем. 9. Интернет сейчас **-31-** собой хаос. 10. Скоро **-32-** новые источники энергии, и то, над чем **-33-** головы управленцы, **-34-** компьютер. 11. Как вы **-35-**: какими **-36-** москвичи лет через пятьдесят?

17. продолжаться — продолжиться	**17.**
18. показывать — показать	**18.**
19. смотреть — посмотреть	**19.**
20. тянуться — потянуться	**20.**
21. увеличиваться — увеличиться	**21.**
22. приезжать — приехать	**22.**
23. оставаться — остаться	**23.**
24. отдавать — отдать	**24.**
25. думать — подумать	**25.**
26. поступать — поступить	**26.**
27. брать — взять	**27.**
28. создавать — создать	**28.**
29. перемещаться — переместиться	**29.**
30. происходить — произойти	**30.**
31. представлять — представить	**31.**
32. появляться — появиться	**32.**
33. ломать — сломать	**33.**
34. решать — решить	**34.**
35. думать — подумать	**35.**
36. становиться — стать	**36.**

Инструкция к заданиям 37–49

Вам предъявляются предложения с пропусками и видовые пары глаголов. Номера видовых пар глаголов соответствуют номерам пропусков. Ваша задача — выбрать глагол нужного вида. В правом столбце таблицы напишите правильный вариант. Укажите все возможные варианты.

1. Есть попытки **-37-** традиционную архитектуру. 2. Нельзя **-38-** о России, побывав только в Москве. 3. В перспективе столица может **-39-** Московскую область. 4. Чиновники не могут **-40-** без престижного автотранспорта. 5. В маленьком городке легче **-41-** дела, **-42-** бизнесом. 6. Такие города есть на Западе. Почему бы нам не **-43-** их примеру? 7. Москва должна **-44-** по нескольким направлениям. 8. Москва должна **-45-** всемирным центром туризма. 9. Как нам при превращении в человека-киборга не **-46-** человеческий облик? 10. С помощью компьютерных программ будет возможно **-47-** облик детей и взрослых. 11. В Сети должна **-48-** цензура. 12. Только информационная сеть способна **-49-** место зарождения урагана.

37. развивать — развить	**37.**
38. судить — осудить	**38.**
39. поглощать — поглотить	**39.**
40. обходиться — обойтись	**40.**
41. решать — решить	**41.**
42. заниматься — заняться	**42.**
43. следовать — последовать	**43.**
44. развиваться — развиться	**44.**
45. становиться — стать	**45.**
46. терять — потерять	**46.**
47. изменять — изменить	**47.**
48. появляться — появиться	**48.**
49. вычислять — вычислить	**49.**

Часть 3

Инструкция к заданиям 50–55

Закончите предложения, выберите правильный вариант.

50. Здесь живут люди, … отдалённые уголки нашего государства.
а) представившие
б) представляющие
в) представляемые
г) представленные

51. Вкусы владельцев финансовых потоков задают тон новой архитектуре, кого-то … своей схожестью с европейской.
а) радующей
б) радовавшей
в) радовавшейся
г) радуемой

52. Москва — это Россия в миниатюре, где многие пропорции … .
а) искажаемы
б) искажены
в) искажённые
г) исказившие

53. Есть предложения, … сдерживать разрастание мегаполиса.
а) позволяемые
б) позволившие
в) позволяющие
г) позволенные

54. Чиновники, которыми … весь центр, — это дополнительная головная боль.
а) забитый
б) забит
в) забивается
г) забиваем

55. Не нужно скупиться на новоделы, … исторический облик Москвы.
а) восстанавливающие
б) восстановившие
в) восстановленные
г) восстановимые

Часть 4

Инструкция к заданиям 56–64

Восстановите предложения, используя следующие глаголы: *делать — выделывать — подделывать — поделывать — разделывать — переделывать — приделывать и парные им, а также глаголы наделать — отделать*. В правом столбце таблицы напишите подходящие по смыслу глаголы в нужной форме. Укажите все возможные варианты.

56. Это не моя подпись, кто-то её … .	**56.**
57. — Что это ты … ? — Не видишь? … рыбу.	**57.**
58. Жаль, что так получилось. Но ничего не … .	**58.**
59. Как живёшь? Что …?	**59.**
60. — Представляешь, у меня в метро у сумки ручка оторвалась! — Давай я эту ручку сейчас как-нибудь … , а потом отнесёшь её в ремонт.	**60.**
61. Боже мой! С кем это ты подрался?! Кто тебя так …?!	**61.**
62. — Какой ужасный запах! Чем это так пахнет?! — Не удивляйся. Видишь фабрику? Там … кожи.	**62.**
63. Что ты … ! Всё испортил! Теперь придётся всё … !	**63.**
64. — Отличная работа! Прости, что критиковал тебя вчера. — Да нет, вчера ты был прав. Честно говоря, не … я всё в последний момент, ты бы меня не хвалил.	**64.**

Инструкция к заданиям 65–71

Восстановите предложения, используя следующие имена существительные: *попытка — старание — проба — желание — стремление*. В правом столбце таблицы напишите подходящие по смыслу имена существительные в нужной форме. Укажите все возможные варианты.

65. Каждую весну экологи берут … воды из этого озера.	**65.**
66. Во время соревнований у спортсмена есть право на три … .	**66.**
67. Витя не был самым талантливым в нашем классе, но благодаря … и усидчивости он всегда был первым.	**67.**
68. Поступить на этот факультет трудно. Насколько велико твоё … ?	**68.**
69. Если видишь, как падает звезда, загадай … .	**69.**
70. Недаром говорят: жизнь прожить — не поле перейти. Мы приобретаем опыт только путём … и ошибок.	**70.**
71. Ну, что же? … не пытка. Давайте попробуем это сделать.	**71.**

Инструкция к заданиям 72–77

Восстановите предложения, используя следующие имена существительные: *поток — ручей — река — источник — ключ*. В правом столбце таблицы напишите подходящие по смыслу имена существительные в нужной форме.

72. Летом мы с друзьями отдыхали на даче. Плавали в … , загорали.	**72.**
73. Снег уже начал таять. По улицам бегут … , поднялась вода в … .	**73.**
74. Неделю мы жили в горах, на берегу шумного горного … .	**74.**
75. Этот город стал курортом, потому что и в самом городе, и в его окрестностях нашли несколько минеральных … .	**75.**
76. Многие крупные города появлялись на берегах … .	**76.**
77. На опушке леса из-под земли бьёт … .	**77.**

КЛЮЧИ

4.1. ОТКРЫТИЯ, КОТОРЫЕ ИЗМЕНИЛИ МИР

Задание 2. 1. е. 2. д. 3. б. 4. а. 5. г. 6. в.

Задание 3. 1. д. 2. в. 3. е. 4. б. 5. ж. 6. г. 7. а.

Задание 4. **а)** затратить — растратить — утратить; **б)** выяснить — объяснить(ся) — прояснить(ся) — уяснить

Задание 8. 1. в. 2. г. 3. б. 4. а.

Лексико-грамматический тест

1. в связи; с появлением, компьютеров; **2.** по планете; социологических опросов; целью, которых; самыми главными; **3.** разные страны; в приоритетах; **4.** для американцев; **5.** сорока двух процентов американцев; мобильник; в чёрный список; **6.** по мнению, опрошенных; на ерунду; **7.** в Великобритании; процентов британцев; самым полезным изобретением; в пивной; банке; при наливании, в бокал; такую же пену; в баре; **8.** от англичан; такой несерьёзности; **9.** в Индии; чемпионом по популярности; армейские консервы; с функцией автоподогрева, при вскрытии; **10.** о еде; **11.** в Китае, Южной Корее; на первом месте по полезности; **12.** этих опросов; под сомнение; **13.** пробок; с недостатком, автомашин; **14.** возможности; с людьми; на другой половине / с другой половины планеты; из дома; без всякого контроля, со стороны властей; **15.** из бытовой техники; микроволновку; **16.** самыми важными изобретениями; за / в последние 25 лет; с высокими технологиями; **17.** понять; **18.** выяснить; **19.** считать; **20.** делать; **21.** добраться; **22.** взять; **23.** писать; **24.** накапливать; **25.** передавать; **26.** изменился; **27.** оказался; **28.** считают; **29.** помогают; **30.** тратить; **31.** набрали; **32.** затронул; **33.** проживёт; **34.** сможет / может; **35.** б. **36.** а. **37.** г. **38.** в. / г. **39.** в. **40.** г.; **41.** сходимся / сошлись; **42.** разошлись; **43.** прокатилась; **44.** внеси(те); **45.** разлетелась; **46.** летит / пролетело; **47.** вылетело; **48.** влетает, вылетает; **49.** пришла; **50.** разошлись; внести; **51.** сошёл; гоняет; влетит; **52.** тратишь / потратил; **53.** потратил; **54.** потратил / растратил; **55.** утратил; **56.** тратила, растрачивать; **57.** утратил; **58.** выяснил; **59.** объяснить, объясню, прояснил; **60.** уясни; **61.** объясни; **62.** прояснилось; **63.** объяснимся; **64.** за пределы; **65.** на краю; **66.** границы / пределы; **67.** уровне; **68.** через край; **69.** границ; **70.** за границей / за рубежом; **71.** краях; **72.** на край; **73.** границы; **74.** краем; **75.** уровня; **76.** края; **77.** на уровне; **78.** на окраину; **79.** предела; **80.** уровень; **81.** предел; **82.** уровень; **83.** предел; **84.** уровень; **85.** уровне; **86.** на рубеже

4.2. ТЕХНОЛОГИИ И ЛИЧНОСТЬ В СОВРЕМЕННОМ МИРЕ

Задание 2. 1. в. 2. е. 3. а. 4. з. 5. б. 6. д. 7. г. 8. ж.

Задание 3. 1. в. 2. д. 3. б. 4. а. 5. г.

Задание 4. 1. б. 2. г. 3. д. 4. а. 5. в.

Задание 6. 1. Да. 2. Нет. 3. Да. 4. Да. 5. Нет. 6. Нет. 7. Нет. 8. Да. 9. Да. 10. Нет. 11. Нет. 12. Да. 13. Нет. 14. Нет.

Задание 9. 1. г. 2. в. 3. б. 4. а.

Лексико-грамматический тест

1. в США и Европе; жизни; крайней мере; для элиты; у нас; **2.** чем; психоаналитика; за разговоры; представителям; этой профессии; большие деньги; **3.** за возможность; на душе; пациенту; у него; за душой; **4.** ничем; пациента; на сеансе / во время сеанса; психологом; основой; классической техники; психоанализа; **5.** от каких-либо оценочных суждений; **6.** что / о чём; на приёме; у психоаналитика; в строжайшей тайне; **7.** по мнению; зарубежных и отечественных психоаналитиков; (в) нашей стране; **8.** бесятся; **9.** рассуждают; **10.** доказал; **11.** протекает; **12.** решают; **13.** дают; **14.** длится; **15.** составляет; **16.** найти; **17.** видеть; **18.** вынимать / вынуть; **19.** переживать / пережить; **20.** помочь; **21.** разобраться; **22.** чувствовать / почувствовать; **23.** говорить; **24.** осуждать; **25.** отпускать; **26.** платить; **27.** приступить; **28.** б. **29.** в. **30.** а. **31.** б. **32.** в. **33.** г. **34.** в. / г. **35.** а. / б. /в. **36.** в. / г. **37.** оглядываешься; **38.** выглядишь; **39.** подглядывай; **40.** взглянуть; **41.** переглядываться; **42.** выгляни; **43.** загляните; **44.** приглядись/тесь; **45.** разглядываешь; **46.** взгляните, вглядитесь; **47.** выглядывай; **48.** оглянулся, оглянулась, оглянулся; **49.** заплатили, платил(а), оплатил; **50.** выплачивают; **51.** оплатить; **52.** отплачу; **53.** расплачиваемся; **54.** заплатите; **55.** расплатился (-лась); **56.** заплатил(а), переплатил(а); **57.** платите; **58.** выплатить; **59.** расплачивается; **60.** выговаривает; **61.** договорились, отговариваешься; **62.** отговорю; **63.** поговорить; **64.** наговаривай; **65.** заговорились; **66.** поговорили, уговаривай, поговорим / наговоримся; **67.** оговорил; **68.** договорить, будешь говорить, заговорил(а), говорить; **69.** выговориться; **70.** проговорись; **71.** разговорились; **72.** говорите, оговорился (-лась); **73.** разговариваешь, сговорились; **74.** больного, больной, врачу, больных, эксперты; **75.** больных; **76.** консультант; **77.** врач / доктор; **78.** доктор; **79.** больному; **80.** советчиков; **81.** советником; **82.** доктор; **83.** эксперты; **84.** проблемы, задач; **85.** задание; **86.** трудности; **87.** проблемы; **88.** проблемы / трудности; **89.** задача; **90.** примеры, задачи; **91.** проблемы / трудности, задачи; **92.** задание; **93.** проблемы; **94.** пример(ы), **95.** б. **96.** в. / г. **97.** в. **98.** в. **99.** а. **100.** б. / д. **101.** а. **102.** г. **103.** г. **104.** б.

4.3. НАУКА И БУДУЩЕЕ ЧЕЛОВЕЧЕСТВА

Задание 2. 1. г. 2. д. 3. а. 4. в. 5. б. 6. ж. 7. е.

Задание 3. 1. ж. 2. г. 3. е. 4. а. 5. д. 6. б. 7. з. 8. в.

Задание 4. 1. в. 2. г. 3. е. 4. д. 5. б. 6. а.

Задание 5. 1. б. 2. е. 3. а. 4. д. 5. в. 6. г.

Задание 6. выделать — подделать — поделать — разделать — переделать — приделать

Задание 8. 1. Д. 2. И. 3. Е. 4. А. 5. К. 6. Б. 7. В. 8. З.

Задание 11. 1. г. 2. а. 3. в. 4. б.

Лексико-грамматический тест

1. за / в последние годы; у нас; потребительского общества; за комфортом; **2.** некоторых людей; схожестью; с европейскими образцами; **3.** на наш город; на один; из мегаполисов мира; его развитию; **4.** на уровень жизни; москвичей; на их потребности; **5.** из Москвы; промышленные предприятия; **6.** от рабочих, торговцев, чиновников; **7.** в Москве; кварталов; занятых; чиновниками; **8.** без просторных офисов; **9.** чиновников; по специальным городкам; с Москвой; в пешеходной доступности от дома; **10.** за / в последние девяносто лет; уникальных памятников; **11.** человека; от реальной жизни, природы; в некое странное существо; **12.** по научно-техническому прогнозированию; четырёх; последующих поколений; компьютеров; **13.** с компьютером; в киборга; **14.** на Луне; в глубинах океана; **15.** на Интернет; такими процессами; человеку; **16.** с помощью; компьютера; систему; умных городов; в тепле, воде, свете; **17.** будет продолжаться / продолжится; **18.** будем показывать; **19.** смотрит; **20.** тянется; **21.** увеличивается; **22.** приезжает; **23.** остаётся; **24.** отдал; **25.** думаю; **26.** поступают / поступят; **27.** берут / возьмут; **28.** создадут; **29.** переместится; **30.** произойдёт; **31.** представляет; **32.** появятся; **33.** ломают / ломали; **34.** будет решать; **35.** думаете; **36.** станут; **37.** развивать; **38.** судить; **39.** поглотить; **40.** обходиться / обойтись; **41.** решать; **42.** заниматься; **43.** последовать; **44.** развиваться; **45.** стать; **46.** потерять; **47.** изменять / изменить; **48.** появиться; **49.** вычислить / вычислять; **50.** б. **51.** а. **52.** б. **53.** в. **54.** б. **55.** а. **56.** подделал; **57.** делаешь, разделываю; **58.** поделаешь / поделать; **59.** делаешь / поделываешь; **60.** приделаю; **61.** отделал; **62.** выделывают; **63.** наделал, переделывать; **64.** переделай; **65.** пробы; **66.** попытки; **67.** старанию; **68.** стремление / желание; **69.** желание; **70.** проб; **71.** попытка; **72.** реке; **73.** ручьи; реке; **74.** потока; **75.** источников; **76.** рек; **77.** ключ

5 ВЕЧНЫЕ ЦЕННОСТИ

Культура в современном обществе

Тема 5.1. **Весь мир — театр**

Тема 5.2. **Современная мода и личность человека**

Тема 5.3. **Роль и место литературы в современном мире**

ВЕСЬ МИР — ТЕАТР

Задание 1. **Объясните значение данных слов и словосочетаний, составьте с ними предложения.**

компьютерщик
порядочность
разговаривать на равных
общаться вживую
совместить несовместимое
авторское кино
коммерческий фильм
сериал
триллер

Задание 2. **Составьте пары из слов, близких по значению.**

1. испытание
2. пафосный
3. скупой
4. благотворительность
5. экстравагантный

а. прижимистый
б. меценатство
в. возвышенный
г. провокационный
д. трудное задание

Задание 3. **Найдите синонимы.**

1. выйти на экран
2. дабы
3. растеряться
4. раскусить
5. возникать
6. подчас

а. появляться
б. понять
в. порой
г. появиться в прокате
д. чтобы
е. не знать, что делать

Задание 4. **Найдите антонимы.**

1. истина
2. человек
3. порядочность
4. унижение
5. к сожалению

а. восхваление
б. к счастью
в. ложь
г. распущенность
д. животное

Задание 5. **Составьте пары из слов, противоположных по значению.**

1. общительный
2. духовный
3. банальный
4. щедрый
5. ранимый
6. равнодушный
7. настоящий

а. уникальный
б. замкнутый
в. отзывчивый
г. фальшивый
д. телесный
е. бесчувственный
ж. экономный

Задание 6. **Образуйте парные глаголы несовершенного вида от глаголов:**

посмотреть — осмотреть — рассмотреть — присмотреться — всмотреться — засмотреться — просмотреть — пересмотреть.

Задание 7. **Передайте смысл данных предложений другими словами.**

1. Вы совсем не стесняетесь возвышенных слов. 2. Как бы я ни ответил, вы можете это использовать против меня. 3. Мой человеческий опыт этому противостоит. 4. По-вашему выходит, что это чистая история о сильной любви. 5. Мы стали скупы на эмоции. 6. Вас посещают сомнения в своих профессиональных качествах? 7. Самоуверенность губит человека, но у мастера должна быть твёрдая рука. 8. В работе над ролью я следую правилу, усвоенному мною от моих учителей: я играю по-живому. 9. Не сочтите это за пафос.

Задание 8. **Прочитайте фрагменты интервью с актёром Сергеем Безруковым. В предлагаемом тексте даны ответы, после текста перечислены вопросы интервью. Ваша задача — определить, на какие вопросы даны ответы. Вопросов больше, чем ответов в тексте.** 🗝

***Время выполнения задания — 15 минут.**
***ТРКИ-3 / Чтение, задание 2.**

«МЫ СТАЛИ СТЕСНЯТЬСЯ СВОИХ ЭМОЦИЙ»

1. ....

— Я рад, что наступило время благотворительности и меценатства. Нам пора вспомнить, что человек отличается от животного тем, что у него помимо инстинктов есть душа. Нам всем нужно вспомнить, что мы — люди.

2. ....

— Никогда не стесняюсь. Когда человек общается со мной вживую, он верит в то, что я говорю. Другое дело, когда эти слова потом превращаются в текст на бумаге. Это иногда выглядит пафосно, к сожалению. Поэтому я больше люблю живое общение, живое слово.

3. ....

— Это было испытание. Когда мне предложили сыграть роль Иешуа, я растерялся. Благодаря режиссёру я открыл для себя много нового в роли Иешуа и в самом романе. Он подсказал мне, что Иешуа должен разговаривать с Понтием на равных. Не унижаясь перед ним, но и не унижая его своей необыкновенной духовной силой. Ведь говорить об истине и о добре должен сильный человек. Воин света.

4. ....

— Это провокационный вопрос. Как бы я ни ответил, всё будет, как это говорится в американских фильмах, использовано против меня. Мне было очень сложно поверить в слова, которые произносит мой герой. Например, что злых людей не бывает. Мой человеческий опыт этому противостоял. Ведь многим людям не нравится, когда ты счастлив в своей профессии, в своей семье, когда ты любишь и любим. Скоро на экраны выйдет фильм «Поцелуй бабочки», в котором затронуты схожие проблемы. Я сыграл компьютерщика, человека, который влюбился так, что готов отдать жизнь за любимую. Он вспоминает, что он мужчина, что он воин. И защищает свою любовь — порой кулаками.

5. ....

— А «Ромео и Джульетта» — разве не эротический триллер?.. Режиссёр попытался совместить несовместимое — коммерческое и авторское кино. Внешне это вполне обычная история со всеми атрибутами современности. Но внутренне мой герой особенный. Он способен на смелые поступки, и чувства у него такие же сильные, настоящие. Вы снова скажете, что это высокие слова, но, мне кажется, мы стали как-то очень скупы на эмоции. Стали их стесняться. Более того, мы стали стесняться своей порядочности. Это понятие больше не в моде. И люди на-

чали прятать свою порядочность за экстравагантным поведением, дабы к ним в душу не залезли и не раскусили, что человек-то живой и ранимый. Мой герой как раз такой.

6. ....

— Меня, как любого человека, живущего в этой стране, посещают разные мысли, в том числе и сомнения — что нас ждёт дальше, какими мы будем и в какой стране мы будем жить завтра. Актёры тоже люди, не сочтите это опять за пафос.

7. ....

— Сомнения всегда возникают, когда твоя очередная работа выходит к людям. Самоуверенность губит человека, но у мастера должна быть твёрдая рука. Как воспримет твою работу критик — это понятно. Они готовы тебя буквально растерзать, поскольку сейчас это модно. А как примет твою работу зритель? Тут возникает волнение, и подчас страшное.

8. ....

— В работе над ролью я следую правилу, усвоенному мною от моих учителей: я играю по-живому. И зритель, мой зритель, это чувствует. Публика в любом случае не останется равнодушной. Если ты подлинно прожил свою роль, ты можешь быть уверенным в своей правоте.

(по материалам газеты «Известия»)

А. А вы когда-нибудь сомневаетесь в своих профессиональных качествах?

Б. Насколько я знаю, жанр этого фильма определен как «эротический триллер». А, по-вашему, выходит, что это чистая история о сильной любви?

В. А критические разборы собственной игры после премьеры фильма или спектакля вы читаете?

Г. С какими чувствами вы сейчас живёте? Что вас волнует?

Д. Вы чувствуете себя воином света?

Е. Когда вас посещают сомнения, как вы с ними боретесь?

Ж. Что было трудным для вас в образе Иешуа?

З. То есть вы сомневаетесь не в том, правильно ли вы работаете, а в том, насколько адекватно воспримет вашу работу зритель?

И. Решение сыграть Иешуа далось вам трудно или вы без сомнений решились исполнять эту роль?

К. Вы совсем не стесняетесь возвышенных слов? Ведь к риторике такого рода можно очень по-разному относиться…

Задание 9. **Прочитайте текст и составьте письменное сообщение в виде факса вашему другу, который приезжает в Москву и хотел бы интересно провести время. При этом:**
— укажите источник информации;
— в своём сообщении используйте общепринятые сокращения.

***Время выполнения задания — 20 минут.**
Объём текста — 60–70 слов.
***ТРКИ-3 / Письмо, задание 2.**

В последнее время я много думаю о мнимых
и подлинных величинах в искусстве.
Подлинное — явление редкое.

Крупнейшим событием в театральном мире на предстоящей неделе станет фестиваль мирового балета Benois de la Danse. Он пройдёт на основной сцене Большого театра, где 26 апреля состоится благотворительное выступление номинантов года и будут объявлены лауреаты. А 27 апреля всех ждёт просто незабываемый вечер. В гала-концерте «Звезды Бенуа — лауреаты разных лет» примут участие Владимир Малахов, Лючия Лакарра, Элизабет Платель. Будет много хореографии Мориса Бежара. Микаэль Денар, Артём Шпилевский и Диана Вишнева впервые в Москве станцуют отрывок из его культового балета на музыку Вагнера «Кольцо вокруг кольца», а звезда Парижской оперы Лоран Илер покажет отрывок из «Греческих танцев». Премия Benois de la Danse считается одной из самых престижных в мире — это танцевальный «Оскар», которым ежегодно отмечают выдающиеся события мировой балетной сцены. Сама акция проходит под патронатом ЮНЕСКО. В нашей стране это едва ли не единственный фестиваль, имеющий подобный статус. В этом году на приз номинируется блестящий молодой танцовщик Большого театра Ян Годовский за партию Пэка в балете Джона Ноймайера «Сон в летнюю ночь». В концерте он исполнит миниатюру хореографа И. Фадеева «Нерв», в которой демонстрирует необыкновенную пластичность и своё понимание современного танца, а также «Тарантеллу» Баланчина.

В последнее время я много думаю о мнимых и подлинных величинах в искусстве. Подлинное — явление достаточно редкое... Сейчас с наслаждением читаю только что вышедшие письма Ольги Бокшанской к В.И. Немировичу-Данченко. В двух томах собран уникальный материал о легендарных постановках МХАТа — «Днях Турбиных» Булгакова, «Трёх сёстрах» Чехова, «Анне Карениной» и «Воскресении» Толстого. Сейчас спектаклей такого уровня у нас очень мало. Но они есть. Всем советую посмотреть в театре им. Вахтангова спектакль Петра Фоменко «Без вины виноватые». Он идёт уже несколько лет. Но это абсолютно волшебный спектакль. Он сделан на романсах. Необычное построение. Потрясающий ансамбль с гениальной Юлией Борисовой, великолепным Евгением Князевым (Незнамов). В роли Коринкиной очень хороша Людмила Максакова. Шмагу прекрасно играет Михаил Воронцов. А Нил Стратоныч — выдающаяся работа Юрия Яковлева. Вот это спектакль настоящий! Подлинный!

Виталий Вульф, искусствовед
(по материалам газеты «Округа. Юго-Запад»)

Задание 10. **Вы с другом обсуждаете жизнь и характер артистов. Примите участие в диалоге. Ваша задача:**

а) Согласитесь с указанным мнением, используя синонимичные конструкции.

б) Не согласитесь с указанным мнением, используя антонимы.

— Все артисты очень несдержанные, неуравновешенные люди.
— ....

— Они совсем не умеют держать себя в руках.
— ....

— Мне кажется, они очень самолюбивые, эгоистичные люди.
— ....

— И ни один артист не может жить без зрительской любви.
— ....

Задание 11. **Прочитайте предложенные выражения и определите, какие интенции они передают: 1) согласие, 2) радость, 3) недоверие, 4) благодарность.**

а. Не могу выразить, как я тебе признателен (-льна)! Огромное спасибо! Я твой должник (твоя должница)! ☐

б. Ещё бы! Кто же его (её) не любит?! А ты разве нет? ☐

в. Да ну, не может быть! Никогда бы не подумал(а)! ☐

г. Вот здорово! Давно хотел(а) туда попасть! Столько лет об этом мечтал(а)! ☐

Задание 12. **Вы разговариваете с подругой об артисте Сергее Безрукове. Примите участие в диалоге. Выразите следующие интенции:**

Согласие:
— Ты любишь артиста Сергея Безрукова?
— ....

Радость:
— Я хочу пригласить тебя на его творческий вечер.
— ....

Недоверие:
— Он состоится в Доме культуры МГУ.
— ....

Благодарность:
— Я не шучу. Вот билеты. Концерт будет послезавтра.
— ....

Задание 13. **Вы разговариваете со знакомой, купившей путёвку в дом отдыха для артистов. Теперь она сожалеет об этом. Примите участие в диалоге, возразите своей знакомой и убедите её в правильности сделанного выбора. Приведите свои аргументы. Вы должны использовать разные языковые средства.**

— Купила путёвку в артистический дом отдыха. Хотела посмотреть на известных актёров. А теперь жалею. Будет постоянный шум, суета. Я совсем не отдохну.
— ....

— Не люблю я все эти дискотеки, тусовки…
— ....

— Мне кажется, среди этих знаменитостей я буду белой вороной. Всё время буду чувствовать себя не в своей тарелке.
— ....

— Да и одежда у меня немодная. Придётся что-то дорогое себе покупать.
— ....

Задание 14. **Вы увлекаетесь искусством. В газете вы прочитали объявление:**

ИНСТИТУТ СОВРЕМЕННОГО ИСКУССТВА

Факультеты:
АКТЁРСКИЙ, МУЗЫКАЛЬНЫЙ
(вокал, звукорежиссура),
ДИЗАЙНА, ХОРЕОГРАФИИ,
ЖУРНАЛИСТИКИ,
РЕЖИССУРЫ КИНО / ШОУ,
КУЛЬТУРОЛОГИИ
(15 творческих специальностей)

Высшее образование, второе высшее, аспирантура
По окончании выдаётся диплом государственного образца

Телефоны: (495) 960 53 93, 444 30 05
www.isi-vuz.ru

Это объявление вас заинтересовало. Позвоните по указанному телефону, расспросите обо всём как можно более подробно, чтобы решить, стоит ли учиться в этом вузе.

***ТРКИ-2 / Говорение, задание 14.**

Задание 15. **Согласитесь или опровергните данные высказывания. Приведите свои аргументы.**

1. Говорить о добре должен сильный человек.
2. Если тебя ударили по одной щеке — подставь другую.
3. Не страшно согрешить, страшно не покаяться.
4. Весь мир — театр.
5. Театр — искусство для избранных, массы ходят в кино.

Задание 16. **Скажите, часто ли вы ходите в театр. Сравните театр вашего детства и театр наших дней. Как вы думаете, нужны ли сейчас постановки классических пьес? Что вы думаете о профессии актёра?**

Задание 17. **Напишите эссе на одну из тем, предложенных в задании 15.**

а) Напишите эссе сопоставительного характера на одну из тем: «Если тебя ударили по одной щеке — подставь другую»; «Театр — искусство для избранных, массы ходят в кино». При этом:
— сформулируйте проблему;
— сопоставьте различные точки зрения на эту проблему;
— изложите свою точку зрения;
— дайте свою оценку ценностям современного общества.

б) Напишите эссе-доказательство на одну из тем: «Не страшно согрешить, страшно не покаяться»; «Весь мир — театр». При этом:
— сформулируйте проблему;
— изложите свою точку зрения;
— приведите аргументы в защиту вашей точки зрения.

***Время выполнения задания — 30 минут.**
Объём текста — 150–200 слов.

ЛЕКСИКО-ГРАММАТИЧЕСКИЙ ТЕСТ

Часть 1

Инструкция к заданиям 1–14

Вам предъявляются предложения, в которых некоторые слова и группы слов представлены в начальной форме. Номера групп слов в таблице соответствуют номерам предложений. Ваша задача — восстановить предложения, употребив слова в нужной грамматической форме, используя там, где необходимо, предлоги. В правом столбце таблицы напишите правильный вариант.

1. (Мы) пора вспомнить, что человек отличается (животное) (то), что (он), кроме (инстинкты), есть душа. **2.** Когда человек общается (я), он верит (то), что я говорю. **3.** Благодаря (режиссёр) я открыл много нового (роль) и (роман). **4.** Режиссёр подсказал (я), что Иешуа должен разговаривать (Понтий), не унижаясь (он), но и не унижая (он) (своя необыкновенная духовная сила). **5.** (Новый фильм) я сыграл роль (человек), готового отдать (жизнь) (любимая). **6.** Мой герой способен (смелые поступки). **7.** Мы стали стесняться (порядочность), она теперь (мы) не (мода). **8.** Люди прячут (порядочность) (экстравагантное поведение). **9.** (Я), как (любой человек) (эта страна), посещают (сомнения). **10.** Как вы боретесь (сомнения)? **11.** (Работа) (роль) я следую (правило) (свои учителя). **12.** Актёр не должен сомневаться (своя правота), он должен быть уверен (она). **13.** (Какие чувства) вы сейчас живёте? **14.** Вы не стесняетесь (возвышенные слова), а (подобная риторика) можно относиться по-разному.

1. мы, животное, то, он, инстинкты	**1.**
2. я, то	**2.**
3. режиссёр, роль, роман	**3.**
4. я, Понтий, он, он, своя необыкновенная духовная сила	**4.**
5. новый фильм, человек, жизнь, любимая	**5.**
6. смелые поступки	**6.**
7. порядочность, мы, мода	**7.**
8. порядочность, экстравагантное поведение	**8.**
9. я, любой человек, эта страна, сомнения	**9.**
10. сомнения	**10.**
11. работа, роль, правило, свои учителя	**11.**
12. своя правота, она	**12.**
13. какие чувства	**13.**
14. возвышенные слова, подобная риторика	**14.**

Часть 2

Инструкция к заданиям 15–26

Восстановите предложения, используя данные ниже видовые пары глаголов. Номера видовых пар глаголов соответствуют номерам пропусков. Ваша задача — выбрать глагол нужного вида и использовать его в соответствующей форме. В правом столбце таблицы напишите правильный вариант. Укажите все возможные варианты.

1. В конце концов я с трудом, но **-15-** в те слова, которые **-16-** мой герой. 2. Мы **-17-** своей порядочности. 3. Люди **-18-** свою порядочность, чтобы к ним в душу не **-19-** и не **-20-**, что человек-то живой. 4. Что вас в настоящее время **-21-**? 5. Когда мне **-22-** с предложением роли Иешуа, я **-23-**. 6. Вы совсем не **-24-** возвышенных слов. 7. Когда вас **-25-** сомнения, как вы с ними **-26-**?

15. верить — поверить	**15.**
16. произносить — произнести	**16.**
17. стесняться — постесняться	**17.**
18. прятать — спрятать	**18.**
19. лезли — залезли	**19.**
20. понимать — понять	**20.**
21. волновать — взволновать	**21.**
22. звонить — позвонить	**22.**
23. теряться — растеряться	**23.**
24. стесняться — постесняться	**24.**
25. посещать — посетить	**25.**
26. бороться — побороться	**26.**

Часть 3

Инструкция к заданиям 27–31

Закончите предложения, выберите все возможные варианты.

27. Это провокационный вопрос. Любой ответ … против меня.
а) используется
б) использован
в) будет использован
г) будет использоваться

28. Скоро выйдет фильм, в котором … схожие проблемы.
а) затрагиваемые
б) затронуты
в) затрагиваются
г) затрагивающие

29. Жанр этого фильма … как «эротический триллер».
а) определился
б) определяется
в) определён
г) определяем

30. Я следую правилу, … от моих учителей.
а) усваиваемому
б) усвоившему
в) усваивающему
г) усвоенному

31. Никто не хочет, чтобы к нему залезли в душу и поняли, что он живой и … .
а) ранящий
б) ранимый
в) раненый
г) ранивший

Часть 4

Инструкция к заданиям 32–44

Восстановите предложения, используя глаголы совершенного вида: *посмотреть — осмотреть — рассмотреть — присмотреться — всмотреться — засмотреться — просмотреть — пересмотреть — насмотреться* и парные им. В правом столбце таблицы напишите подходящие по смыслу глаголы в нужной форме. Укажите все возможные варианты.

32. Вчера мы ездили на экскурсию, мы давно хотели … московское метро.	**32.**
33. Сначала на станции «Комсомольская-кольцевая» мы … великолепную мозаику.	**33.**
34. Мы ходили по станции, подняв головы, и … в прекрасные картины на потолке. … было трудно, потому что мозаики очень высоко, я даже надел очки, чтобы как следует всё … . Когда мы … всё, мы поехали на станцию «Площадь революции».	**34.**
35. В вагоне мы … на пассажиров: кто-то читал, кто-то спал, кто-то листал газеты и … , о чём сегодня пишут.	**35.**
36. А наш студент Антуан … к девушкам. Он всегда … на девушек — мечтает познакомиться с какой-нибудь русской девушкой и говорить с ней по-русски.	**36.**
37. Когда мы вышли из вагона, оказалось, что Антуан поехал дальше. Он так … на одну девушку, что проехал нужную нам станцию!	**37.**
38. А мы вышли из метро, чтобы … здание ГУМа.	**38.**
39. Потом нам захотелось … , что там продаётся, и мы вошли в магазин.	**39.**
40. Девушки, конечно, сразу начали … всякие пальто и шубы и не хотели уходить, пока все не … . Мы их торопили, но они никак не могли … .	**40.**
41. Когда мы шли по галерее второго этажа, меня вдруг остановила одна девушка. Сначала я не понял, кто это, а потом внимательнее … к ней, … в её лицо и, наконец, узнал!	**41.**
42. Это была Шарлота! Моя первая любовь! Мы вместе учились, когда нам было лет шесть. Вот так встреча! Мы вышли из ГУМа и … по сторонам; куда бы нам пойти?	**42.**
43. Мы зашли в ближайшую «Шоколадницу», быстро … меню и сделали заказ.	**43.**
44. А потом мы долго сидели в кафе и никак не могли наговориться и … друг на друга. Как здорово, что мы встретились в Москве!	**44.**

Инструкция к заданиям 45–51

Восстановите предложения, используя глаголы несовершенного вида: *смотреть — осматривать(ся) — рассматривать — присматриваться — всматриваться — просматривать* и парные им. В правом столбце таблицы напишите подходящие по смыслу глаголы в нужной форме.

45. Помню, когда я только пришёл на работу, коллеги долго … ко мне. А потом прошло время, и мы стали друзьями.	**45.**
46. — Как выглядел человек, прошедший мимо вас? — На улице было темно, и я не … его.	**46.**
47. Артист вышел на сцену и … в тёмный зал.	**47.**
48. В музее мне очень понравилось несколько картин, я долго их … .	**48.**
49. Врач … больного и выписал рецепт.	**49.**
50. — … ! В журнале фотография твоего друга! — Да? Где? Я … этот журнал, но не видел никакой фотографии. — Наверное, ты её … . Да, вот она.	**50.**
51. Когда я заканчивала школу, отец посоветовал мне не спешить поступать куда-нибудь, а … и выбрать, чем бы я хотела заняться.	**51.**

Инструкция к заданиям 52–59

Восстановите предложения, используя следующие глаголы: *играть — сыграть — разыграть — обыграть — выиграть — доиграться — проиграть — заиграться — заигрывать*. В правом столбце таблицы напишите подходящие по смыслу глаголы в нужной форме.

52. — Давай … в шахматы! — Не хочу. Ты меня опять … !	**52.**
53. Во что вы любите … ?	**53.**
54. Мы … и не заметили, как наступил вечер.	**54.**
55. Ну что, … ?! Теперь тебя наверняка из университета выгонят!	**55.**
56. Поздравьте меня, я … !	**56.**
57. Не обижайся на нашу глупую шутку. Мы просто хотели тебя … !	**57.**
58. Не огорчайся, это ничего, что ты … . В следующий раз ты точно … .	**58.**
59. — Тебе понравилось, как этот актёр … роль князя Мышкина? — Да. Он не старается нравиться всем, не … с публикой. … так, как считает нужным.	**59.**

Инструкция к заданиям 60–66

Восстановите предложения, используя следующие глаголы: *звонить — позвонить — зазвонить — перезваниваться — перезвонить — созваниваться — созвониться — дозвониться*. В правом столбце таблицы напишите подходящие по смыслу глаголы в нужной форме. Укажите все возможные варианты.

60. Что у тебя с мобильником?! Тебе невозможно … .	**60.**
61. — Можно я … тебе сегодня вечером, часов в десять? — Да … когда хочешь.	**61.**
62. Алло, алло! Что-то плохо слышно! Я сейчас … !	**62.**
63. Давай … завтра и всё решим.	**63.**
64. Я вздрогнул от неожиданности: очень громко … телефон.	**64.**
65. Ты что, не слышишь? Кто-то … в дверь!	**65.**
66. — Ты часто видишься со своей сестрой? — К сожалению, нет. Но мы регулярно … .	**66.**

Инструкция к заданиям 67–71

Восстановите предложения, используя следующие глаголы: *терять — потерять(ся) — растерять(ся) — затеряться*. В правом столбце таблицы напишите подходящие по смыслу глаголы в нужной форме.

67. — Что ты ищешь? — Да ключи куда-то … ! — Они не сами … , это ты их … . И почему ты всегда всё … ! Вот, держи и больше не … !	**67.**
68. Вы первый раз в Москве? Купите себе карту. Без неё здесь легко … .	**68.**
69. Ну, что же ты молчишь? … ?	**69.**
70. Социологи советуют: у вас плохое настроение? Вам грустно? Поезжайте в центр города, постарайтесь … в толпе, и вам не будет одиноко.	**70.**
71. Из-за своего отвратительного характера ты всех друзей … .	**71.**

СОВРЕМЕННАЯ МОДА И ЛИЧНОСТЬ ЧЕЛОВЕКА

5.2

Задание 1. Объясните значение данных слов и словосочетаний, составьте с ними предложения.

родоначальник
мастер
ремесленник
талант-однодневка
претендент
самозванец
приспособленец
индивидуальность
безысходность
предел мечты
самовыражаться
выкладываться
ширпотреб
эпицентр

Задание 2. Найдите синонимы.

1. непостижимый
2. истинный
3. роскошный
4. безудержный
5. многоликий
6. элементарный
7. скучный
8. мышление

а. шикарный
б. непознаваемый
в. сознание
г. простой
д. настоящий
е. унылый
ж. буйный
з. разнообразный

Задание 3. Составьте пары из слов, близких по значению.

1. помогать
2. жаждать
3. восхищаться
4. обрести
5. подстёгивать
6. дезориентировать
7. создавать
8. воплотить

а. реализовать
б. торопить
в. запутать
г. страстно желать
д. творить
е. найти
ж. способствовать
з. восторгаться

Задание 4 Составьте пары из слов, противоположных по значению.

1. трудоголик
2. скудный
3. внезапный
4. относительный
5. неординарный
6. постоянный
7. безысходность

а. ожидаемый
б. временный
в. отчаяние
г. бездельник
д. богатый
е. абсолютный
ж. обычный

Задание 5. Образуйте парные глаголы несовершенного вида от следующих глаголов:

а) перекрыть — покрыть — открыть(ся) — закрыть(ся) — накрыть(ся) — укрыть(ся) — раскрыть(ся) — прикрыть(ся) — вскрыть(ся);

б) заложить — наложить — проложить — переложить — выложить(ся) — сложить(ся) — уложить(ся).

в) Образуйте парные глаголы совершенного вида от следующих глаголов:

привлекать — отвлекать(ся — увлекать(ся) — развлекать(ся).

Задание 6. **Передайте смысл данных предложений другими словами.**

1. Я отдаю предпочтение неординарным людям. 2. Я жду завтрашнего дня, чтобы максимально выложиться на работе. 3. Мне по душе яркие индивидуальности. 4. Модельер выступает как носитель идей. 5. Мне интересна непостижимость женщин. 6. Это был побег от безысходности, я ушёл в никуда. 7. В этой работе я обрёл радость бытия. 8. У меня за плечами большая жизнь.

Задание 7. **Прочитайте фрагменты интервью с Вячеславом Зайцевым — известнейшим российским модельером. В предлагаемом тексте даны ответы, после текста перечислены вопросы интервью. Ваша задача — определить, на какие вопросы представлены ответы. Вопросов больше, чем ответов в тексте.** ⊶

***Время выполнения задания — 20 минут.**
***ТРКИ-3 / Чтение, задание 2.**

ГЛАВНОЕ НЕ КРАСОТА, А ХАРАКТЕР

1. ....

— Это удовольствие. Каждый вечер с нетерпением жду завтрашнего дня, чтобы максимально выложиться и воплотить в моделях свои мысли и чувства. Работа — это праздник. Хотя труд модельера очень тяжёл и многолик, но, тем не менее, для меня это стимул в жизни. Мне интересно жить, а значит и работать.

2. ....

— Одно связано с другим. Художник-модельер одновременно выступает и как носитель идей, и как мастер, умеющий реализовать свою идею в материале, в конкретной заданной форме, да ещё закончить всё вместе взятое созданием образа, соответствующего эстетическим и моральным критериям времени. Он и живописец, и рисовальщик, и скульптор. Можно многое перечислить из того, что помогает, способствует становлению истинного мастера искусства одежды.

3. ....

— К сожалению, в наше время «около моды» появилось очень много приспособленцев, как я называю этих самозванцев от моды, «креаторов», которые понятия не имеют ни о культуре одежды, ни об элементарных законах моделирования, ни о современных технологиях. И печально, что такого же уровня журналисты открывают эти «таланты»-однодневки, дезориентируя молодёжь, жаждущую познать истинные ценности искусства одежды.

4. ....

— Красивые Женщины — понятие относительное. Я выбираю не столько красивых, сколько людей с характером. Мне очень повезло: я постоянно нахожусь в окружении таких Женщин, которым помогаю быть более современными, я подчёркиваю их индивидуальность. Мне по душе женщины с ярко выраженной индивидуальностью, не прямо красивые, хотя и это очень нравится. Но я отдаю предпочтение людям неординарным, нсожиданным, порою с трудно принимаемой характерностью.

5. ....

— Да. Мне интересна непостижимость женщины, мне ближе Женщина — романтик, Женщина, влюблённая в Жизнь, в красоту окружающего мира, Женщина, которая своим внешним видом не засоряет окружающую среду, а становится неотъемлемой частью Божественной Природы.

6. ....

— Меня привлекают чёткие формы одежды, выраженная простота силуэта, иногда — скудость в цвете, а чаще — безудержная, но хорошо выстроенная фантасмагория цвета. Это мой индивидуальный почерк художника.

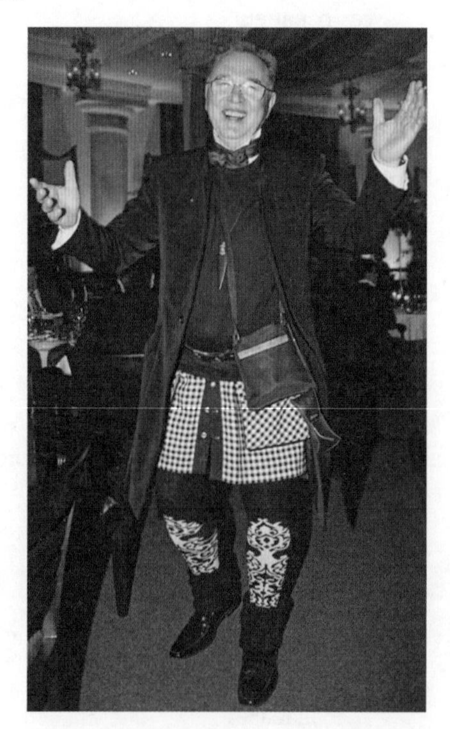

7. ....

— Важно было решиться. Уйти из Общесоюзного дома моделей, да ещё и с поста художественного руководителя — это сейчас я понимаю, что совершил подвиг. Тогда это был побег от безысходности. Тринадцать лет я работал на Кузнецком мосту в коллективе, состоящем из 60-ти художников-модельеров, лучших в стране. Мы разрабатывали образцы одежды для массового производства и раз в год создавали так называемую направляющую коллекцию моделей. Коллектив завоёвывал уважение и в стране, и за рубежом, представляя на выставках эти роскошные образцы творческих фантазий. Люди восхищались, но купить из увиденного ничего не могли. В магазинах продавали скучный, унылый ширпотреб, а наши модели оставались на подиуме пределом мечты.

8. ....

— Да, я устал отвечать на вопросы «Где купить?», «Где это достать?», устал от лжи. И в один прекрасный день подал заявление об уходе. И ушёл. Сначала в никуда, а потом — по рекомендации — в обычное ателье. И начал в 40 лет жизнь сначала, работая не на всю страну, а на каждого отдельного человека индивидуально. И в этом деле я обрёл радость бытия. Я понял, что моё место здесь, рядом с людьми.

9. ....

— Конечно. В любом деле важна конкуренция. Именно она подстёгивает и определяет творческое мышление. Мы же растим себе конкурентов. Мне интересно работать с теми, кто мыслит неординарно. Я счастлив, когда появляются люди талантливее меня. Я 40 лет нахожусь в эпицентре моды. И можно бы спокойно уступить место лидера. Надеюсь, что это время настанет.

10. ....

— Живописью, фотографией, литературой. Хочется писать книги. У меня за плечами большая жизнь. Встречи с гениальнейшими, известнейшими людьми современности.

11. ....

— Я столько всего сделал!.. Но всё же, я думаю — это классический романтизм. Иметь свой стиль — самое большое мужество, как сказал Пьер Карден. В этом многообразии желаний и образов легко запутаться. А вот сохранить свой стиль — задача непростая.

12. ....

— Мне крупно повезло в жизни. Я из тех немногих, кто нашёл её смысл. Смысл моей жизни — в моей профессии. Ведь по натуре я трудоголик. Каждый день, вчерашний и сегодняшний, я благодарю за то, что они дают мне возможность самовыражаться, искать Гармонию совершенства, искать посредством «искусства одежды».

(по материалам журнала «Обучение и карьера»)

А. Вас окружают красивые женщины. Вы их творите, как мастер, или они подпитывают Вашу фантазию в создании новых идей, новых форм?

Б. И чем займётесь, когда отойдёте от «модных» дел?

В. Вы — Мастер, награждены множеством наград, создали свою школу. Являетесь одним из родоначальников современной российской моды. Скажите, чем для Вас является работа?

Г. Вы ещё в советские времена боролись за индивидуальный подход в моде. Вы первым создали не коллективную, а авторскую коллекцию одежды. Как Вам это удалось?

Д. Каковы Ваши главные художественные принципы?

Е. Как Вы оцениваете работы молодых модельеров?

Ж. Как в Вашей профессии различить мастерство и ремесленничество?

З. Как бы Вы определили свой фирменный стиль?

И. Можно сказать, что это был некий жест отчаяния?

К. Вы готовы уступить своё место на модельном Олимпе, если появятся достойные претенденты?

Л. В наши дни мода подчас бывает очень агрессивной. В ваших коллекциях этого нет. Они скорее сдержанны. Я права?

М. Вы счастливый человек?

Н. Вы вводите студентов в свой мир?

Задание 8. **Прочитайте текст и на его основе составьте объявление.**

***Время выполнения задания — 20 минут.**
Объём текста — 60–70 слов.
***ТРКИ-3 / Письмо, задание 2.**

ИЩЕМ ОБЩИТЕЛЬНЫХ ТРУДОГОЛИКОВ

На программу «Менеджер-стажёр» принимают круглый год, и к претендентам на стажёрское место предъявляется, пожалуй, только два официальных требования. Прежде всего, на программу принимаются кандидаты с высшим и неполным высшим образованием (4–5 курсы). Правда, студентам следует учитывать, что трудиться им придётся не менее 8 часов в день, да ещё дома теорию повторять. Так что совмещать работу с учёбой на дневном отделении вряд ли получится.

Кроме того, будущему второму ассистенту директора необходимо знание английского языка (уровень Intermediate). В течение самой программы иностранный почти не понадобится, но он необходим после её прохождения на различных тренингах и семинарах в зарубежных офисах компании, да и не редкость в «Макдональдс» иностранные посетители. Так что без знания английского дойти в американской компании до директорского кресла практически невозможно.

Однако успешному кандидату потребуется ещё много личных качеств, которые позволят ему стать менеджером-стажёром: высокая коммуникабельность, умение работать в команде, трудолюбие, терпение, высокая обучаемость, умение быстро приспосабливаться к новым условиям, готовность выполнять любую работу. Но главное, наверное, всё же желание работать с людьми, так как предполагается постоянное общение и с сотрудниками, и с посетителями. Если вам ближе образ менеджера-администратора и «кабинетная работа», то карьера в «Макдональдс» вам явно не подойдёт.

«Мы всегда просим ребят, подающих заявку на программу «Менеджер-стажёр», чтобы они были открыты с нами, оставались самими собой. Тогда и мы поймём, сможем ли оправдать ожидания кандидата, и он получит более полное представление о будущей работе», — рассказывает HR-консультант компании «Макдональдс» Ольга Семёнова.

Выдержавшие все испытания кандидаты принимаются на постоянную работу на должность «менеджер-стажер» с рабочим графиком 5 дней в неделю по 8 часов в день. Во время обучения они получают конкурентоспособную зарплату, которая после успешного прохождения программы и перевода стажёра в должность второго ассистента директора ресторана существенно увеличится.

(по материалам газеты «The Career Forum»)

Задание 9. **Вы с подругой были вчера в магазине. Примите участие в диалоге. Ваша задача:**

а) Согласитесь с указанным мнением, используя синонимичные конструкции.

б) Не согласитесь с указанным мнением, используя антонимы.

— В каком огромном магазине мы вчера были!

— ....

— Некоторые вещи там были просто потрясающие, правда?

— ....

— И продавцы мне понравились, чувствуется, что со вкусом, и такие вежливые.

— ....

— И цены, в общем-то, нормальные, не заоблачные.

— ....

Задание 10. **Прочитайте предложенные выражения и определите, какие интенции они передают: 1) несогласие, 2) радость, 3) затруднение с ответом, 4) утешение.**

а. Вот здорово!
Это как раз то, что нужно!
Классно!

б. Даже не знаю, что сказать…
Ну, так сразу не скажешь…

в. Да ну!
Скажешь тоже!
Ну уж нет!

г. Ну ладно! Ничего страшного!
Да не переживай, всё хорошо!

Задание 11. **Ваша пожилая родственница купила вам подарок. Примите участие в диалоге, выразите следующие интенции:**

Радость:

— У меня для тебя сюрприз! Я купила тебе костюм!

— ....

Несогласие:

— В нём в любое место можно пойти: и в университет, и в клуб.

— ....

Затруднение с ответом:

— Что? Неужели тебе не нравится?

— ....

Утешение:

— Ну вот, я старалась, выбирала…

— ....

Задание 12. **Ваша соседка решила принять участие в телешоу, а теперь жалеет об этом. Примите участие в диалоге, возразите ей, убедите её в правильности сделанного выбора. Приведите свои аргументы. Используйте разные языковые средства.**

— Знаете, на телевидении есть такая программа, в которой модельеры дают участникам советы, как им нужно одеваться, какую причёску лучше носить. И я согласилась принять участие в такой программе, а теперь жалею. Я ведь уже не очень молодая. Что мне могут посоветовать эти девушки?

— ....

— А вдруг они скажут, что мне идут, например, мини-юбки? Или посоветуют всегда ходить в джинсах?

— ....

— А что если они начнут меня уговаривать покрасить волосы в какой-нибудь жуткий цвет?

— ....

— Нет, всё-таки я боюсь. Это же покажут по телевизору… Знакомые могут увидеть, ещё смеяться надо мной будут.

— ....

Задание 13. **Вы студентка старших курсов и ищете работу на неполный день. Вы прочитали объявление:**

Салон детской одежды
ДАНИЭЛЬ

Объявляет набор
продавцов-консультантов

ТРЕБОВАНИЯ:
- девушки от 20 до 30 лет
- приятные внешние данные
- коммуникабельность
- в/о или обучение в вузе

Обращаться по телефону:
952 09 60

Это объявление вас заинтересовало. Позвоните по указанному телефону, расспросите обо всём как можно более подробно, чтобы решить, хотите ли вы там работать.

***ТРКИ-2 / Говорение, задание 14.**

Задание 14. **Скажите, следите ли вы за модой? Что значит для вас быть модным? Существует ли, на ваш взгляд, мода на книги, фильмы? Что ещё может быть в моде?**

Задание 15. **Напишите эссе на тему: «Главное не красота, а характер». При этом:**
— сформулируйте проблему;
— перечислите объективные и субъективные причины смены морально-нравственных ориентиров общества;
— сопоставьте различные точки зрения на общественные идеалы;
— сформулируйте свой прогноз на будущее;
— дайте свою оценку ценностям современного общества.

***Время выполнения задания — 30 минут.**
Объём текста — 150–200 слов.

ЛЕКСИКО-ГРАММАТИЧЕСКИЙ ТЕСТ

Часть 1

Инструкция к заданиям 1–11

Вам предъявляются предложения, в которых некоторые слова и группы слов представлены в начальной форме. Номера групп слов в таблице соответствуют номерам предложений. Ваша задача — восстановить предложения, употребив слова в нужной грамматической форме, используя там, где необходимо, предлоги. В правом столбце таблицы напишите правильный вариант.

1. Я (каждый вечер) (нетерпение) жду (завтрашний день). **2.** Образ, созданный (модельер), должен соответствовать (критерии) (время). **3.** (Сожаление), (наше время) появилось очень много (приспособленцы), (самозванцы) от моды. **4.** Эти люди не имеют (понятие) ни (культура) (одежда), ни (элементарные законы) (моделирование). **5.** Я выбираю не столько (красивые женщины), сколько (люди) (характер). **6.** (Я) очень повезло: я постоянно нахожусь (окружение) (прекрасные женщины). **7.** (Я) нравятся женщины, влюблённые (жизнь). **8.** Я устал (ложь). **9.** (Один прекрасный день) я подал (заявление) (уход). **10.** Смысл (моя жизнь) (моя профессия). **11.** Я трудоголик (натура).

1. каждый вечер, нетерпение, завтрашний день	**1.**
2. модельер, критерии, время	**2.**
3. сожаление, наше время, приспособленцы, самозванцы	**3.**
4. понятие, культура, одежда, элементарные законы, моделирование	**4.**
5. красивые женщины, люди, характер	**5.**
6. я, окружение, прекрасные женщины	**6.**
7. я, жизнь	**7.**
8. ложь	**8.**
9. один прекрасный день, заявление, уход	**9.**
10. моя жизнь, моя профессия	**10.**
11. натура	**11.**

Часть 2

Инструкция к заданиям 12–30

Восстановите предложения, используя данные ниже видовые пары глаголов. Номера видовых пар глаголов соответствуют номерам пропусков. Ваша задача — выбрать глагол нужного вида и использовать его в соответствующей форме. В правом столбце таблицы напишите правильный вариант. Укажите все возможные варианты.

1. Как правило, я **-12-** людей с характером. 2. Меня всегда **-13-** женщины, которым я **-14-** быть современными, **-15-** их индивидуальность. 3. Печально то, что журналисты низкого уровня **-16-** такие «таланты» и **-17-** нашу молодёжь. 4. Мне **-18-** женщины, которые не **-19-** своим внешним видом окружающую среду, а **-20-** частью Природы. 5. Сейчас я **-21-**, что **-22-** подвиг, уйдя из Дома моделей. 6. Раз в год мы **-23-** так называемую направляющую коллекцию моделей. 7. Раньше в магазинах **-24-** унылый ширпотреб. 8. В 40 лет я **-25-** всё сначала. 9. Сейчас я **-26-** радость бытия. 10. Я счастлив, когда **-27-** люди талантливее меня. 11. Я **-28-**, что мне в жизни крупно **-29-**: я **-30-** её смысл.

12. выбирать — выбрать	**12.**
13. окружать — окружить	**13.**
14. помогать — помочь	**14.**
15. подчёркивать — подчеркнуть	**15.**
16. открывать — открыть	**16.**
17. запутывать — запутать	**17.**
18. нравиться — понравиться	**18.**
19. загрязнять — загрязнить	**19.**
20. становиться — стать	**20.**
21. понимать — понять	**21.**
22. совершать — совершить	**22.**
23. создавать — создать	**23.**
24. продавать — продать	**24.**
25. начинать — начать	**25.**
26. обретать — обрести	**26.**
27. появляться — появиться	**27.**
28. считать — посчитать	**28.**
29. везти — повезти	**29.**
30. искать — найти	**30.**

Инструкция к заданиям 31–43

Восстановите предложения, используя данные ниже видовые пары глаголов. Номера видовых пар глаголов соответствуют номерам пропусков. Ваша задача — выбрать глагол нужного вида. В правом столбце таблицы напишите правильный вариант.

1. Я с нетерпением жду завтрашнего дня, чтобы **-31-** и **-32-** в моделях свои мысли и чувства. 2. Мне интересно **-33-**, а значит, и **-34-** 3. Важно было **-35-** **-36-** из Дома моделей. 4. Я устал **-37-** на вопросы «Где это **-38-**?» 5. Сейчас я мог бы спокойно **-39-** место лидера. 6. В многообразии желаний и образов легко **-40-**, а вот **-41-** свой стиль непросто. 7. Я благодарю жизнь за то, что она даёт мне возможность **-42-**, **-43-** гармонию совершенства.

31. выкладываться — выложиться	**31.**
32. воплощать — воплотить	**32.**
33. жить — пожить	**33.**
34. работать — поработать	**34.**
35. решаться— решиться	**35.**
36. уходить — уйти	**36.**
37. отвечать — ответить	**37.**
38. доставать — достать	**38.**
39. уступать — уступить	**39.**
40. путаться — запутаться	**40.**
41. сохранять — сохранить	**41.**
42. самовыражаться — самовыразиться	**42.**
43. искать — найти	**43.**

Часть 3

Инструкция к заданиям 44–51

Закончите предложения, выберите все возможные правильные варианты.

44. Одно всегда … с другим.
а) связывается
б) связывают
в) связано
г) связывали

45. Модельер — это мастер, … реализовать свою идею в материале.
а) умеющий
б) умелый
в) сумевший
г) умевший

46. Мы создаём образы, … эстетическим и моральным критериям времени.
а) соответственные
б) соответствовавшие
в) соответствуемые
г) соответствующие

47. Мне по душе женщины с ярко … индивидуальностью.
а) выраженной
б) выражаемой
в) выразившейся
г) выражавшейся

48. Я отдаю предпочтение людям с трудно … характером.
а) принимавшим
б) принимаемым
в) принятым
г) принимающим

49. Мне … непостижимость женщины.
а) интересуюсь
б) заинтересовался
в) интересует
г) интересна

50. Меня интересуют женщины, … в жизнь.
а) влюбившиеся
б) влюблённые
в) любящие
г) любимые

51. Люди восхищались, а купить из … ничего не могли.
а) видящего
б) виденного
в) увиденного
г) увидевшего

Часть 4

Инструкция к заданиям 52–65

Восстановите предложения, используя глаголы совершенного вида: *заложить — наложить — проложить — переложить — выложить(ся) — сложить(ся) — уложить(ся) — положить(ся)* и парные им. В правом столбце таблицы напишите подходящие по смыслу глаголы в нужной форме.

52. «Я с нетерпением жду завтрашнего дня, чтобы максимально … и воплотить в моделях свои мысли и чувства», — говорит модельер Вячеслав Зайцев.	**52.**
53. — Это срочное задание. Через час всё должно быть готово. — Думаю, что за это время мы не … . Это не так просто. — Нет, нет. Всё нужно сделать именно за час. У вас получится. Я всегда знал, что на вас можно … . Вы … точно в срок.	**53.**
54. Ко мне должны скоро прийти, а твои вещи разбросаны по всей квартире. Не можешь убрать, так хоть … их где-нибудь в одном месте.	**54.**
55. В детстве она много болела. Кажется, это … свой отпечаток на всю её жизнь.	**55.**
56. Какие могут быть секреты? Давай … , что ты задумал?	**56.**
57. Ты хочешь со мной бороться? Да это же смешно! Я намного сильнее тебя, за минуту … тебя на обе лопатки!	**57.**
58. Ну вот, ты опять работал допоздна! Разве можно на работе так … ?! От тебя ничего не останется!	**58.**
59. Что же ты такой ленивый? Ничего не хочешь делать сам! Норовишь всё … на плечи других! Нет, на тебя нельзя … !	**59.**
60. — Почему же вы расстались? — Не знаю, так сразу не объяснишь. Но наши отношения так и не … .	**60.**
61. Как ты мог такое сказать?! У меня просто в голове не … ! Разве можно … человеку вот так, в глаза всё, что у тебя на душе?!	**61.**
62. Почему ты от всего отказываешься?! … такое впечатление, что ты вообще ничего не хочешь делать.	**62.**
63. В 1961 году газеты писали, что своим полётом Юрий Гагарин … путь в космос для всего человечества.	**63.**
64. Закон так и не был принят, президент … на него вето.	**64.**
65. Первый договор о сотрудничестве наши страны подписали почти восемьдесят лет назад. Он и … прочный фундамент для наших добрососедских отношений.	**65.**

Инструкция к заданиям 66–79

Восстановите предложения, используя глаголы несовершенного вида: *привлекать — отвлекать(ся) — увлекать(ся) — развлекать(ся)* и парные им. В правом столбце таблицы напишите подходящие по смыслу глаголы в нужной форме. Укажите все возможные варианты.

66. Не … , слушай меня внимательно.	**66.**
67. Нельзя всё время только работать! Тебе нужно отдохнуть, … .	**67.**
68. Саша так … своей новой знакомой, что совсем потерял голову.	**68.**
69. Меня … люди с необычной судьбой.	**69.**
70. Эта выставка … внимание всех любителей современной живописи.	**70.**
71. В детстве я … коллекционированием фантиков.	**71.**
72. … на минутку от своего компьютера. Послушай меня.	**72.**
73. Познакомьтесь, это наш новый сотрудник. … его, пожалуйста, к работе вашей группы, введите в курс дела.	**73.**
74. Мы так … разговором, что не заметили, как за окном стемнело.	**74.**
75. Это Игорь во всём виноват, и я … его к ответу!	**75.**
76. Ты мне мешаешь, не … меня!	**76.**
77. На новогодней ёлке детей … Дед Мороз и Снегурочка.	**77.**
78. Не нужно всё время думать о болезни. Тебе надо … от неприятных мыслей.	**78.**
79. Извините, я … . Что вы сказали?	**79.**

Инструкция к заданиям 80–107

Восстановите предложения, используя глаголы совершенного вида: *перекрыть — покрыть — открыть(ся) — закрыть(ся) — накрыть(ся) — укрыть(ся) — раскрыть(ся) — прикрыть(ся) — скрыть(ся) — вскрыть(ся)* и парные им. В правом столбце таблицы напишите подходящие по смыслу глаголы в нужной форме. Укажите все возможные варианты.

80. В связи с проведением демонстрации движение в центре города … .	**80.**
81. Здравствуйте, дорогие друзья! Позвольте мне … наше заседание!	**81.**
82. Гости придут через час. Пора … на стол.	**82.**
83. Когда будешь уходить, не забудь … дверь на ключ.	**83.**
84. Мой малыш спит очень беспокойно, всё время … . Мне приходится часто вставать и … его.	**84.**
85. Недавно на нашей улице … ателье по пошиву детской одежды.	**85.**
86. … голову, мы же в церкви. Нужно уважать традиции.	**86.**
87. Анна кажется очень спокойным человеком. Но что … за этим спокойствием?	**87.**
88. Многие сельские школы … из-за нехватки учителей.	**88.**
89. Видеть тебя не могу! … с моих глаз!	**89.**
90. — Как же у тебя холодно! — … пледом!	**90.**
91. Помоги мне, пожалуйста! Что-то у меня никак не … этот файл.	**91.**
92. Ты абсолютно неромантичный человек! Неужели ты думаешь, что природа … нам все свои тайны?!	**92.**
93. — Вчера я видела тебя с каким-то очень симпатичным молодым человеком. Ну, и кто же это был? — Господи! Что за жизнь! Нигде ни от кого не … !	**93.**
94. Нам нужны факты и доказательства. Это только в кино интуиция помогает следователю легко и быстро … преступление.	**94.**
95. — Андрей не тот человек, который тебе нужен. … глаза, неужели ты ничего не понимаешь? — Конечно, я знаю, у Андрея много недостатков, и я не … на них глаза, так что ты не … мне Америку. Но я всё равно люблю его.	**95.**
96. Он виноват, и не защищай его. Вечно ты его … !	**96.**
97. Подвинься, пожалуйста, ты мне полтелевизора … .	**97.**
98. Кто разрешил тебе … мои письма?!	**98.**
99. Какой чудесный вид … из твоих окон!	**99.**
100. Дождь уже кончился, можешь … зонтик.	**100.**
101. Что тебя мучает? … мне своё сердце!	**101.**
102. От неожиданно налетевшего ливня мы … в придорожном магазинчике.	**102.**
103. Кинотеатр … на ремонт.	**103.**
104. Давай сходим на выставку в Пушкинском, на следующей неделе она уже … .	**104.**
105. Почему ты всё время молчишь! Что вы всё от меня … ?!	**105.**
106. Нападающий «Спартака» уже на второй минуте матча … счёт.	**106.**
107. Налоговая комиссия, работавшая на заводе, … много недостатков.	**107.**

РОЛЬ И МЕСТО ЛИТЕРАТУРЫ В СОВРЕМЕННОМ МИРЕ

5.3

Задание 1. Объясните значение данных слов и словосочетаний, составьте с ними предложения.

вождь
пророк
венец творения
шестидесятник
культовая книга
бульварная (литература)
золотой век
оттепель
улей
ходить в ногу
знать в лицо
самосовершенствование

Задание 2. Составьте пары из слов, близких по значению.

1. выдумки	а. копия
2. миссия	б. группа
3. предсказание	в. цель
4. настоящее	г. пророчество
5. плеяда	д. фантазии
6. калька	е. современность

Задание 3. Найдите синонимы.

1. удаваться	а. описать (изобразить)
2. ощущать	б. получаться
3. приспосабливаться	в. вообразить
4. запечатлеть	г. чувствовать
5. представить	д. адаптироваться

Задание 4. Составьте пары из слов, противоположных по значению.

1. истинный	а. высокохудожественный
2. низкопробный	б. ложный
3. сиюминутный	в. настоящий
4. массовый	г. связанный
5. нравственный	д. вечный
6. свободный	е. уникальный
7. искусственный	ж. аморальный

Задание 5. Найдите антонимы.

1. искажать	а. закапывать
2. выковыривать	б. собирать
3. рассыпать	в. спасти
4. стыдиться	г. исправлять
5. уничтожить	д. гордиться

Задание 6. Образуйте парные глаголы совершенного вида от глаголов:

а) проверять — доверять — уверять — заверять — разуверять;

б) отхватывать — схватывать — прихватывать — захватывать — охватывать — подхватывать — нахватывать(ся);

в) зачитывать(ся) — вчитываться — перечитывать — почитывать — дочитывать;

г) выписывать — дописывать — подписывать(ся) — записывать(ся) — расписывать(ся) — переписывать — описывать — списывать.

Задание 7. **Передайте смысл данных предложений другими словами.**

1. Я вырос на Пушкине, Лермонтове, Гоголе. 2. Писатель живёт сам по себе. 3. Время — единственное объективное мерило. 4. Новое тысячелетие нужно прожить всем миром. 5. Вам не обидно? 6. России ещё отпущено время. 7. Из этого улья мне так и не выбраться. 8. Мне грех жаловаться.

Задание 8. **Прочитайте фрагменты интервью с известным российским писателем Андреем Битовым. В предлагаемом тексте даны ответы, после текста перечислены вопросы интервью. Ваша задача — определить, на какие вопросы представлены ответы. Вопросов больше, чем ответов в тексте.**

***Время выполнения задания — 15 минут.**
***ТРКИ-3 / Чтение, задание 2.**

РОССИИ ЕЩЁ ОТПУЩЕНО ВРЕМЯ

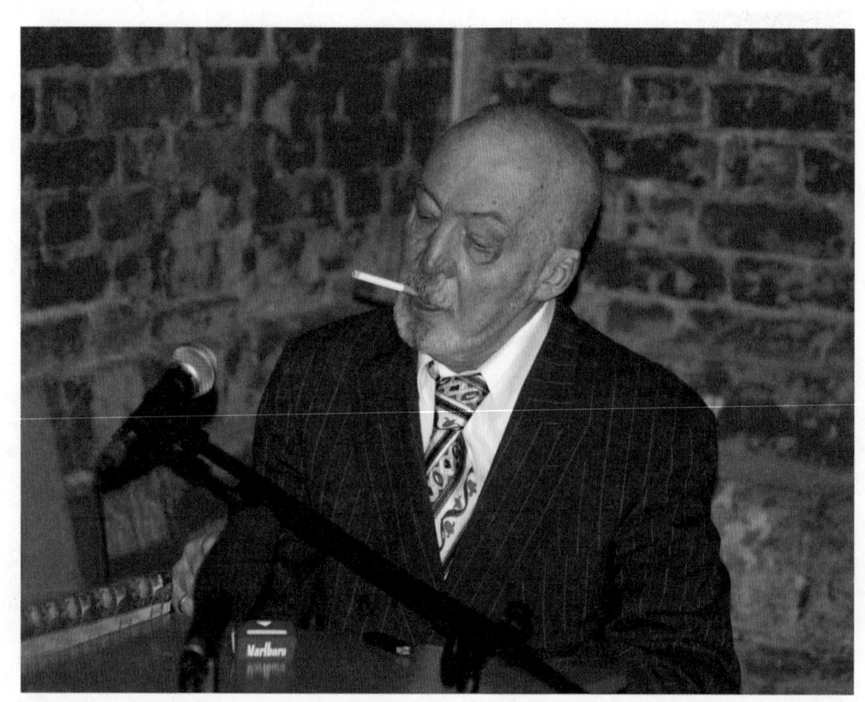

1. ....

— Я вырос на Пушкине, Лермонтове и Гоголе. Меня свободным сделало чтение русской классической литературы. Её золотой век воспитал меня и как человека, и как писателя.

Что касается свободы... когда после смерти Сталина появились первые аутентичные переводы, возникло и ощущение, что есть мировая современная литература. Мы не в вакууме! Современным людям трудно представить, в каком неведении находились все и вся. Я был молодым человеком, который поначалу двигался на ощупь, как двигаются в темноте, а потом его ослепил тот свет, который прорвался во время так называемой оттепели...

2. ....

— Когда говорят о шестидесятниках, это не обо мне. Я не ходил в ногу ни с кем. Какой-то стиль. Процесс — всё это выдумки кормящихся критиков. Писатель чаще всего живёт сам по себе. Кстати, свободы хватало и при Сталине. Никто на самом деле ни во что не верил — ни в вождя, ни в социализм, ни в Бога. Все знали, что можно говорить и чего нельзя, каждый приспосабливался к условиям времени. Была плеяда писателей, которые получали различные премии — ленинские, сталинские, государственные... Сегодня мало кто помнит их имена, но они были рождены тем временем и по-своему отразили его. И то же самое время отразили совсем иначе Цветаева, Пастернак, Платонов, Набоков. И время — единственное объективное мерило — всё расставляет по своим местам.

3. ....

— Та роль во многом была искусственной. Просто какая-то частичка информации просачивалась сквозь художественную литературу. Мы выковыривали её, как из булки изюм. А сейчас грех жаловаться. Да, многие читают бульварную литературу. Но выходит достаточно и высокохудожественной, философской литературы. Главное, у нас есть выбор. А все эти рассуждения, что телевизор плохо влияет и много низкопробных книг, — обычная тоска по ошейнику.

4. ....

— Человеку пора занять своё место. Тысячелетие, которое началось, нужно прожить всем миром. В двадцать первом веке нельзя дышать отдельным воздухом и пить отдельную воду. В будущем мир будет объединён не только Интернетом. Берегите лес, больше работайте и меньше пейте. Больше ничего. Человек не венец творения, а несовершенное существо. Но у него есть возможность самого себя делать. А если из тебя делают то котлету, то раба — это неправильно. Время идёт, впервые отпущенное России время, чтобы встать с колен.

5. ....

— Писатель — это человек, который может запечатлеть современность. Можно посмотреть телевизор, новости, но это рассыпанная, разрозненная реальность. Потому-то никто из людей и не находится в точке современности. Они живут в ней, но по законам, представлениям, созданным в прошлом, и в мечтах, мыслях о будущем. Поэтому так ценны для нас сиюминутные состояния любви, страсти, игры. И если что-то тут не удаётся, люди создают их искусственно — с помощью алкоголя, наркотиков.

А писатель снимает кальку времени. Если ты поймал настоящее, значит, сказал и про будущее. Поэтому пророками становятся те, кто умеет творить современные произведения в истинном их значении.

6. ....

— Во многих отношениях в Москве. Я привыкаю к ней уже сорок лет. Впервые оказался в столице, когда мне было за двадцать. Очень люблю Бульварное кольцо. В доме на Краснопрудной проживаю уже четверть века. Когда перевозил маму из Питера, стал расширяться, делал обмен. Варианты предлагали разные. Но переехали в другую квартиру в этом же доме. То есть из этого улья так и не выбрался.

7. ....

— Те поколения. Которым сегодня за сорок, меня знают. Первая моя культовая книга была написана в 1967 году — «Дачная местность». И тогда я знал, что меня читали. Мой читатель — не массовый, особенно много его в провинции, а в Питере больше, чем в Москве. Мои книги издаются, но небольшими тиражами. Начала почитывать меня студенческая молодёжь. Выходят книги в серии «Азбука классики», она доступна любому читателю и быстро раскупается. После 1991-ого цензура идеологическая сменилась на цензуру экономическую. Впрочем, мне грех жаловаться: читали и читают.

(по материалам газеты «Московская среда»)

А. Одни считают, что мир спасёт красота, другие — нравственное самосовершенствование или труд. А ваше мнение?

Б. Талантливых художников, писателей, композиторов часто называют пророками. У них как бы особая миссия на Земле. Вы с этим согласны?

В. Андрей Георгиевич, вы писали в шестидесятые, семидесятые, восьмидесятые и продолжаете это делать сейчас. В какое время было жить и творить комфортнее? Может ли писатель ощущать себя свободным?

Г. Андрей Георгиевич, раньше вы знали своего читателя, как говорится, в лицо. Кто ваш читатель сегодня?

Д. Почему сейчас не появляется значительных произведений?

Е. Вы объездили весь мир. Но живёте то в Москве, то в Петербурге. Где комфортнее?

Ж. Вы чувствуете себя созвучным шестидесятникам?

З. Вы согласны с тем, что в советское время литература играла определённую роль в жизни? А сейчас никакого значения для общества она не имеет. Разве вам это не обидно?

Задание 9. **Напишите письмо своему знакомому, в котором обсудите проблемы, поднятые в статье. При этом:**

— укажите источник информации;

— сообщите о важнейших изменениях в обществе;

— перечислите факты и проанализируйте причины, вызвавшие изменения;

— опишите прогноз на будущее;

— выскажите своё отношение к информации, изложенной в статье.

***Время выполнения задания — 25 минут.**
Объём текста — 200–250 слов.
***ТРКИ-3 / Письмо, задание 1.**

Задание 10. **Вы с друзьями обсуждаете интервью Андрея Битова. Примите участие в диалоге. Ваша задача:**

а) Согласитесь с указанным мнением, используя синонимичные конструкции.

б) Не согласитесь с указанным мнением, используя антонимы.

— Надо почитать Битова! Он так интересно пишет!
— ....

— У него довольно оригинальные взгляды.
— ....

— Например, он утверждает, что люди искусства всегда были свободны.
— ....

— Жаль только, что его сейчас мало кто знает.
— ....

Задание 11. **Прочитайте предложенные выражения и определите, какие интенции они передают: 1) возмущение, 2) сожаление, 3) удивление, 4) затруднение с ответом.**

а. Хороший вопрос…
Сразу и не скажешь (не назовёшь / не вспомнишь)… ☐

б. К сожалению, трудно возразить…
Как ни печально, но это так. ☐

в. Это ты так решил?!
Не суди о других по себе!
Уж кто-кто, но я-то всегда делаю! ☐

г. Да ну! Не может быть!
Это как (как это)?
С каких это пор? ☐

Задание 12. **Вы с другом (подругой) обсуждаете проблему падения интереса к чтению. Примите участие в диалоге. Выразите указанные интенции.**

Удивление:
— Сейчас читать книги — не модно.
— ....

Возмущение:
— Да ладно, ты сам(а), наверное, ничего не читаешь…
— ....

Затруднение с ответом:
— Ну, хорошо. Скажи, кто твой любимый современный писатель?
— ....

Сожаление:
— Вот видишь, значит, я прав(а).
— ....

Задание 13. **Вы разговариваете с другом, который решил опубликовать сборник своих сказок, а теперь жалеет об этом. Примите участие в диалоге, возразите другу и убедите его в правильности сделанного выбора. Приведите свои аргументы. Используйте разные языковые средства.**

— Мне предложили издать сказки, которые я сочинил для своих детей. Я поначалу согласился, а теперь думаю, какой из меня писатель!
— ....

— Я и слова свои там придумывал, таких и в словаре-то нет.
— ....

— И вообще, герои сказок — наши знакомые. А вдруг они прочитают и узнают себя? Нехорошо получится.
— ....

— Да и кто будет покупать эту книжку? Опозорюсь. Все друзья будут смеяться.
— ....

Задание 14. **Согласитесь или опровергните данные высказывания. Приведите свои аргументы.**

1. Хороший писатель — настоящий пророк.
2. Мир спасёт нравственное самосовершенствование каждого.
3. Интернет и аудио/видеотехнологии — соперники книги.

Задание 15. **Современный российский писатель Виктор Пелевин ценность книги определил следующим образом:**

«Ценность книги определяется не тем, сколько человек её прочтёт. Гениальность “Джоконды” не зависит от того, сколько посетителей пройдёт мимо неё за год. У величайших книг мало читателей, потому что их чтение требует усилия. Но именно из этого усилия рождается эстетический эффект. Литературный фаст-фуд никогда не подарит тебе ничего подобного. Чтение — это общение, а круг нашего общения и делает нас тем, чем мы являемся. Вот представь себе, что ты по жизни шофёр-дальнобойщик. Книги, которые ты читаешь, — попутчики, которых ты берёшь в кабину. Будешь возить культурных и глубоких людей — наберёшься от них ума. Будешь возить дураков — сам станешь дураком...»

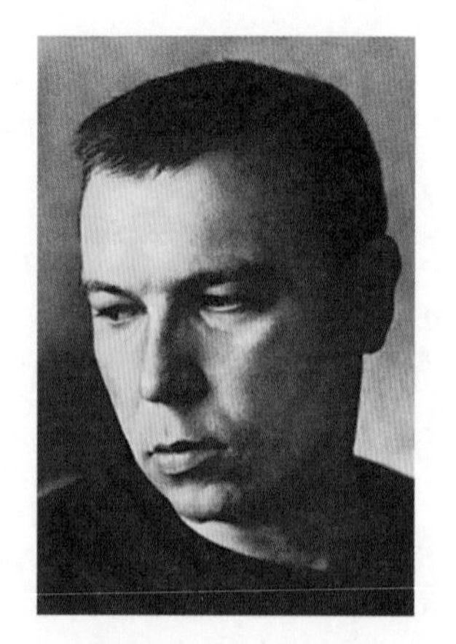

(В. Пелевин. «Священная книга оборотня»)

а) Согласны ли вы с точкой зрения В. Пелевина? Приведите свои аргументы.

б) Выскажите свои взгляды на место и роль литературы и — шире — искусства в жизни современного общества:

1. Какова роль книги в жизни современного общества?
2. Считаете ли вы, что существуют книги «вне времени»? (Если согласны, назовите такие книги.)

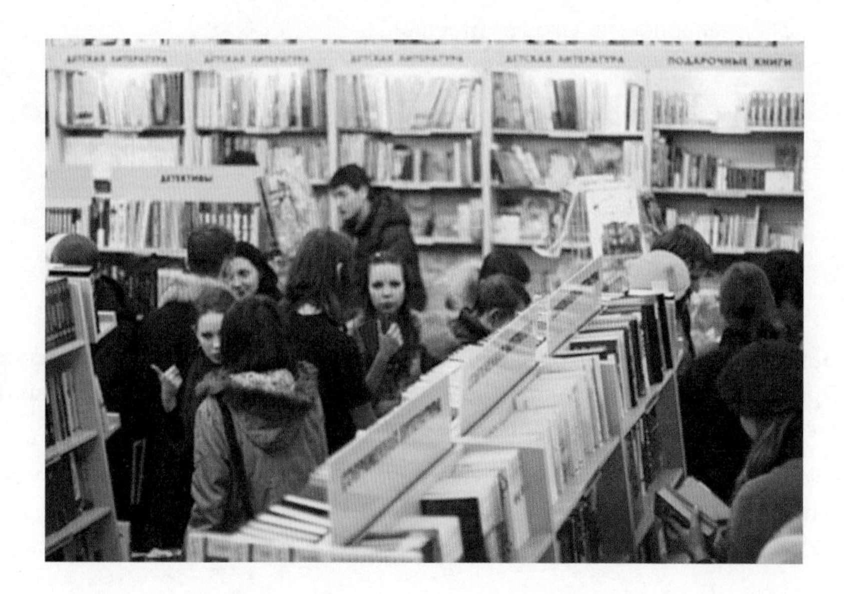

Задание 16. **Напишите эссе-размышление повествовательного типа на одну из тем, предложенных в задании 14. При этом:**

— сформулируйте проблему;
— перечислите объективные и субъективные причины смены общественных ценностей;
— дайте свою оценку ценностям современного общества;
— сопоставьте различные точки зрения на роль и место писателя/книги в обществе;
— изложите свою точку зрения;
— изложите своё видение будущего.

***Время выполнения задания — 30 минут.**
Объём текста — 150–200 слов.

ЛЕКСИКО-ГРАММАТИЧЕСКИЙ ТЕСТ

Часть 1

Инструкция к заданиям 1–14

Вам предъявляются предложения, в которых некоторые слова и группы слов представлены в начальной форме. Номера групп слов в таблице соответствуют номерам предложений. Ваша задача — восстановить предложения, употребив слова в нужной грамматической форме, используя там, где необходимо, предлоги. В правом столбце таблицы напишите правильный вариант.

1. Я вырос (Пушкин, Лермонтов, Гоголь), (я) (свободный) сделало чтение (русская классическая литература). **2.** (Современные люди) трудно представить, (какое неведение) находились все мы. **3.** Когда говорят (шестидесятники), это не (я). **4.** (Свобода) хватало и (Сталин), никто (ничто) не верил — ни (вождь), ни (социализм), ни (Бог). **5.** Время всё расставляет (свои места). **6.** (Будущее) мир буден объединён не только (Интернет). **7.** Я привыкаю (Москва) уже сорок лет, впервые приехал (столица), когда (я) было двадцать лет. **8.** (Своя первая «культовая» книга) я написал (1967 год), (то время) я знал, что (я) читали. **9.** Мой читатель — не массовый, особенно много (он) (провинция), (Питер) больше, чем (Москва). **10.** Мои книги издаются (небольшие тиражи). **11.** Книги (серия «Азбука классики») доступны (любой читатель). **12.** (1991) цензура идеологическая сменилась (цензура экономическая). **13.** (Я) грех жаловаться: (я) читали раньше, читают и сейчас. **14.** (Советское время) литература играла (определённая роль) (жизнь), а сейчас (никакое значение) (общество) она не имеет. (Вы) это не обидно?

1. Пушкин, Лермонтов, Гоголь, я, свободный, русская классическая литература	**1.**
2. современные люди, какое неведение	**2.**
3. шестидесятники, я	**3.**
4. свобода, Сталин, ничто, вождь, социализм, Бог	**4.**
5. свои места	**5.**
6. будущее, Интернет	**6.**
7. Москва, столица, я	**7.**
8. своя первая «культовая» книга, 1967 год, то время, я	**8.**
9. он, провинция, Питер, Москва	**9.**
10. небольшие тиражи	**10.**
11. серия «Азбука классики», любой читатель	**11.**
12. 1991, цензура экономическая	**12.**
13. я, я	**13.**
14. советское время, определённая роль, жизнь, никакое значение, общество, вы	**14.**

Часть 2

Инструкция к заданиям 15–25

Восстановите предложения, используя данные ниже видовые пары глаголов. Номера видовых пар глаголов соответствуют номерам пропусков. Ваша задача — выбрать глагол нужного вида и использовать его в соответствующей форме. В правом столбце таблицы напишите выбранный вариант. Укажите все возможные варианты.

1. Золотой век русской классической литературы **-15-** меня как человека. 2. После смерти Сталина **-16-** первые аутентичные переводы, **-17-** ощущение, что есть мировая современная литература. 3. При Сталине люди **-18-**, что можно **-19-** и чего нельзя, все **-20-** к условиям времени. 4. Сейчас многие **-21-** бульварную литературу, но **-22-** достаточно и высокохудожественной литературы. 5. Когда я **-23-** маму из Питера, мне **-24-** разные районы, но мы **-25-** в другую квартиру в моём же доме.

15. воспитывать — воспитать	**15.**
16. появляться — появиться	**16.**
17. возникать — возникнуть	**17.**
18. знать — узнать	**18.**
19. говорить — сказать	**19.**
20. приспосабливаться — приспособиться	**20.**
21. читать — прочитать	**21.**
22. выходить — выйти	**22.**
23. перевозить — перевезти	**23.**
24. предлагать — предложить	**24.**
25. переезжать — переехать	**25.**

Часть 3

Инструкция к заданиям 26–34

Восстановите текст, используя данные ниже видовые пары глаголов. Номера видовых пар глаголов соответствуют номерам пропусков. Ваша задача — выбрать глагол нужного вида. В правом столбце таблицы напишите выбранный вариант.

Человеку давно пора **-26-** своё место. Тысячелетие, которое началось, нужно **-27-** всем миром. В двадцать первом веке нельзя **-28-** отдельным воздухом и **-29-** отдельную воду. Нужно **-30-** лес, больше **-31-** и меньше **-32-**. У человека есть возможность самого себя **-33-**. Время идёт, впервые отпущенное России время, чтобы **-34-** с колен.

26. занимать — занять	**26.**
27. проживать — прожить	**27.**
28. дышать — дохнуть	**28.**
29. пить — выпить	**29.**
30. беречь — сберечь	**30.**
31. работать — поработать	**31.**
32. пить — выпить	**32.**
33. делать — сделать	**33.**
34. вставать — встать	**34.**

Часть 4

Инструкция к заданиям 35–41

Восстановите предложения, используя глаголы несовершенного вида: *хватать — отхватывать — схватывать — прихватывать — захватывать — охватывать — подхватывать — нахватывать(ся)* и парные им. В правом столбце таблицы напишите подходящие по смыслу глаголы в нужной форме.

35. Что ты … меня за руку! Отпусти сейчас же!	**35.**
36. Антон ушёл и, кажется, … мой мобильник.	**36.**
37. … на всякий случай зонт. Вдруг будет дождь.	**37.**
38. Эта книга … парижский период жизни писателя.	**38.**
39. Кажется, у меня температура. Неужели опять где-то грипп … ?	**39.**
40. Петя такой умный ребёнок. Всё … на лету!	**40.**
41. — Потрясающее платье! Где ты его … ?! — Что значит «…»?! С кем ты общаешься?! Где ты … всех этих уличных словечек?!	**41.**

Инструкция к заданиям 42-48

Восстановите предложения, используя глаголы несовершенного вида: *читать — зачитываться — вчитываться — перечитывать — зачитывать — почитывать — дочитывать* и парные им. В правом столбце таблицы напишите подходящие по смыслу глаголы в нужной форме. Укажите все возможные варианты.

42. — Сейчас все … детективами! — Нет, ты неправ. Конечно, я люблю иногда вечером … детектив, но я … и много других не менее интересных книг.	**42.**
43. В метро я … и проехал нужную остановку. Со мной это часто случается.	**43.**
44. — Ты любишь … книги? — Нет. А зачем … то, что уже когда-то … ? Ведь так много новых интересных книг!	**44.**
45. Когда же ты … эту статью?! Уже целый час … ! Я тоже хочу её … !	**45.**
46. — Дайте мне, пожалуйста, эту книгу. Наверное, она очень интересная. — Вы правы. А как вы догадались? — Об этом нетрудно догадаться, её … до дыр.	**46.**
47. Эти стихи занимают важное место в творчестве поэта, … в них. В этих стихах — он весь.	**47.**
48. Сегодня утром нам … очередной приказ директора. Теперь за опоздание на работу нас будут штрафовать. Кошмар!	**48.**

Инструкция к заданиям 49–59

Восстановите предложения, используя глаголы несовершенного вида: *писать — выписывать — дописывать — подписывать(ся) — записывать(ся) — расписывать(ся) — переписывать(ся) — описывать — списывать* и парные им. В правом столбце таблицы напишите подходящие по смыслу глаголы в нужной форме.

49. Не подсматривай! Зачем ты … у меня?! … сам.	**49.**
50. — Вот моё заявление. — Вы забыли … .	**50.**
51. — Вчера я познакомился с симпатичной девушкой! — Да?! … её, мне интересно, как она выглядит.	**51.**
52. Говорят, что стены в этом соборе … сам Андрей Рублёв!	**52.**
53. Вы можете пользоваться нашей библиотекой, только нужно … .	**53.**
54. Вот ваша телеграмма. Пожалуйста, … !	**54.**
55. — … мой новый адрес. — Диктуй, я … .	**55.**
56. Я давно не видела свою школьную подругу, но мы регулярно … .	**56.**
57. Ты уже … на приём к врачу?	**57.**
58. У вас ужасный почерк. Я ничего не понимаю. Придётся вам всё … .	**58.**
59. — Мы написали жалобу директору турфирмы. Если вы согласны, … , пожалуйста. — Нет, лично мне всё понравилось. Ничего … я не буду.	**59.**

Инструкция к заданиям 60–73

Вам предъявляется текст с пропусками. Ваша задача — восстановить текст, используя глаголы несовершенного вида: *писать — выписывать — дописывать — подписывать(ся) — записывать(ся) — расписывать(ся) — переписывать(ся) — описывать — списывать* и парные им в нужной форме. Укажите все возможные варианты.

Вчера мы **-60-** маленький тест. Нужно было за пять минут **-61-** нашу аудиторию. Почти все студенты успели **-62-** несколько фраз за это время. Потом мы сдали тетради, и только Джон ещё что-то **-63-**. Он всегда медленно **-64-**. А Лора, как обычно, забыла **-65-** свою работу. Преподаватель сказал, что мы неплохо **-66-** тест, но двум студентам придётся его **-67-**, потому что у них абсолютно одинаковые работы — значит, кто-то у кого-то **-68-**. Дома нужно будет **-69-** слова, в которых были ошибки, и **-70-** их правильно. Мы **-71-** домашнее задание и уже собрались идти домой, но тут пришёл инспектор и принёс наши студенческие билеты. Он попросил нас **-72-** в ведомости, а потом объявил, что через неделю будет экскурсия в Суздаль и что желающие могут **-73-** в комнате 202.

60.	**67.**
61.	**68.**
62.	**69.**
63.	**70.**
64.	**71.**
65.	**72.**
66.	**73.**

Часть 5

Инструкция к заданиям 74–80

Вам предъявляются предложения, в которых пропущены глаголы, а некоторые слова и группы слов представлены в начальной форме. Ваша задача — восстановить предложения, употребив слова в нужной грамматической форме, а также используя глаголы нужного вида: *доверять — верить — проверять — уверять — заверять* и парные им в соответствующей форме. Укажите все возможные варианты.

74. Зачем ты ему всё рассказал? Я (он) не … .	**74.**
75. … (я), я говорю правду!	**75.**
76. Кто … (эта работа)? Вы пропустили несколько ошибок.	**76.**
77. Я знаю: это ты во всём виновата. И не пытайся (я) … (это).	**77.**
78. Не волнуйся! … (ты), он придёт.	**78.**
79. Мне кажется, из него получится настоящий спортсмен. Я (он) … .	**79.**
80. Позвольте … (вы) (моё огромное уважение).	**80.**

КЛЮЧИ

5.1. ВЕСЬ МИР — ТЕАТР

Задание 2. 1. д. 2. в. 3. а. 4. б. 5. г.

Задание 3. 1. г. 2. д. 3. е. 4. б. 5. а. 6. в.

Задание 4. 1. в. 2. д. 3. г. 4. а. 5. б.

Задание 5. 1. б. 2. д. 3. а. 4. ж. 5. е. 6. в. 7. г.

Задание 6. смотреть — осматривать — рассматривать — присматриваться — всматриваться — засматриваться — просматривать — пересматривать

Задание 8. 1. Г. 2. К. 3. И. 4. Д. 5. Б. 6. Е. 7. А. 8. З.

Задание 11. 1. б. 2. г. 3. в. 4. а.

Лексико-грамматический тест

1. нам, от животного, тем, у него, инстинктов; **2.** со мной, в то; **3.** режиссёру, в роли, в романе; **4.** мне, с Понтием, перед ним, его, своей необыкновенной духовной силой; **5.** в новом фильме, человека, жизнь, за любимую; **6.** на смелые поступки; **7.** порядочности, у нас, не в моде; **8.** порядочность, за экстравагантным поведением; **9.** меня, любого человека, в этой стране, сомнения; **10.** с сомнениями; **11.** в работе, над ролью, правилу, своих учителей; **12.** в своей правоте, в ней; **13.** с какими чувствами; **14.** возвышенных слов, к подобной риторике; **15.** поверил; **16.** произносит / произносил; **17.** стесняемся; **18.** прячут; **19.** лезли; **20.** поняли; **21.** волнует; **22.** позвонили; **23.** растерялся; **24.** стесняетесь; **25.** посещают; **26.** боритесь; **27.** в. / г. **28.** б. / в. **29.** б. **30.** г. **31.** б. **32.** осмотреть / посмотреть; **33.** посмотрели / смотрели / осмотрели; **34.** всматривались, смотреть, рассмотреть, осмотрели; **35.** смотрели, смотрел / просматривал; **36.** присматривался, смотрит; **37.** засмотрелся; **38.** осмотреть / посмотреть; **39.** посмотреть; **40.** рассматривать, пересмотрят, насмотреться; **41.** присмотрелся, всмотрелся; **42.** осмотрелись / посмотрели; **43.** просмотрели; **44.** насмотреться; **45.** присматривались; **46.** рассмотрел; **47.** всмотрелся; **48.** рассматривал; **49.** осмотрел; **50.** смотри / посмотри, смотрел, просмотрел; **51.** осмотреться; **52.** сыграем, обыграешь; **53.** играть; **54.** заигрались; **55.** доигрался; **56.** выиграл(а); **57.** разыграть; **58.** проиграл(а), выиграешь; **59.** играет / сыграл, заигрывает, играет; **60.** дозвониться; **61.** позвоню, звони; **62.** перезвоню; **63.** созвонимся; **64.** зазвонил; **65.** звонит; **66.** созваниваемся / перезваниваемся; **67.** потерялись, потерялись, потерял(а), теряешь, теряй; **68.** потеряться; **69.** растерялся(-лась); **70.** затеряться; **71.** растерял

5.2. СОВРЕМЕННАЯ МОДА И ЛИЧНОСТЬ ЧЕЛОВЕКА

Задание 2. 1. б. 2. д. 3. а. 4. ж. 5. з. 6. г. 7. е. 8. в.

Задание 3. 1. ж. 2. г. 3. з. 4. е. 5. б. 6. в. 7. д. 8. а.

Задание 4. 1. г. 2. д. 3. а. 4. е. 5. ж. 6. б. 7. в.

Задание 5. **а)** перекрывать — покрывать — открывать(ся) — закрывать(ся) — накрывать(ся) — укрывать(ся) — раскрывать(ся) — прикрывать(ся) — вскрывать(ся);
б) закладывать — накладывать — прокладывать — перекладывать — выкладывать(ся) — складывать(ся) — укладывать(ся);
в) привлечь — отвлечь(ся) — увлечь(ся) — развлечь(ся)

Задание 7. 1. В. 2. Ж. 3. Е. 4. А. 5. Л. 6. Д. 7. Г. 8. И. 9. К. 10. Б. 11. З .12. М.

Задание 10. 1. в. 2. а. 3. б. 4. г.

Лексико-грамматический тест

1. каждый вечер, с нетерпением, завтрашнего дня; **2.** модельером, критериям, времени; **3.** к сожалению, в наше время, приспособленцев, самозванцев; **4.** понятия, о культуре, одежды, об элементарных законах, моделирования; **5.** красивых женщин, людей, с характером; **6.** мне, в окружении, прекрасных женщин; **7.** мне, в жизнь; **8.** от лжи; **9.** в один прекрасный день, заявление, об уходе; **10.** моей жизни, в моей профессии; **11.** по натуре; **12.** выбираю; **13.** окружают / окружали; **14.** помогаю / помогал; **15.** подчёркиваю / подчёркивал / подчёркивать / подчеркнуть; **16.** открывают; **17.** запутывают; **18.** нравятся; **19.** загрязняют; **20.** становятся; **21.** понимаю; **22.** совершил; **23.** создаём / создавали; **24.** продавали; **25.** начал; **26.** обрёл; **27.** появляются; **28.** считаю; **29.** повезло; **30.** нашёл; **31.** выложиться; **32.** воплотить; **33.** жить; **34.** работать; **35.** решиться; **36.** уйти; **37.** отвечать; **38.** достать; **39.** уступить; **40.** запутаться; **41.** сохранить; **42.** самовыражаться; **43.** искать; **44.** а. / б. / в. / г. **45.** а. / в. **46.** г. **47.** а. **48.** б. **49.** г. **50.** б. **51.** в. **52.** выложиться; **53.** уложимся, положиться, уложитесь; **54.** сложи; **55.** наложило; **56.** выкладывай; **57.** уложу; **58.** выкладываться; **59.** переложить, положиться; **60.** сложились; **61.** укладывается, выкладывать; **62.** складывается; **63.** проложил; **64.** наложил; **65.** заложил; **66.** отвлекайся; **67.** развлечься; **68.** увлёкся; **69.** привлекают; **70.** привлекла / привлекает; **71.** увлекался; **72.** отвлекись; **73.** привлеките; **74.** увлеклись; **75.** привлеку; **76.** отвлекай; **77.** развлекали; **78.** отвлечься; **79.** отвлёкся / отвлеклась; **80.** перекрыли / перекроют; **81.** открыть; **82.** накрывать; **83.** закрыть; **84.** раскрывается, укрывать / накрывать; **85.** открылось / открыли; **86.** накрой; **87.** скрывается / кроется; **88.** закрывают(ся) / закрыли(сь) / закроют(ся); **89.** скройся; **90.** накройся / укройся; **91.** открывается; **92.** открыла / раскрыла; **93.** скроешься; **94.** раскрывать / раскрыть; **95.** раскрой / открой, закрываю, открываешь / открыл(а); **96.** покрываешь / прикрываешь; **97.** закрываешь / закрыл(а); **98.** вскрыть / вскрывать; **99.** открывается; **100.** закрыть / закрывать; **101.** открой; **102.** укрылись; **103.** закрылся / закрыли / закрывают / закрывается; **104.** закрывается / закроется; **105.** скрываешь; **106.** открыл; **107.** вскрыла

5.3. РОЛЬ И МЕСТО ЛИТЕРАТУРЫ В СОВРЕМЕННОМ МИРЕ

Задание 2. 1. д. 2. в. 3. г. 4. е. 5. б. 6. а.

Задание 3. 1. б. 2. г. 3. д. 4. а. 5. в.

Задание 4. 1. б. 2. а. 3. д. 4. е. 5. ж. 6. г. 7. в.

Задание 5. 1. г. 2. а. 3. б. 4. д. 5. в.

Задание 6. **а)** проверить — доверить — уверить — заверить — разуверить;
б) отхватить — схватить — прихватить — захватить — охватить — подхватить — нахватать(ся);
в) зачитать(ся) — вчитаться — перечитать — почитать — дочитать;
г) выписать — дописать — подписать(ся) — записать(ся) — расписать(ся) — переписать — описать — списать

Задание 8. 1. В. 2. Ж. 3. З. 4. А. 5. Б. 6. Е. 7. Г.

Задание 11. 1. в. 2. б. 3. г. 4. а.

Лексико-грамматический тест

1. на Пушкине, Лермонтове, Гоголе; меня; свободным; русской классической литературы; **2.** современным людям; в каком неведении; **3.** о шестидесятниках; обо мне / про шестидесятников; про меня; **4.** свободы; при Сталине; во что; в вождя; в социализм; в Бога; **5.** по своим местам; **6.** в будущем; Интернетом; **7.** к Москве; в столицу; мне; **8.** свою первую «культовую книгу»; в тысяча девятьсот шестьдесят седьмом году; в то время; меня; **9.** его; в провинции; в Питере; в Москве; **10.** небольшими тиражами; **11.** (из) серии; любому читателю; **12.** в тысяча девятьсот девяносто первом году; цензурой экономической; **13.** мне; меня; **14.** в советское время; определённую роль; в жизни; никакого значения; для общества; вам; **15.** воспитал; **16.** появились; **17.** возникло; **18.** знали; **19.** говорить / сказать; **20.** приспосабливались; **21.** читают; **22.** выходит; **23.** перевозил / перевёз; **24.** предлагали; **25.** переехали; **26.** занять; **27.** прожить; **28.** дышать; **29.** пить; **30.** беречь; **31.** работать; **32.** пить; **33.** сделать; **34.** встать; **35.** хватаешь / схватил; **36.** прихватил; **37.** захвати; **38.** охватывает; **39.** подхватил; **40.** схватывает; **41.** отхватила, отхватила, нахваталась; **42.** зачитываются, почитать, читаю; **43.** зачитался; **44.** перечитывать, перечитывать, читал; **45.** дочитаешь / прочитаешь, читаешь, прочитать / почитать; **46.** зачитали; **47.** вчитайтесь; **48.** зачитали; **49.** списываешь, пиши; **50.** подписаться; **51.** опиши; **52.** расписывал; **53.** записаться; **54.** распишитесь; **55.** запиши, записываю / пишу; **56.** переписываемся; **57.** записался; **58.** переписать; **59.** подпишите, подписывать; **60.** писали; **61.** описать; **62.** написать; **63.** дописывал; **64.** пишет; **65.** подписать; **66.** написали; **67.** переписывать / переписать; **68.** списал / списывал; **69.** выписать; **70.** написать; **71.** записали; **72.** расписаться; **73.** записаться; **74.** ему, доверяю; **75.** Верь(те) / поверь(те) мне; **76.** проверял эту работу; **77.** меня разуверить в этом; **78.** уверяю тебя; **79.** в него верю; **80.** заверить вас в моём огромном уважении

Методический комментарий

Использование предлагаемого учебного пособия для достижения заявленных уровней владения русским языком (В2–С1) предполагает следующие виды работы.

Цель **предтекстовых** заданий — не только снятие трудностей для чтения текста, но, прежде всего, формирование языковой компетенции. Задания направлены на увеличение словарного запаса (синонимические и антонимические ряды) и развитие лексико-грамматических навыков.

Задания формулируются с учетом требований уровня В2, например, **Объясните значение данных слов и словосочетаний, составьте с ними предложения; Составьте пары из слов, близких по значению; Передайте смысл данных предложений другими словами.**

Однако, в зависимости от условий обучения (количества аудиторных часов) и стартового уровня студентов, задания целесообразно расширять и усложнять. Например,

Задание **Объясните значение данных слов и словосочетаний, составьте с ними предложения:**

прописка	головной офис
населённый пункт	благосостояние
переселение	привязанность

Рекомендуется:

— обращать внимание на стилистические особенности — принадлежность языковых единиц к определённому стилю речи, например, *населённый пункт* — официально-деловой, *головной офис* — язык делового общения (бизнес) и т. д.;

— обсудить названные явления: высказать своё мнение и отношение, сравнить ситуацию в России и в своей стране, используя жанры беседы и дискуссии;

— обращать внимание студентов на языковые средства выражения аргументации с использованием различных интенций.

Задания на синонимию/антонимию

Лексическая синонимия/антонимия:

Задание **Найдите синонимы.**

1. поддерживать	а. показывать
2. скрывать	б. выкидывать
3. снижаться	в. прятать
4. демонстрировать	г. помогать
5. швырять	д. падать

Задание **Найдите антонимы.**

1. осложняться	а. исчезнуть
2. ценить	б. собраться
3. копить	в. пренебрегать
4. расслабиться	г. тратить
5. сохраниться	д. упрощаться

Задания такого типа предлагаются для самостоятельной/домашней работы (в конце каждого раздела имеются ключи). В аудитории целесообразно усложнить задания:

— составить синонимический / антонимический ряд (3 слова — для уровня В2, 5 — С1);

— указать пары в зависимости от стилистики контекста, например, *трудный — тяжёлый* (день/характер), *трудный — сложный* (задание),

— привести контексты употребления синонимов/антонимов.

Синтаксическая синонимия:

Задание 1. **Передайте смысл данных предложений другими словами.**

1. Для многих городом мечты является Санкт-Петербург. 2. Большинство москвичей не променяет свой город ни на какой другой. 3. Женщины более, чем мужчины, привязаны к Москве. 4. Молодёжь с лёгкостью относится к переселению. 5. В столице все привлекательные места заняты, а Петербург сейчас экономически резко поднимается.

При выполнении данного задания предполагается не только трансформация предложений, но и передача смысла другими языковыми средствами.

Работа с текстом

Текст может использоваться для развития навыков всех видов чтения в зависимости от контингента и целей обучения: изучающее (С1), ознакомительное (В2), просмотровое (В2) и выборочное чтение (С1). Информация данных текстов дает студентам возможность составить представление о содержании беседы по темам, предлагаемым в стандартах (субтест «Говорение»). Такого типа задания предлагаются к некоторым текстам, например, **Скажите, с кем из участников дискуссии вы согласны и почему.**

Цель **притекстовых** и **послетекстовых** заданий — формирование навыков, отвечающих требованиям уровня С1 (субтесты «Чтение» и «Письмо»). В пособии представлены типы заданий № 1 и 2 субтеста «Чтение» (без использования двуязычного словаря) с указанием ***времени*** его выполнения — ***20 минут***. Например,

Задание **Прочитайте текст — фрагмент интервью, данного иностранными гражданами, живущими в Москве, журналу «Большой город», и выполните задание (тест) после текста.**

***ТРКИ-3 / Чтение, задание 1.**

ТЕСТ: Укажите высказывания, которые соответствуют содержанию текста.

Задание **Прочитайте фрагменты интервью с Аллой Чириковой, научным сотрудником РАН, доктором социологических наук, 12 лет изучающей российскую бизнес-элиту. Выберите вопросы, на которые были даны прочитанные вами ответы.**

***ТРКИ-3 / Чтение, задание 2.**

После текста предлагается 10–12 вопросов, которых, как правило, больше, чем ответов.

Для студентов уровня В2 данные тексты предлагаются для ознакомительного чтения, на основе которых можно подготовиться к ведению ***беседы***, а для студентов уровня С1 — для изучающего чтения и подготовки к ***дискуссии*** (субтесты **ТРКИ-2/3** / Говорение, задание 15).

Подчеркнём, что цель данного пособия — формирование умений и навыков, прежде всего, продуктивных видов речевой деятельности (письмо и говорение) в рамках тематики стандартов **ТРКИ-2/3**. Для подготовки к субтесту «Чтение» в части художественного текста в настоящее время имеется достаточное количество соответствующих пособий. Официально-деловые тексты для уровня С1 (**ТРКИ-3**), как правило, предлагаются на просмотровое чтение и не вызывают у студентов особых трудностей. Для подготовки к субтесту «Чтение» В2 (ТРКИ-2) можно порекомендовать немало пособий.

Формирование навыков письменной речи

В пособии представлены все типы заданий по субтесту «Письмо» **ТРКИ-2/3**, охватывающие тематику стандартов указанных уровней.

Письмо ТРКИ-2

Тексты всех письменных заданий **ТРКИ-2** должны соответствовать следующим требованиям:

— быть написаны от лица пишущего, а не вымышленного автора (например, японский студент должен подписываться своим именем, а не именем *Гринефф*);

— иметь внутреннюю логику (например, письмо-рекомендация пишется в *ответ* на *просьбу* порекомендовать определённую персону или получить совет по важному делу, поэтому в письме должна быть фраза *В ответ на твою просьбу...*);

— содержать развёрнутые высказывания (сложные предложения и предложения с однородными членами);

— соответствовать речевому этикету (например, начало письма: *Здравствуй, Андрей!*, конец: *До свидания. Твой друг Франсуа*).

При выполнении **задания 1 ТРКИ-2** (написать *неформальное дружеское* письмо *рекомендательного* характера, используя предлагаемые *печатные материалы*) следует обращать особое внимание на следующие моменты:

— адекватность продуцируемого текста предложенной ситуации;

— эксплицитное выражение рекомендации;

— достаточное количество аргументов в пользу принятия данного решения;

— стилистические особенности неформального (дружеского) письма.

Например,

Задание **Ваш друг из России планирует купить квартиру за рубежом. На основе предложенных рекламных объявлений порекомендуйте объект недвижимости, который, по вашему мнению, лучше всего ему подойдёт. Напишите неформальное письмо рекомендательного характера.**

Рекомендуется выполнять данные задания за *время*, указанное в типовых текстах *(20 минут)*, *объем текста* должен соответствовать стандарту *(50–70 слов)*.

При выполнении **задания 2 ТРКИ-2** (написать официально-деловое письмо) особого внимания требуют:

— оформление письма (кому, от кого, дата, подпись);

— клишированные фразы (например, *Прошу принять меры*... и т. д.);

— полная передача информации, представленной в задании (например, в задании указано: «недельная поездка», следовательно, в тексте письма должны быть указаны даты, соответствующие этому сроку);

— достаточное количество аргументов, например,

Задание **Вы с друзьями ездили в недельную поездку по городам «Золотого кольца». Поездка вам очень понравилась. Напишите благодарность на имя директора турфирмы.**

В продуцируемом тексте должны быть указаны сроки поездки, названы города, которые посетил автор, указаны конкретные факты, за которые туристы выражают благодарность: интересные программы, высокая квалификация гидов и экскурсоводов, комфортабельные гостиницы, прекрасный сервис и т. д.

Время выполнения задания *(20 минут)* и *объём текста (50–70 слов)* также должны соответствовать стандарту.

Задание 3 ТРКИ-2 нацелено на проверку умений написать неформальное дружеское письмо рекомендательного характера без визуальной опоры на печатный текст (в свободной форме), например,

Задание **Ваш хороший знакомый — владелец магазина женской одежды. Он обратился к вам с просьбой порекомендовать ему человека на должность продавца-консультанта.**

Прежде всего, необходимо внимательно прочитать задание, где предложена программа письма и указан жанр текста, например,

Напишите дружеское, неформальное письмо, в котором охарактеризуйте рекомендуемого человека. Укажите:
— его личностные (внешние и внутренние) качества;
— деловые и профессиональные качества;
— факты и события из его жизни, которые привлекли ваше внимание;
— обстоятельства вашего знакомства.
А также оцените, обладает ли этот человек всеми качествами, необходимыми для работы в данной фирме.

Важно, чтобы личностные и деловые качества рекомендуемого человека были адекватны должностным обязанностям, заявленным в задании (т. е. человек, рекомендуемый на должность бухгалтера, не обязательно должен иметь привлекательные внешние данные, которые значимы, например, для секретаря, и т. п.).

Аргументация в пользу предлагаемого кандидата (*факты и события его жизни*) должна соответствовать той должности, которую ему предстоит занять. Так, например, для кандидата на должность водителя актуальной информацией является: опыт вождения, отсутствие аварий, хорошее знание города, а не знание иностранных языков и диплом об окончании университета и т.д.

Время выполнения задания *(20 минут)* и *объём текста (100–150 слов)* также должны соответствовать стандарту.

Творческие задания.

Если данное пособие используется в качестве инструмента обучения и не предполагает подготовки к прохождению тестирования, то целесообразно, наряду с тестовыми, предлагать творческие задания по развитию навыков письменной речи (**без определенного жанра** текста), например,

Задание **Расскажите (напишите) о своём опыте заграничной жизни. Какие плюсы и минусы такой жизни вы могли бы отметить? Какие советы вы могли бы дать людям, которые едут за границу на учёбу или на работу?**

Такого рода задания нацелены на развитие навыков продукции как письменной, так и устной речи, развивают дискурсивную и прагматическую компетенции учащегося, помогают ему адекватно оценить свой уровень владения русским языком.

Письмо ТРКИ-3

Задания **ТРКИ-3** требуют принципиально других, по сравнению с **ТРКИ-2**, умений и навыков письменной речи, что предполагает свободное владение русским языком. Учащийся должен уметь продуцировать тексты разнообразных жанров, учитывая их стилистические особенности, владеть навыками компрессии текста, знать общепринятые сокращения и т. п.

При обучении написанию эссе советуем обратить внимание на следующее:

— умение эксплицитно определить проблему и охарактеризовать ее общественное значение и значимость для автора теста;

— умение выразить собственное отношение к проблеме и предложить пути ее решения;

— композиция должна содержать три части: вступление (формулировка проблемы), основная часть (определение и характеристика личного и общественного отношения к проблеме, аргументация приводимых точек зрения), заключение (резюме-вывод по сути анализируемой проблемы);

— умение использовать образные языковые средства русского языка.

При выполнении **задания 1 ТРКИ-3** требуется составить *неформальное дружеское* письмо, содержащее анализ и оценку предлагаемых *печатных материалов*, например,

Задание **Напишите письмо о жизни в Москве своему другу, используя материалы текста и свои собственные впечатления. При этом укажите:**
— источник информации;
— с чем вы согласны и почему;
— с чем вы не согласны и почему;
— каковы ваши собственные впечатления;
— каков ваш прогноз на будущее (в том, что касается жизни в Москве).

Следует обращать особое внимание на следующие моменты:

— письмо должно быть написано от лица пишущего;

— внутренняя логика текста, адекватность предлагаемой ситуации;

— информация печатного текста должна быть отражена полностью, проанализирована и представлена в сжатом виде;

— корректное цитирование (правильное оформление прямой и косвенной речи); недопустимо наличие переписанных абзацев исходного текста без ссылки;

— продуцируемый текст должен содержать оценку всех точек зрения на проблему, изложенную в предлагаемом материале;

— соответствие нормам речевого этикета, характерным для данного жанра текста.

Время выполнения задания *(25 минут)* и *объём текста (200–250 слов)* также должны соответствовать стандарту.

Задание 2 ТРКИ-3 проверяет умения составить информационное сообщение делового характера на основе печатного текста, например,

Задание Прочитайте текст и выполните задание к нему. На основе прочитанного текста составьте письменное сообщение своему знакомому — социологу, интересующемуся проблемами молодёжи. При этом:

— укажите источник информации;

— в своём сообщении используйте общепринятые сокращения.

При выполнении заданий подобного рода следует обратить внимание учащихся на то, что продуцируемый текст должен быть принципиально другого жанра (сообщение/факс, а не, например, информационное письмо или текст СМИ). Оформление письма должно содержать указания на адресата и отправителя сообщения, номер телефона / факса / адрес электронной почты, дату и правильную подпись в соответствии с заданием (например, указание должности), адекватные формулы речевого этикета (например, *С уважением...*).

Следует подчеркнуть, что продуцируемый текст по объёму *(50–70 слов)* должен быть в 4–5 раз меньше исходного текста *(300–350 слов)*, а *время* выполнения задания *20 минут*, что соответствует стандарту.

В предлагаемом пособии каждая тема заканчивается заданием написать эссе, что соответствует **заданию 3 ТРКИ-3**.

Для учащихся уровня В2 эти задания можно рассматривать как ***творческие письменные работы***, выполненные в свободной форме, где автор представляет свои умения изложить собственные взгляды на предложенную тему с использованием примеров, сравнений, различных форм аргументации и т. п. Все это помогает подготовиться к участию в беседе (**ТРКИ-2 / Говорение, часть 3**). Например,

Задание Напишите эссе на одну из тем:

1. Социальное расслоение общества: проблемы и перспективы.
2. От трудов праведных не наживёшь палат каменных.

Для учащихся уровня С2 данное задание является обязательным. В первых темах пособия в задании предлагается программа содержания текста жанра эссе (в соответствии с типовым тестом **ТРКИ-3, задание 3**), например,

Задание Напишите эссе на тему «Моя лестница в небо». При этом укажите:

— в чём заключается проблема;

— объективные и субъективные причины, влияющие на выбор профессии;

— различные точки зрения на проблему;

— перспективы вашего карьерного роста;

— ваше отношение к общественной оценке профессий с точки зрения престижности.

В дальнейшем предлагаются только темы, *время* выполнения задания *(30 минут)* и *объём текста (150–200 слов)*, что соответствует стандарту.

При обучении написанию эссе советуем обратить внимание на следующее:

— умение эксплицитно определить проблему и охарактеризовать её общественное значение и значимость для автора теста;

— умение выразить собственное отношение к проблеме и предложить пути её решения;

— композиция должна содержать три части: вступление (формулировку проблемы), основная часть (определение и характеристику личного и общественного отношения к проблеме, аргументацию приводимых точек зрения), заключение (резюме-вывод по сути анализируемой проблемы);

— умение использовать образные языковые средства русского языка.

В некоторых темах пособия предлагаются мини-тексты для последующего обсуждения, например,

Задание **Современный российский писатель Виктор Пелевин ценность книги определил следующим образом…**

а) Согласны ли вы с точкой зрения В. Пелевина? Приведите свои аргументы.

б) Выскажите свои взгляды на место и роль литературы и — шире — искусства в жизни современного общества:

1. Какова роль книги в жизни современного общества?
2. Считаете ли вы, что существуют книги «вне времени»? (Если согласны, назовите такие книги.)

Задание «б» можно использовать как в качестве письменного ***творческого задания*** для учащихся уровня С1, так и для подготовки к участию в дискуссии (**ТРКИ-3 / Говорение, часть 3**).

При обучении написанию эссе целесообразно использовать пособие Д.В. Колесовой, А.А. Харитонова «Пишем эссе» (СПб. : Златоуст, 2003 и др.).

Развитие навыков говорения

Все задания в пособии так или иначе связаны с развитием навыков говорения продвинутого уровня (В2–С1), однако особое внимание уделяется формированию тех навыков диалогической речи, которые обозначены в стандартах **ТРКИ-2/3** и вызывают трудности у учащихся:

а) выражение согласия / несогласия с использованием синонимов/антонимов (В2–С1);

б) выражение заданных интенций (В2);

в) умение возражать, убеждать, аргументировать свою позицию с использованием разнообразных языковых средств (С1);

г) ведение диалога: разговор по телефону с опорой на печатный текст (В2), деловая беседа с программой речевого поведения (С1);

д) участие в беседе (В2) или дискуссии (С1).

Перечисленные умения и навыки, тем не менее, необходимы для всех учащихся продвинутого уровня, поэтому в пособии подробной квалификации всех заданий с отсылкой к Типовым тестам не представлено. Считаем целесообразным, вне зависимости от подготовки к **ТРКИ-2** или **ТРКИ-3**, использовать все типы заданий с учётом уровня учащихся.

а) Задания на **выражение согласия/несогласия** с использованием синонимов / антонимов носят *условно-речевой* характер и требуют от учащихся реплики-реакции, например,

Задание **Вы с друзьями обсуждаете экскурсию, состоявшуюся вчера. Вашему другу экскурсия не понравилась. Примите участие в диалоге. Ваша задача: а) Согласитесь с высказанным мнением, используя *синонимичные* конструкции.**

Приведём возможные реплики-реакции, соответствующие уровням В2 и С1:

— *Какая неудачная вчера была экскурсия!*

— Да, ты права. Было очень скучно. (В2)

— Не то слово! Я просто умирал от скуки! (С1).

б) **Выражение интенций** при помощи различных языковых средств традиционно представляет большую трудность для учащихся, преодолению которой способствуют тренировочные/имитативные и условно-речевые упражнения, предложенные в пособии. Приведём пример тренировочных/имитативных упражнений.

Задание **Прочитайте предложенные выражения и определите, какие интенции они передают: 1) равнодушие, 2) затруднение с ответом, 3) отказ, 4) несогласие.**

а. Даже не знаю. Ещё не думал об этом.	☐	**в.** Ничего подобного! Нет, ты не прав(а)!	☐
б. Ну и что! Какая разница!	☐	**г.** Неохота… Да ну, не хочется.	☐

Такие задания рекомендуются для аудиторной работы. Учащиеся должны не только научиться распознавать интенции, но и использовать их в своей речи, для чего преподаватель должен обратить внимание на развитие навыков фонетико-интонационного оформления высказываний.

Условно-речевые упражнения нацелены на автоматизацию навыков, например,

Задание **Вы с другом обсуждаете современные СМИ. Примите участие в диалоге, выразите следующие интенции.**

Приведём возможные реплики-реакции, соответствующие уровням В2 и С1:

Сомнение:

— *Говорят, скоро газет совсем не будет.*

— Вряд ли! Я в этом сомневаюсь. (В2)

— Ну, ты и скажешь! Быть этого не может! (С1)

в) Более сложные условно-речевые упражнения направлены на формирование умений выражения **возражения, убеждения, аргументации**, которые мы рекомендуем также для всех учащихся. Например,

Задание **Вы разговариваете с подругой, купившей ребёнку компьютер. Теперь она жалеет об этом. Примите участие в диалоге, возразите подруге и убедите её в правильности сделанного выбора. Приведите свои аргументы. Используйте разные языковые средства.**

Приведём возможные реплики-реакции, соответствующие уровням В2 и С1:

— *Согласилась купить ребенку компьютер, а теперь жалею. Говорят, на детей компьютеры влияют очень плохо.*

— Ты не права. Все должны уметь пользоваться компьютером. (В2)

— Да ты что! Сейчас без компьютера никуда! (С1)

Все рассмотренные типы условно-речевых заданий рекомендуются для работы в аудитории, без опоры на текст и без предварительной подготовки. Как вариант, в случае недостаточной подготовленности учащихся рекомендуется выполнять эти задания письменно с опорой на текст с последующим предъявлением и обсуждением возможных вариантов реплик.

г) Развитию навыков спонтанной диалогической речи способствуют речевые упражнения, представленные в пособии. Характерным отличием этих упражнений является то, что учащийся должен быть инициатором диалога. Если пособие используется в качестве инструмента обучения, целесообразно выполнять все задания в предложенном порядке. Если учащиеся намерены проходить тестирование, то рекомендуется делать те упражнения, которые снабжены указаниями соответствующего уровня (**ТРКИ-2/3**).

Задание **Вы прочитали в газете объявление. Это объявление вас заинтересовало. Позвоните по указанному телефону и расспросите обо всём как можно более подробно, чтобы решить, стоит ли вам обращаться в эту фирму.**

***ТРКИ-2 / Говорение, задание 14.**

При выполнении подобных заданий нужно обращать внимание на следующие обстоятельства:

— соблюдение норм речевого этикета (приветствие, представление себя, выражение благодарности, прощание);

— объяснение цели звонка;

— запрос дополнительной информации, не указанной в предложенном тексте, а также необходимых разъяснений и уточнений;

— достижение цели общения (максимально возможное количество вопросов с целью получения информации в соответствии с заданной ситуацией, а не рассказ о себе).

Для уровня С1 предлагается не только печатный текст, но и программа речевого поведения, например,

Задание **Вы — руководитель организации. Вы получили докладную записку от вашего сотрудника. Проведите с сотрудником по работе с персоналом деловую беседу, цель которой — разрешение конфликтной ситуации. При этом вы должны:**
— обозначить тему разговора;
— выяснить объективные и субъективные причины конфликта;
— высказать собственный взгляд на случившееся;
— объявить о своём решении.

***ТРКИ-3 / Говорение, задание 14.**

При выполнении подобных заданий следует обращать внимание на следующие обстоятельства:

— следование представленной программе диалога;

— соблюдение норм речевого этикета (приветствие, обращение к собеседнику, прощание в условиях делового общения);

— выражение аргументации, убеждения, возражения и т. д.;

— запрос дополнительной информации, не указанной в предложенном тексте, а также необходимых разъяснений и уточнений;

— достижение цели общения (оценка ситуации и сообщение о принятии решения).

д) Для развития навыков **спонтанной речи** предлагаются задания творческого характера, которые имеют и прагматические цели — подготовить учащихся к ведению беседы (В2) или дискуссии (С1). Для достижения заявленных целей предлагаются задания как на развитие монологической речи, например, **Продолжите фразу «Интернет — это ...»** или **Составьте небольшое выступление на тему «Работающая женщина — это ...»**, так и диалогической, например,

Задание **Согласитесь или опровергните данные высказывания. Приведите свои аргументы.**

1. Компьютерные технологии и Интернет — чума XXI века.
2. СМИ — источник объективной и непредвзятой информации.
3. Читать газеты за завтраком вредно для здоровья.

Важно обратить внимание учащихся, что ведение **беседы** предполагает равноправный диалог, а не монолог, при этом преподаватель должен имплицитно задавать программу речевого поведения:

— запрашивать и уточнять информацию;

— выяснять мнение;

— просить дать обоснованную оценку предложенной ситуации, а также привести примеры и сравнения;

— просить высказать предположения по ситуации (гипотезу) с последующим выводом / кратким заключением беседы.

Участие в **дискуссии** предполагает качественно иной уровень владения языком, при этом следует учитывать:

— не только определение темы, но и круг возможных связанных с ней проблем с разъяснением необходимых понятий;

— наличие альтернативных мнений участников дискуссии;

— умения присоединиться к одному из мнений, возразить, аргументировать и отстаивать свою позицию;

— умение представить возможное решение конкретной проблемной ситуации, используя иллюстрации, сравнения, и дать свои рекомендации.

В заключение хотим подчеркнуть, что основным методическим принципом пособия является взаимосвязанное обучение всем видам речевой деятельности в рамках заявленных тем, формирующих социокультурную компетенцию учащихся.

Приложение

Резюме № 20834185

Секретарь

 **30 000 руб.**  не имеет значения на территории работодателя

19 лет (6 ноября 1992 г.), женский, неполное высшее, не замужем, детей нет
Санкт-Петербург, гражданство: Россия

Опыт работы

июнь 2012 г. — август 2012 г.

Секретарь-делопроизводитель (полная занятость)
ООО «Спецпоставка», г. Санкт-Петербург
Изготовление бронеконструкций, защитное оборудование
Должностные обязанности и достижения: Приём и распределение входящих звонков, входящие/исходящие звонки, отправка и приём факсов, получение корреспонденции посредством почты и курьерской службы, регистрация входящей/исходящей корреспонденции (ведение журнала учётных записей), заказ питания, воды и пр. (обеспечение жизнедеятельности офиса), ведение документооборота, работа с электронной почтой (Outlook), владение офисной оргтехникой, оформление командировок (заказ ж/д и авиабилетов), бронирование гостиниц

мая 2010 г. — сентябрь 2011 г.

Секретарь-делопроизводитель (полная занятость)
Название организации: ООО «Оккервиль», г. Санкт-Петербург
Строительство и реконструкция объектов
Должностные обязанности и достижения: Приём и распределение входящих звонков, входящие/исходящие звонки, отправка и приём факсов, получение корреспонденции посредством почты и курьерской службы, регистрация входящей/исходящей корреспонденции (ведение журнала учётных записей), заказ питания, воды и пр. (обеспечение жизнедеятельности офиса)

Образование

Санкт-Петербургский Институт гуманитарного образования, г. Санкт-Петербург. Дата окончания: 2015 год.
Факультет: Журналистика. Специальность: Журналист. Форма обучения: Заочная.

Иностранные языки и компьютерные навыки

Английский язык.
Разговорный

Microsoft Word, Outlook
Уверенный пользователь

Навыки и достижения

Приём и распределение входящих звонков, входящие/исходящие звонки, отправка и приём факсов, получение корреспонденции посредством почты и курьерской службы, регистрация входящей/исходящей корреспонденции (ведение журнала учётных записей), заказ питания, воды и пр. (обеспечение жизнедеятельности офиса), ведение документооборота, работа с электронной почтой (Outlook), владение офисной оргтехникой, оформление командировок (заказ ж/д и авиабилетов), бронирование гостиниц.

Резюме № 20899242

Бухгалтер

 **по договоренности**  полный рабочий день на территории работодателя

22 года (7 февраля 1990 г.), мужской, высшее образование, не женат, детей нет
Санкт-Петербург, Приморский район, м. Комендантский проспект, м. Пионерская
Готов к командировкам. Гражданство: Россия

Работал

июнь 2011 г. — ноябрь 2011 г.

Главный бухгалтер (полная занятость)
ООО «ДОФА», г. Омск
Оптовая торговля (продукты питания)
Должностные обязанности и достижения: Ведение бухгалтерского учета. Работа с торговыми представителями. Анализ и работа с дебиторской задолженностью. Составление ежемесячных финансовых отчетов. Работа с банками и налоговыми органами. Анализ продаж. Работа с клиентами.

апрель 2011 г. — июнь 2011 г.

Бухгалтер (полная занятость)
ИП Цирк Н.М., г. Омск
Оптовая торговля (продукты питания)
Должностные обязанности и достижения: Ведение бухгалтерского учета. Первичная документация. Контроль товарных остатков на складе. Работа с торговыми представителями. Выполнение поручений руководителя. Делопроизводство

май 2008 г. — август 2008 г.

Менеджер по продажам (полная занятость)
ООО «МАНИС», г. Омск
Строительство
Должностные обязанности и достижения: Поиск партнеров. Составление баз данных по направлениям деятельности. Работа с клиентами. Расширение и ведение клиентской базы. Ведение переговоров, деловой переписки. Составление и заключение договоров, контроль за расчетами.

Навыки и достижения

Стремление построить карьеру за счет повышения и улучшения профессиональных качеств. Грамотность. Работоспособность. Пунктуальность. Аккуратность. Способность работать в команде.
Обладаю высокими коммуникативными навыками, исполнителен, нацелен на результат.

Учился

по июнь 2012 г. ГОУ ВПО Омский государственный университет им. Ф.М. Достоевского, г. Омск. Факультет: Экономический. Специальность: Менеджмент организации. Форма обучения: Заочная

по июнь 2008 г. Бюджетное образовательное учреждение Омской области среднего профессионального образования «Торговый колледж», г. Омск. Факультет: Экономический. Специальность: Экономика и бухгалтерский учет. Форма обучения: Дневная/Очная

Знает и умеет

Продвинутый пользователь. Свободное владение ПК, уверенный пользователь Microsoft Office, владение 1С: Бухгалтерия, опытный пользователь сети Интернет

Английский язык базовый

Водительские права категории В

О себе

Внимательность к деталям, способность работать с большими массивами информации. Работа с банк-клиентом. Уверенный пользователь ПК, Microsoft Office, 1С: Склад и торговля

Резюме № 2072152

Бухгалтер, бухгалтер по учету дебиторской и кредиторской задолженности, кредитный специалист

 **35 000 руб.**  не имеет значения не имеет значения

27 лет (23 декабря 1984 г.), женский, высшее образование, не замужем, дети есть
Санкт-Петербург, Выборский район, м. Академическая, м. Гражданский Проспект, м. Проспект Просвещения. Гражданство: Россия

Работала

апрель 2012 г. — сентябрь 2012 г.
Менеджер по продажам (полная занятость)
ОАО «МТС-банк». Банковские услуги
Должностные обязанности и достижения: Продажа кредитных карт мтс-деньги. Продажа и оформление товара в кредит. Работа с программой 1С. Консультирование клиентов по тарифам и условиям обслуживания карт.

август 2007 г. — март 2012 г.
Бухгалтер по учету дебиторской задолженности, по расчетам с покупателями (полная занятость)
ООО «Кока-Кола Эйч Би Си Евразия», г. СПб. Производство и продажа напитков
Должностные обязанности и достижения: Работа с первичной документацией. Проведение актов сверок с клиентами. Кредитный контроль. Выявление причин просроченной задолженности. Работа с договорами и дополнительными соглашениями. Проверка документов для отгрузки в кредит. Разнесение платежей (SAP). Ведение телефонных переговоров с покупателями. Проведение инвентаризации. Работа с архивом.

июль 2005 г. — апрель 2007 г.
Бухгалтер (частичная занятость)
ООО «Башбыттехника». Оптовая торговля бытовыми электроприборами
Должностные обязанности и достижения: Заполнение налоговых деклараций (УСН), ведение книги расходов и доходов, работа с первичной документацией, проведение платежей через банк-клиент

Навыки и достижения

Закончила школу с отличием, награждена золотой медалью. Получила большой опыт работы бухгалтером в крупной развивающейся компании.

Училась

по июнь 2007 г.
Уфимский государственный авиационный технический университет. Факультет: Экономический. Специальность: Экономист, специалист по налогообложению. Форма обучения: Дневная/Очная

Курсы и тренинги

по май 2006 г.
2 месяца
Учебный центр «Экселенд». 1С: Бухгалтерия 7.7, 1С: Торговля и Склад, Современный бух. учёт

Знает и умеет

Уверенный пользователь ПК. Знания программ Word, Excel, 1С: Бухгалтерия, 1С: Торговля и склад. Работа с программами банк-клиент, Консультант плюс, Бест 4, SAP. Свободно ориентируюсь в Интернете.

Английский язык базовый

Водительские права категории B

О себе

Ответственная, коммуникабельная, внимательная, исполнительная, неконфликтная, без вредных привычек. Быстрая обучаемость.
Ищу стабильную интересную работу в крупной развивающейся компании в отделе бухгалтерии и финансов, с возможностью карьерного роста.

В оформлении издания использованы фотоматериалы:

http://img0.liveinternet.ru/images/attach/c/0/51/970/51970100_69.jpg
http://img0.liveinternet.ru/images/attach/c/1/60/530/60530520_coice.jpg
http://static2.aif.ru/pictures/201011/molodej1_000.jpg
http://socialhelpmoney.net/images/moms.jpg
http://img.rosrealt.ru/img/gallery/house/600_100201_1265044891_0.jpg
http://kypikvartiry.ru/upload/iblock/e72/e7284d916d76a6f5912d62f2f978b88c.jpg
http://gorod.dp.ua/photo/2007/l/lyah_nadia/skyscrapers.jpg
http://lucas.35photo.ru/photos_series/48/48796.jpg
http://www.trud.ru/userfiles/gallery/65/b_658c7a9e2ef70137196e883c54097ed7.jpg
http://www.dolphin-yachts.com/yacht_img/DYB4123.jpg
http://i.allday.ru/uploads/posts/2009-03/1236781601_newspaper-coal-news.jpg
http://www.romanialibera.ro/usr/thumbs/thumb_800_x_600/2008/07/01/70722-128633_1.jpg
http://advancedwriteresumes.com/yahoo_site_admin/assets/images/Interview.9134041.jpg
http://www.nicko.ru/images/pictures/moscow/news_molodoe_pokolenie_02.JPG
http://s2.hubimg.com/u/1727761_f260.jpg
http://woman-xxi-century.ru/images/19-98.jpg
http://www.gepeszunio.hu/kep.php?id=84259\
http://www.molodozhenam.ru/img/docs/44/4357_21153.jpg
http://www.zmlaw.kz/upload/userfiles/image/news_image/marital_agreement.jpg
http://www.nn.ru/data/forum/images/2011-09/39699407-a1af7d5511f3.jpg
http://www.videovv.com/?bcb=pictures-of-parents-arguing-RHT8WuFE_sLk601jA6X0TPmTkYLYbYWTeFGrtJ94otU0UZ7AXZIwXv7p tExrTMe50d/Xiq3Mji5GVUI=2tg.jpg
http://jornalsantuario.files.wordpress.com/2011/06/pag01_principal_landerassociates-wordpress.jpg
http://cache.photosight.ru/img/4/fe5/3546922_large.jpeg
http://vse-sekrety.ru/uploads/posts/2010-06/1275549290_1-15k2lmi.jpg
http://www.expert-voyage.ru/admin/images/dow/12604572720.jpg
http://peruurlaub.net/wp-content/woo_custom/105-SandboardingPeruBoliviatours.jpg
http://pasmurki.ru/wp-content/uploads/2011/02/vozmozhnosti-ekstremalnogo-otdyxa.jpg
http://www.icstrvl.ru/data/2011/11/11/1644190065/otdyh-na-gornolyzhnyh-kurortah-avstrii.jpg
http://www.desktopwallpaperhd.com/wallpapers/11/1355.jpg
http://www.snpltd.ru/Images/Products/Adventure_tourism_crimea_gorniy_krim_8.jpg
http://acam.typepad.com/.a/6a00e553466c04883401348935af20970c-800wi
http://i078.radikal.ru/1110/5d/6520cfb42793.jpg
http://sergeybezrukov.ru/wp-content/gallery/v-iyune-41-go/june-23.jpg
http://sergeybezrukov.ru/wp-content/gallery/sirano-de-berzherak/sirano-3.jpg
http://img0.liveinternet.ru/images/attach/b/0/16554/16554861_kinopoiskruMasteriMargarita900x620394500.jpg
http://www.probrigadu.narod.ru/foto/bezrukov/bezrukov02.jpg
http://sergeybezrukov.ru/eng/wp-content/gallery/master-i-margarita/mim-13.jpg
http://sergeybezrukov.ru/wp-content/gallery/v-iyune-41-go/june-12.jpg
http://gold-key.com.ua/wp-content/uploads/2010/04/Zrit-zal-02.jpg
http://www.bulvar.com.ua/images/doc/14-0a071.jpg
http://img.rodgor.ru/foto_src/e69661d36a9fec39ed67ca257708f2d9.jpg
http://branded.ru/images/stories/odezhda.jpg
http://club.foto.ru/gallery/images/photo/2006/11/09/736452.jpg
http://www.char.ru/books/2344095_Imperiya_v_chetyreh_izmereniyah_Izmerenie_IV_Oglashennye_Roman-stranstvie.jpg
http://www.etextlib.ru/Content/BookImages/37489_cover.jpg
http://www.etechservice.ru/vova/kniga9803.jpg
http://i049.radikal.ru/0802/fb/e1aa6bb5a7ff.jpg
http://www.chicco.com.ua/konkurs32/a32_111.jpg
http://sovsibir.ru/up/2009/230/230-05.jpg
http://upload.wikimedia.org/wikipedia/commons/5/58/Freud_Sofa.JPG
http://zoneland.ru/pics/images3/56635512233.jpg.jpg
http://gidtravel.com/country/austria/Venskiy_muzey_Zigmunda_Freyda_dp2.html
http://www.3porosenka.ru/uploads/f/2/f26ac43d003ddb55c4bf81aec96cf0db.jpg
http://www.skyscrapers.ru/gallery/d/5609-1/night_ibc_concept5.jpg
http://i7.fastpic.ru/big/2010/0618/d9/c2d9849e675645fb853cc90834c153d9.jpg
http://mygazeta.com/i/2012/01/umnidom.jpg
http://www.volgograd-it.ru/svd/images/timage1947456
http://plushka.com/gallery/files/2/vodydostdimasko.jpg

RUSSIAN COURSES

IN SAINT-PETERSBURG

Individual / group course from 240 EUR a week
(15 hours per week)

You have an unique chance to take Russian lessons directly —
LEARN FROM OUR AUTHORS!

- ✓ Professionally trained teachers
- ✓ Small groups or individual tuition
- ✓ 6 levels — from beginners to proficiency
- ✓ Wide range of educational programs and types of courses
- ✓ Exam preparation courses (basic — proficiency)
- ✓ Workshops for teachers of Russian as a foreign language
- ✓ All our books are available in our library
- ✓ Various cultural programs and tours
- ✓ Accommodation: hotel or host family
- ✓ Visa support (invitation and registration)
- ✓ Transfer

Zlatoust Ltd.
Kamennoostrovsky, 24, St. Petersburg, 197101, Russia
tel. +7 812/703-11-76,
fax +7 812/703-11-79
e-mail: school@zlat.spb.ru
website: www.zlat-edu.ru